M. G. Scarsbrook

Veneno nas Veias

Memórias de Lucrécia Bórgia

TRADUÇÃO
Eliana Sabino

GERAÇÃO
EDITORIAL

VENENO NAS VEIAS
Memórias de Lucrécia Bórgia

Copyright © 2010 by M. G. Scarsbrook
Copyright da tradução © 2012 by Geração Editorial

1ª edição — Janeiro de 2012

Grafia atualizada segundo o Acordo Ortográfico da Língua Portuguesa
de 1990, que entrou em vigor no Brasil em 2009.

Editor e Publisher
Luiz Fernando Emediato

Diretora Editorial
Fernanda Emediato

Produtora Editorial
Renata da Silva

Assistente Editorial
Diego Perandré

Capa e Projeto Gráfico
Alan Maia

Diagramação
Kauan Sales

Tradução
Eliana Sabino

Revisão
Débora Mathias

DADOS INTERNACIONAIS DE CATALOGAÇÃO NA PUBLICAÇÃO (CIP)
(Câmara Brasileira do Livro, SP, Brasil)

Scarsbrook, M. G.
Veneno nas veias : memórias de Lucrécia Bórgia / M. G. Scarsbrook ;
tradução Eliana Sabino. -- São Paulo : Geração Editorial, 2011.

Título original: Poison in the blood : the memories of Lucrezia Borgia.

ISBN 978-85-8130-008-5

1. Bórgia, Lucrécia, 1480-1519 2. Itália – História – 1492-1559
3. Renascença – Itália 4. Romance histórico I. Título.

11-12636	CDD: 813

Índices para catálogo sistemático

1. Romance histórico : Literatura canadense em inglês   813

GERAÇÃO EDITORIAL

Rua Gomes Freire, 225/229 — Lapa
CEP: 05075-010 — São Paulo — SP
Telefax.: + 55 11 3256-4444
Email: geracaoeditorial@geracaoeditorial.com.br
www.geracaoeditorial.com.br

2012
Impresso no Brasil
Printed in Brazil

Para minha irmã
Samantha

> "... é muito mais seguro ser temido do que ser amado (...) o temor nos protege através do medo do castigo que jamais falha."
>
> Capítulo XVII, "O príncipe"
> NICOLAU MAQUIAVEL

Por que não posso descer à sepultura contigo?
Quisera que meu fogo pudesse aquecer este gelo frígido,
E transformar com lágrimas este pó em carne viva,
E devolver-te a alegria da vida!
Então corajosamente, ardentemente, eu confrontaria
O homem que quebrou o nosso elo mais querido, e bradaria
"Ó monstro cruel! Veja o que o amor pode fazer!"

Barbara Bentivoglio Strozzi Torelli,
ARISTOCRATA E POETISA ITALIANA

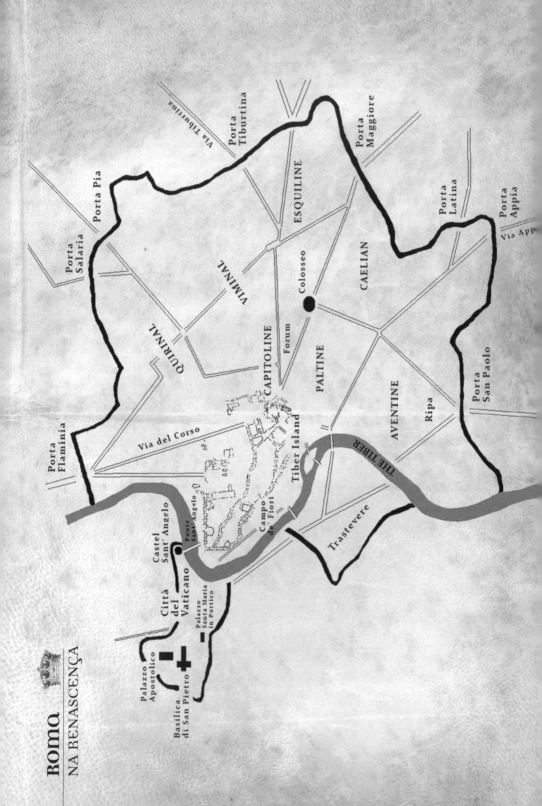

I

O Carnaval Romano,
FEVEREIRO DE 1497

Uma hora antes de um homem morrer, com o corpo atravessado por uma espada, a cidade de Roma não dava qualquer aviso da violência ainda por vir. As pessoas, muito animadas, agitavam-se nas ruas ao crepúsculo, os rostos ocultos por trás de máscaras pintadas, as túnicas ou corpetes trocados por brilhantes trajes de tecido branco, vermelho ou dourado.

Vaguei em meio à multidão para desfrutar dos minutos finais da celebração. À minha volta, a luz de velas cintilava em cada quarteirão da cidade, brilhando em meio às sombras, afastando a escuridão. Essa noite era uma ocasião de euforia e desordem, uma festa que deixava o mundo de cabeça para baixo e tornava possível qualquer coisa.

— Menos uma luz! Menos uma luz! — gritava uma voz próxima.

Tais brados enchiam o ar, enquanto meu irmão César e eu abríamos caminho ao longo da *Via del Corso*. A avenida calçada de pedras estava agora mergulhada no evento mais tumultuado de todos, a Noite das Velas. Todas as mãos seguravam uma vela brilhante, e todos brincavam de apagar as outras velas enquanto protegiam a sua própria. Cada vez que um folião apagava uma chama, eles cantavam: "menos uma luz, menos uma luz!", comemorando a vitória. Fiquei observando, maravilhada com a intensidade dos folguedos: o ano já estava arruinado por pestes, fome e carnificinas, no entanto as pessoas ainda conseguiam esquecer suas aflições na alegria do Carnaval. Eu as invejava profundamente.

César, a meu lado, acompanhava meu passo, erguendo a tocha acima das mãos que a buscavam. A luz do fogo refletia-se em sua máscara de prata que representava um unicórnio. Seus ombros eram largos sob uma jaqueta justa de cetim prateado. Em contraste, eu usava as roupas simples de uma camponesa — corpete de couro marrom e saia godê verde. Minha máscara era pequena, cobrindo meus olhos e minhas bochechas, mas não cessava de embaraçar-se nos cachos dourados dos meus cabelos que iam até a cintura.

— Não é estranho estar aqui sem uma escolta papal? — comentei com César enquanto andávamos na multidão. — É uma pena não podermos andar normalmente pelas ruas sem um disfarce. Gosto de estar em Roma sem ser percebida ou examinada.

— Eu não me importo — ele respondeu com sua voz grossa e sem entonação. Baixou os olhos para o meu corpete e a minha saia. — Diga-me de novo: de quê é esta fantasia?

— Sou uma camponesa. Eu queria ser uma pessoa comum, para variar.

— Por quê?

Antes que eu pudesse responder, um foguete explodiu acima de nós e nos distraiu. Estaquei e protegi com as mãos a vela que carregava. De repente uma carruagem cheia de jovens, confetes e doces abriu caminho e passou por nós, quase nos atropelando sob as suas rodas. Meu irmão agarrou-me pelo braço e puxou-me para o canto da rua.

— Vilões! — César gritou para a carruagem que desaparecia no meio da multidão. — Deviam ser enforcados, todos eles!

O rugido da voz dele sobressaiu aos gritos e conversas à nossa volta, e algumas pessoas viraram a cabeça para olhar para nós.

— Não se preocupe, eu estou bem — afirmei, esfregando o braço onde os dedos dele haviam pressionado minha pele. — Mas você não pode culpá-los. Lembre-se que ninguém sabe quem somos. Não se pode esperar que eles nos tratem como o filho e a filha do Papa. Caso contrário, de que adiantaria nos disfarçarmos?

— Mesmo assim, são uns patifes — ele respondeu, deixando que sua raiva amainasse.

Olhei na direção do sul da cidade e pensei em um plano.

— Por que não voltamos para casa agora? — sugeri. — Já vimos o suficiente das festividades dessa noite. De qualquer maneira, o Carnaval está quase no fim.

— Não há necessidade de voltar correndo para a Cidade do Vaticano — ele retrucou.

— Sim, mas achei que poderíamos fazer um caminho mais longo até os nossos alojamentos. Poderíamos até passar pelas ruas e *piazze* do sul?

Uma leve sensação de culpa mexeu com meus nervos. Tinha a certeza de que ele saberia exatamente aonde eu queria ir, e precisamente quem eu tinha esperanças de encontrar.

Em vez disso, ele limitou-se a dar de ombros.

— Já que você insiste... — concordou.

Pusemo-nos a caminho, ainda admirados com todas as fantasias cintilantes, as danças frenéticas e os truques bem feitos. Duas mulheres usando penas brancas na roupa passaram bem perto de nós. Restos de confete vermelhos, verdes e azuis pontilhavam seus cabelos. Um bufão de calções escarlates surgiu dançando na frente delas, atirou-lhes ovos e apagou as velas de ambas. Atrás deles, rapazes saltavam da rua para dentro das carruagens que passavam, para apagar suas lamparinas. Docinhos de laranja e de frutas secas passavam zumbindo acima das cabeças e iam de encontro às paredes das casas, lojas e *palazzi*, permeando o ar com um acre cheiro cítrico. Acima de toda aquela algazarra, nobres senhoras inclinavam-se sobre o parapeito das sacadas e derramavam mel sobre as velas abaixo.

Tomando o cuidado de evitar *Sant'Angelo*, o *rione* controlado por nossos inimigos, deixamos para trás a *Via del Corso* e descemos por ruas mais sossegadas. As luzes enfraqueciam gradativamente e a cidade se tornava mais escura e menos caótica. Enquanto caminhávamos devagar, residências e *palazzi* de cinco andares agigantavam-se acima de nós. Aromas de alcachofra cozida, carnes gordas, alho e hortelã escapavam das janelas em arco.

César e eu logo passamos pela *piazza* de *Campo de' Fiori*, um pequeno mercado rodeado de tabernas e hospedarias, muitas delas recebendo peregrinos que vinham visitar o túmulo de São Pedro. De portas distantes vinham risadas que se derramavam pela praça, e um grupo de bêbados divertiam-se com brincadeiras tolas. Um homem sentava-se sobre um barril enquanto os outros tentavam rolá-lo através da praça do mercado.

De repente uma mulher passou por trás da janela de uma estalagem. Seus cabelos louros cintilaram à luz da lamparina, mas ela desapareceu quase que tão rapidamente quanto havia surgido. Meu coração deu um salto, e estaquei. O nome dela era Vannozza dei Cattanei. A nossa mãe.

Cutuquei César.

— Naquela janela. Você não a viu?

— Não — ele respondeu em tom neutro. — Mas não devíamos parar aqui.

Fiquei imóvel.

— Ela agora possui três estalagens, foi o que ouvi dizer. É dona de "A Vaca", "O Leão" e "A Águia". Podemos atravessar a *piazza* e olhar mais de perto?

Ele esquadrinhou a penumbra das edificações.

— Papai não iria aprovar. Você sabe disso.

— Não está nem um pouquinho interessado em olhar para ela agora?

Ele voltou-se para mim com expressão indagadora.

— Por quê? O que é que ela tem a ver conosco? Quantas vezes você falou com ela recentemente?

Veneno nas Veias

— Nenhuma vez em dez anos. Desde o meu sétimo aniversário.

— Exatamente. Ela era apenas a amante do nosso pai, nada além disso. Por que isso a tornaria importante?

— César! Como você pode falar com tanta frieza? Ela fez mais do que simplesmente nos dar à luz, ela também nos criou durante anos em sua casa na *Ponte*. Papai teria se casado com ela, mas era um cardeal. Se ele não tivesse chegado tão alto na *Curia*, não teria terminado o romance com ela.

— É isto que você pensa?

— Além disso, ele não teria nos levado embora. Fico pensando como seria a vida se tivéssemos continuado sob os cuidados dela e não ido morar no *palazzo* dele.

— Teria sido uma vida sem ambição. Por que eu desejaria isso? — Ele balançou a cabeça. — Não a conhecemos mais, Lucrécia. Quando foi a última vez que você recebeu uma carta dela?

— Ela parou de escrever depois que papai foi eleito Papa.

— Então você não tem notícias dela há pelo menos cinco anos. Diga-me, então, que tipo de mãe ela é?

Meu rosto enrubesceu e eu não soube o que responder.

Ele caminhou alguns passos e insistiu para que eu o seguisse. Seu tom de voz tornou-se mais suave.

— Não há razão para ficarmos aqui. Vamos embora.

Procurei desesperadamente um meio de prolongar nossa visita. Mesmo que meu pai odiasse a ideia de tornarmos a ver Vannozza, eu ansiava por avançar mesmo que só alguns passos na *piazza*. Encarei César, depois deixei que meu olhar vagasse pela rua vizinha, na esperança de que alguma coisa espicaçasse o interesse dele e adiasse o nosso retorno para o *palazzo*.

— O *Teatro di Pompeo* fica a menos de cem metros por aquela rua, não é? — perguntei inocentemente. — É onde o Imperador Júlio César foi assassinado. Não me importo de ficar aqui por um minuto se você quiser ir ver o local.

Ele franziu a testa e pensou no assunto, sua atitude aceitando aos poucos essa ideia. Desde a infância ele sempre fora fascinado pela vida e a morte dramática do seu velho xará. Minha sugestão era irresistível.

— Não sei — ele respondeu. — Não é seguro você ficar sozinha.

— Mas você vai poder me ver o tempo todo, o *Teatro* é bem perto do *Campo de' Fiori*. Enquanto eu ficar na borda da *piazza* você não me perderá de vista. — Enxuguei uma lágrima no canto do olho. — Por favor, César, me permita mais um momento só. Prometo não me mover daqui.

Ele hesitou antes de assentir com um gesto relutante, sem querer me irritar mais uma vez.

— Cinco minutos e nada mais. — Saiu da *piazza* e falou de longe: — E grite por mim se alguém se aproximar de você, entendeu?

Concordei e fiquei a observá-lo descer a rua, seu vulto corpulento mesclando-se lentamente aos outros foliões.

Assim que ele partiu, dei as costas à *piazza* e fixei os olhos nas janelas brilhantemente acesas da hospedaria. Vannozza estava apenas a uma distância curta e tentadora de mim. Eu não ficava tão perto dela havia anos, e era insuportável não vê-la naquele momento. Sem me mover, calculei o comprimento da praça do mercado e percebi que poderia atravessá-la e chegar à hospedaria em poucos minutos. César estaria tão distraído que jamais perceberia.

Dei um passo à frente e estaquei, com remorso. Papai havia me implorado que jamais me encontrasse com Vannozza de novo, pois ele sempre receara que ela pudesse influenciar meu coração contra ele de algum modo. Uma boa filha não desafiaria o pai num assunto como esse, eu sabia disso. Afinal, durante a última década eu havia vivido somente sob os cuidados dele, desfrutando de uma vida de grandes privilégios. Ele não merecia em troca tal ingratidão de minha parte.

No entanto, e se eu apenas olhasse para ela de longe? Isso seria tão ruim assim? Eu não precisava falar com mamãe, poderia simplesmente espiar pela janela ou pela porta. Papai jamais ficaria sabendo da minha desobediência.

Veneno nas Veias

Antes de dar mais um passo pensei nos perigos de me colocar fora do alcance da visão do meu irmão. Tínhamos muitos inimigos na cidade, inclusive as poderosas casas de Colonna e de Orsini. Eu sabia que seria mais seguro ficar ali e não me afastar; que seria mais fácil voltar para o *palazzo* e não ver Vannozza por mais um ano. Mas não conseguiria fazer isso. Não nessa noite. Olhei ao meu redor para as outras pessoas com suas máscaras fantásticas. O Carnaval celebrava os riscos e a desobediência às regras, não a segurança e a obediência. Se não fosse nesse momento, quando eu conseguiria reunir forças para vê-la de novo?

Finalmente tomei coragem, fixei os olhos na estalagem da minha mãe e adentrei a *piazza* com passos apressados. Meus pés batiam nas pedras do calçamento, entusiasmados e céleres. Meu coração ressoava em meus ouvidos. Perguntava-me se ela ainda se mostraria tão linda quanto eu me lembrava, ainda tão graciosa e gentil. E se ela me pegasse espiando-a pela porta? Reconheceria o meu rosto? Eu tinha mudando tanto assim desde minha infância? Ansiava por saber as respostas, mas nunca tivera a oportunidade de descobri-las...

Na metade do caminho até o outro lado da *piazza* passei por um grupo de rapazes bêbados. Um deles dançou até mim com um sorriso ameaçador. Usava uma máscara com um nariz longo e encurvado como uma foice.

— Que é isso, minha querida? — ele perguntou, olhando para a vela que eu protegia com as mãos.

Não respondi e apressei o passo na direção da estalagem. Infelizmente ele me seguiu, dançando em círculos ao meu redor, deixando-me atordoada. Num gesto rápido ele estendeu a mão e apagou a minha vela.

— Menos uma luz! Menos uma luz! — exclamou com uma risada.

Dirigi-lhe um sorriso seco na esperança de que ele me deixasse. Em vez disso ele inclinou-se mais para perto, o hálito azedo de cerveja.

— Ora, ora, não fique zangada — disse, em voz zombeteira e afetada pela bebida. — Você pode ficar com a minha chama, se quiser. — Ele baixou sua vela para perto da virilha e jogou os quadris para frente de maneira grosseira. — Tenho outro pavio. Está dentro das minhas calças. Quer ver?

— Não, acho que eu iria vomitar — respondi com frieza, tentando me afastar dele. — Por favor me deixe, bom *signore*. Não quero saber de problemas.

— Não sou um problema, meu amor. Todas as prostitutas gostam de mim. Posso pagar, sabe? Posso pagar.

Horrorizada, entendi que o meu disfarce o havia confundido: pela minha saia simples e o corpete apertado, ele pensou que eu fosse uma das muitas meretrizes de Roma. Antes que eu conseguisse explicar, ele lançou-se para a frente, rodeou minha cintura com o braço e me arrastou na direção de um beco próximo. Tentei gritar. A mão dele tapou-me a boca. Acenei freneticamente para os outros bêbados na praça, pedindo socorro, mas eles se limitaram a rir e a incentivar o homem.

Ele jogou-me no beco e as sombras nos envolveram, escondendo-nos da *piazza*. Tentei me contorcer sob os braços dele e berrei:

— César! César! Socorro!

O homem segurava-me com força. Suas mãos suadas percorreram meus seios. Um enxame de beijos aterrizaram no meu pescoço e minhas faces. Ele apertou-se contra as minhas coxas e seus dedos puxaram minha saia, tentando erguê-la.

— Saia de cima de mim, seu grosso!

Empurrei-o com todas as minhas forças, e tentei esmurrá-lo com os punhos. Os soluços subiram-me à garganta.

— Pare, por favor. Você não está entendendo. Não sou prostituta. Isto é só uma fantasia. É Carnaval! Agora pare! Eu imploro! O Papa vai ficar sabendo disto!

Ele continuou a me apalpar, mas contorceu a boca em uma expressão de escárnio.

— Quem se importa com o Papa, hein? Aqueles Bórgia nojentos! — exclamou, e passou a me beijar com mais força. — Eu sou muito melhor que eles, minha querida. Você vai gostar de mim. Não pode gostar deles. Eles nada mais são do que assassinos. Todos eles!

— Eles não assassinam! Como você pode dizer isso?

Ele abriu a boca para responder, mas foi interrompido por um ruído distante. Os sinos da *ave-maria* da torre da *Basilica di San Pietro* soaram através da escuridão. Era meia-noite e o som marcava o final do Carnaval e o início da Quaresma. O homem imobilizou-se e ficou escutando, como se os sinos tocassem algum lugar de respeito dentro dele. Suas mãos nos meus quadris ficaram levemente mais soltas e eu tive a esperança de que a mudança de humor pudesse agir em meu favor. Tentei amedrontá-lo para que me soltasse e tirei a máscara, revelando o meu rosto.

— Está me reconhecendo, *signore*? — perguntei. — Sou Lucrécia Bórgia, filha do Papa Alexandre VI. Talvez a minha fantasia o tenha enganado, mas o Carnaval agora acabou. Você vai me libertar neste momento, ou isto não será esquecido.

Aguardei a resposta, rezando para que ele se curvasse com humildade e pedisse perdão. Em vez disso, longe de se mostrar submisso ele respondeu arrancando a própria máscara. Examinei suas bochechas rechonchudas, os olhos dilatados, o nariz volumoso, e não o reconheci.

— Libertar você? Por que eu faria isso? — ele respondeu com voz pastosa, sorrindo. — Sou guarda na Casa de Orsini.

Ao ouvir esse nome senti meu coração pesado. Ao revelar meu rosto eu cometera o pior de todos os erros — os Orsini eram os maiores inimigos da minha família.

— Está vendo aquela torre? — Ele apontou para os telhados próximos. A proa de uma torre de vigia sobressaía acima das cumeeiras. — Não estamos longe de *Sant'Angelo*, o *rione* dos Orsini. Esta pode ser a sua cidade, minha cara, mas aquele é o nosso bairro.

Com uma risada, ele puxou meu braço e tentou me arrastar na direção da torre. Chutei-lhe o tornozelo e pisei em seu pé. Ele soltou um grito e instintivamente segurou a perna, libertando minhas mãos. Girei, saí correndo do beco e disparei de volta através do *Campo de' Fiori*.

A bebedeira não retardou sua perseguição. Segundos depois ele me alcançou, agarrou-me pelo braço, torcendo-o para trás, e me imprensou contra a parede. Na rua seguinte, algumas pessoas observavam nossa luta.

— Vamos levar você para o *Palazzo* Orsini — ele disse bem alto em meu ouvido. — Tenho certeza de que o pontífice pagará muito bem pela sua devolução em segurança.

Pus-me a lutar e a gritar:

— César! César!

O guarda ergueu o punho para me agredir.

Por sorte, meu irmão estivera me procurando desde que eu entrara na *piazza*. Ao som da minha voz, ele dobrou a esquina em disparada e entrou na praça do mercado. Sem a menor hesitação, arrancou a máscara, puxou a espada da bainha e veio diretamente em nossa direção. Os espectadores abriram caminho para ele.

O guarda dos Orsini praguejou, jogou-me para o lado, deu um passo para trás e apressou-se a desembainhar a espada. Atacou César com um golpe desajeitado. Meu irmão evitou-o facilmente, golpeou a lâmina do guarda e partiu-a em dois. O pedaço cortado caiu no chão com um ruído metálico. O guarda ergueu debilmente a espada partida e César ficou sem saber se o golpeava.

Recuperei o fôlego e corri para o lado do meu irmão.

— Não faça isto — pedi. — Ele não vale a pena, César. É só um bêbado. Não sabe o que está fazendo.

César olhou-me com raiva.

— Tarde demais. Ele insultou você. Não posso deixar isso passar.

O guarda entrou em pânico e mexeu no cinto para puxar o punhal. César reagiu instantaneamente, ergueu a espada e baixou-a com força.

Veneno nas Veias

Isso foi feito antes que eu conseguisse fechar os olhos.

Um jorro de sangue correu pelas pedras do calçamento e reluziu negramente contra a luz. A apenas poucos metros de distância o guarda jazia na rua, o corpo perfurado, trêmulo e sem vida. Eu havia visto execuções antes, mas nunca tão horrivelmente de perto. A multidão fugiu em choque.

A essa altura, o sonolento vigia na Torre Orsini estava acordado. Uma trombeta soou o alarme.

César voltou para o meu lado e esquadrinhou a rua próxima buscando uma fuga rápida. Ofegando profundamente, gritou:

— Siga-me!

Agarrou as rédeas de um cavalo que passava, derrubou o cavaleiro e saltou para a sela.

— Depressa! — berrou, puxando-me para a garupa do cavalo.

Meus braços rodearam as costas dele e segurei-me com força enquanto ele batia com as rédeas no pescoço do cavalo e enfiava-lhe os calcanhares, levando-o a galopar.

Numa velocidade assustadora fomos de um bairro para outro, virando as esquinas em disparada, fugindo desesperadamente a qualquer sinal dos Orsini. Depois de galoparmos até a periferia de Roma e atravessarmos o rio Tibre, disparamos de volta para as muralhas protetoras da *Città del Vaticano*.

Finalmente retornamos para a segurança do nosso lar.

ii

Uma Decisão Perigosa

Dentro do terreno do *Palazzo Apostolico* César fez o cavalo estacar defronte a um estábulo. Desmontamos, nossos pés afundando na palha que cobria o chão, e eu experimentei uma súbita sensação de alívio pesar em meus membros. Um lacaio veio apressado em nossa direção, fez um cumprimento formal e levou o cavalo para uma baia. Enquanto ele fazia isso, eu vislumbrei uma coisa interessante nos fundos do estábulo: meu irmão Juan acompanhado do seu criado pessoal.

Eu não havia visto Juan durante a noite, pois ele escolhera passar o Carnaval com os amigos e não com César ou comigo. Ele agora usava os trajes de seda e um turbante branco de um cavalheiro persa. Ao contrário de nós, ele e o criado não estavam voltando para casa. Em vez disso, estavam esperando que seus cavalos fossem selados e pretendiam entrar na cidade. Imediatamente fui correndo até eles.

— Juan, você não pode sair esta noite! Aconteceu uma coisa horrível! — Parei de falar para recuperar o fôlego. — Houve uma luta no *Campo de' Fiori*. Um guarda dos Orsini me atacou. César o matou com uma espada!

Juan franziu a testa, sem se impressionar.

— É mesmo? Bem, o mundo não perde grande coisa. Os Orsini merecem isto. Obrigado pela notícia, vou tratar de ficar esperto — respondeu, em seu tom ríspido e nasal.

Tentei não ficar magoada por ele não ter demonstrado qualquer preocupação com o meu estado. Embora ele fosse vários anos mais velho, eu ainda assim sentia necessidade de protegê-lo.

— Você não compreende. Os Orsini vão querer vingança. Por que correr risco? O Carnaval já acabou...

— Não acabou! Eu ainda não terminei de comemorar, pelo amor de Deus! Há um prostíbulo no gueto que ainda não conheço. — Ele desvencilhou o braço e fez um sinal para que o cavalariço levasse seu cavalo para o pátio. — Meus amigos estão esperando do outro lado do rio. De qualquer maneira, terei um criado comigo.

César aproximou-se com expressão arrogante.

— Não seja tão idiota. Ela tem razão. É perigoso demais sair, qualquer tolo enxerga isto.

— E quem é você para me questionar? — Juan retrucou, seu rosto anguloso ficando rosado. — Esqueceu o seu lugar nesta família? Não aceito ordens de pessoas como você.

César o encarou, os olhos faiscando. Era muito mais alto do que Juan.

— Saia do meu caminho, estou saindo — Juan ordenou.

César não se mexeu. Juan esperou, depois deu um passo na direção do outro, o rosto ainda mais vermelho:

— Saia do meu caminho. Não vou falar de novo. Por Deus, vou mandar chicoteá-lo!

Antes que a briga ficasse mais séria, coloquei-me entre eles.

— Deixe que ele vá, César. Já houve luta suficiente por hoje. Não podemos forçá-lo a ficar.

César fez uma pausa, sorriu com zombaria para o irmão e lentamente afastou-se para um lado. Em resposta, Juan apertou os olhos em triunfo e saiu para o pátio.

— Pelo menos vai voltar antes do amanhecer? — gritei.

Não houve resposta. Fiquei parada à porta do estábulo contemplando Juan e o criado passando pelas portas do *palazzo* para irem ao encontro dos amigos...

César e eu logo voltamos para dentro do Vaticano e nos sentamos juntos na *Sala dei Misteri*. Aquele aposento era parte do *Appartamento* Bórgia, os alojamentos privativos de papai, meus dois irmãos e eu. Com um pano úmido limpei um pequeno ferimento no antebraço esquerdo de César, o único dano sofrido por ele na luta. Ele nem piscou quando passei o pano sobre o corte. Agora sem a máscara, seu rosto mostrava um fino bigode e a barba, ambos castanhos. Muitas mulheres o consideravam o homem mais bonito de Roma, e mais de um artista haviam baseado na aparência dele uma visão de Jesus. Apesar disso, sempre senti que havia alguma coisa vagamente perigosa no rosto e no corpo dele que o impedia de ter uma aparência sagrada.

— Pronto. Não houve grande dano. Você vai viver ainda alguns anos — falei, limpando o resto do sangue.

— Não muitos — ele respondeu em tom sério.

— O quê? Por que você sempre diz coisas assim? Só tem 22 anos!

— Não vou ver o meu aniversário de 30 anos. Eu sei.

— Bobagem! Você não sabe de coisa alguma. Nunca vi alguém tão forte quanto você. Vai viver mais do que nós todos.

Ele pareceu não ouvir a minha resposta. Seu olhar permaneceu pensativo e ele remexeu-se desajeitadamente na cadeira.

— O guarda dos Orsini... ele não... é isso mesmo?

Baixei os olhos para o chão, embaraçada. Balancei a cabeça. Ela respirou fundo e tornou a relaxar.

— César, estou grata pelo que você fez esta noite. E sei que foi inevitável. Mas mesmo assim, eu gostaria que você não tivesse matado...

Ele pôs-se de pé e puxou a camisa por cima do braço ferido. Olhei na direção da janela e mudei imediatamente de assunto.

— Juan estará em segurança esta noite, não é?

Ele pôs-se a andar ao longo do perímetro do aposento.

— Quem se importa?

— Você não está ainda zangado com o que ele disse no estábulo? Ele não trata você tão mal de propósito, você sabe.

— É um idiota mimado. Não tem qualquer talento ou interesse além das prostitutas de Roma.

— Não é verdade. Se fosse, por que papai lhe teria dado um ducado? Ou o controle do exército papal? Tenho certeza de que Juan tem alguns traços que o redimem. Deve merecer pelo menos alguns dos títulos que tem.

— E quanto a mim? Será que não mereço ser alguma coisa neste mundo? Um mero cardeal?

— Não foi o que eu disse, mas papai sabe o que é melhor para a família. Talvez lhe dê mais responsabilidades um dia, não é?

César relanceou o olhar pelas abóbadas semicirculares, cada uma delas adornada com murais pintadas pelo artista Pinturicchio. Uma das cenas mostrava a Ressurreição e retratava nosso pai ajoelhado junto ao túmulo de Cristo. Finalmente ele respondeu com voz firme:

— Impossível. Papai escolheu honrar Juan, e não pode mudar isso agora. Pareceríamos fracos aos olhos dos nossos inimigos. — Ele suspirou ruidosamente. — Juan sempre terá poder, enquanto viver.

Fiz uma carranca diante do tom perturbador da voz dele.

— A cidade não está perigosa demais esta noite, eu espero. Já perdemos nossa mãe. A família já está suficientemente pequena, não?

Esperei que ele concordasse, mas em vez disso ele deu uma risada amarga. Torci as mãos no colo.

— O seu estado de espírito está peculiar esta noite. O que é tão engraçado agora?

— Não é você, irmã. — Tornou a relancear o olhar pelos murais no aposento. Em tom mais calmo, continuou: — É só que... há coisas nesta família que você não sabe... Coisas que nunca deveria saber.

Aguardei que ele continuasse, mas ele nada mais disse.

— Que coisas? — eu quis saber, com crescente preocupação. — César, que coisas?

Ele recusou-se a responder. Apressei-me a ficar de pé, pronta para pressioná-lo mais sobre o assunto. Antes que eu pudesse falar, um ruído importuno nos interrompeu.

Passos ecoaram pelo corredor, ressoando dentro do salão. Momentos depois, um pequeno rebanho de cortesãs encheu o vão da porta. Viraram e afastaram-se. Atrás dela, com passos lentos e firmes, apareceu o homem mais poderoso do mundo: meu pai, o Papa Alexandre VI.

A Noite Problemática

Meu pai entrou no salão. Uma túnica de brocado vermelho cobria seu corpo em dobras largas e informes, obscurecendo a silhueta da sua barriga roliça. Um gorro de dormir branco escondia a sua calva. Apesar da idade, Alexandre ainda mantinha uma postura firme, e sua mente jamais fora mais aguçada ou mais hábil. Aliás, ele tinha então mais de 60 anos de idade, a época em que, segundo Aristóteles, os homens são mais sábios.

Ele ergueu a mão para suas cortesãs num gesto deliberado, e elas se retiraram do aposento. Aproximando-se de César e de mim, falou, em voz profunda e melodiosa:

— Meus queridos filhos, por que falam em voz alterada a esta hora tardia? Sabem que tal barulho me faz mal aos nervos.

— Perdoe-nos, papai — respondi. Em meu estado de fadiga, esqueci-me de me dirigir a ele formalmente, a etiqueta que ele exigia até mesmo de seus próprios filhos. — Quero dizer, "Santíssimo Padre".

Ele deslizou até uma cadeira, acomodando-se no rico veludo do assento.

— Não esperava encontrar vocês em casa tão cedo durante o Carnaval. Digam-me, onde está Juan esta noite?

Aproximei-se da cadeira dele.

— Em Roma. Mas a cidade não é segura para ele. Houve um conflito e César foi ferido. Aconteceu quando passávamos pelo *Campo de' Fiori...* — Calei-me, desejando não ter dito as últimas palavras.

— *Campo de' Fiori?* — Alexandre repetiu, suas feições ficando sombrias. — E por que, de todos os esplêndidos lugares da nossa cidade, vocês foram especificamente àquela *piazza* esta noite?

— Não falei com ela. Não há nada a temer. Prometi ao senhor que nunca faria isso, e não fiz.

Ele virou a cabeça com ar de dúvida e me encarou sem pestanejar. Mais do que tudo, seus olhos eram a sua característica mais impressionante — escuros, magníficos, hipnóticos.

— Ela não falou com Vannozza — César resmungou do seu canto. — Estava apenas tentando contar ao senhor que houve uma luta. Eu matei um Orsini.

— Um distúrbio com nossos rivais? — disse Alexandre em tom vibrante.

Pousei a mão no ombro dele.

— Sim, e Juan ainda está lá, Santíssimo Padre. Eu o avisei que ficasse em casa, mas ele não quis me ouvir.

Alexandre apoiou-se nos braços dourados da cadeira. Virou a cabeça na direção de César e estudou-o com atenção. Senti que ele olhava para meu irmão com um minúsculo traço de medo. Seu queixo carnudo estremeceu, e ele pareceu um pouco mais velho. Por um brevíssimo momento tive a impressão de que alguma fonte de hostilidade passava entre os dois. A mandíbula de César estava tão rígida que parecia que poderia partir-se em duas.

— É tarde e estou cansado. Boa noite — ele disse.

Veneno nas Veias

Alexandre ofereceu-lhe a mão num gesto formal. César aproximou-se, beijou o anel *Pescatorio* dourado de papai, depois retirou-se do aposento com um andar arrogante.

O salão ficou silencioso e permaneci ao lado de papai. Desde que eu mencionara o guarda dos Orsini, uma pergunta terrível dominava os meus pensamentos. Não queria verbalizá-la naquele momento, mas a questão não me deixava em paz.

— Santíssimo Padre, quero fazer uma pergunta, mas o senhor tem que prometer que não vai se zangar — falei.

— Muito bem — ele respondeu, acariciando as pontas do meu cabelo.

Antes que eu começasse, senti a garganta seca e pigarreei de leve.

— Lucrécia! Os meus nervos, por favor! Não tão alto! — ele exclamou com irritação.

Esperei um momento, depois falei em voz baixa.

— Sabe, o guarda dos Orsini que César enfrentou esta noite, ele disse alguma coisa desagradável para mim. Disse que a nossa família era cheia de assassinos. Isto é mentira, não é?

— É sempre correto defender a honra do nosso nome.

— Sim, sei disso, mas não foi exatamente o que eu quis dizer.

— Minha filha, você está me perguntando se a acusação é verdadeira? Se é isto, preciso lembrar-lhe de que somos de Valença; não somos de sangue romano ou italiano; somos forasteiros neste estado. Em consequência, sempre haverá vilões que procuram destruir o nome de um pontífice estrangeiro. Estou lhe avisando, não dê ouvidos às acusações deles.

— Então, a resposta é...

Prendi o ar nos pulmões. Não queria perguntar outra vez, já que não era sensato ficar insistindo no assunto.

— Mas não somos assassinos, somos?

Ele parou de passar os dedos nos meus cabelos.

— Certamente não escutei esta pergunta da boca da minha própria filha — ele disse, e levantou-se da cadeira com enorme esforço — Sou um homem idoso, Lucrécia, mas carrego um poder de importância singular. Sou o Vigário Supremo de Deus na terra, governante de todas as esferas da Cristandade, herdeiro da autoridade espiritual de São Pedro e sucessor ao comando temporal do Imperador Constantino. Esta carga é suficiente para derrubar qualquer homem, mas me faz bem saber que sou apoiado pela força, pelo amor e pela lealdade de toda a minha família. Meu espírito ficaria esmagado se não fosse assim.

Suspirei e afirmei:

— Sou uma filha leal, Santíssimo Padre.

— Espero que sim — ele respondeu pausadamente, voltando-se para sair.

Quando chegou à porta, pensei em alguma coisa que iria impressioná-lo.

— Vou esperar para ter certeza de que Juan chegou em casa em segurança. Não poderia dormir pensando que alguém da nossa família possa estar em perigo.

Ele estacou, assentiu com um gesto de cabeça sem olhar para mim, depois prosseguiu, saindo do salão.

Fiel à minha palavra, permaneci na *Sala dei Misteri* pelo resto da noite e esperei um sinal de que Juan havia retornado ileso da cidade. As janelas arqueadas do salão davam para um terraço pequeno, geralmente usado como acesso ao *Appartamento* Bórgia. Se Juan voltasse naquela noite, e se eu conseguisse permanecer acordada por tempo suficiente, o veria passar sob a janela a caminho de seus aposentos. Puxei uma cadeira para perto da janela e me preparei para uma longa espera.

Hora após hora se passou, mas não havia sinal de Juan. Ele com frequência ficava fora até tarde, farreando pela cidade, fugindo com vinho e mulheres da pressão de seus deveres de rotina. Eu tinha certeza de que essa noite não seria uma exceção. O tempo arrastava-se e minhas pálpebras pesavam. Para permanecer alerta, recorri a jogos de palavras, minha costumeira fonte de divertimento sempre que estava cansada ou sozinha. Recostei-me e pensei em anagramas, descobrindo que "Roma" podia ser embaralhada e transformar-se em "amor"; que "senta" podia ser transformada em "tensa"; e que "porta" podia tornar-se "tropa". Bocejei e meus olhos se apequenaram sob as pálpebras, meu queixo repousou sobre o peito. "Maca" era um anagrama de "cama"...

Alguma coisa rangeu na escuridão. Acordei com um sobressalto. O rangido metálico soou novamente, vindo de fora.

Pela janela vigiei o pátio, esperando ver Juan passando para chegar ao *Appartamento*. Em vez disso, da porta de um porão na base da *Torre* Bórgia — uma torre contígua aos nossos aposentos — foi César quem surgiu no pátio. Carregava uma tocha pequena, que lançava a sombra dele na parede. As dobradiças da porta do porão tornaram a ranger quando ele a fechou e trancou, prendendo a chave no cinto. Encostei a cabeça na vidraça. Ele ainda estava andando por lá totalmente vestido. Suas esporas tilintavam no calçamento enquanto ele se afastava rapidamente e sumia na escuridão. Esperei por sua volta, mas ele não tornou a aparecer.

Por que estaria ainda acordado a essa hora? Não havia motivo para ele estar usando um traje completo. E o que teria a fazer no porão? Eu vira aquela porta milhares de vezes: pequena, simples e desinteressante. Presumivelmente levava a um depósito sob a torre, o tipo de lugar que só os criados visitariam. Eu sabia que ele provavelmente estava de saída. No entanto, aonde iria, e com quem se encontraria a tal hora? Ele tinha várias prostitutas favoritas que frequentava na cidade, mas por algum motivo não me sentia convencida. A pressa dos seus movimentos, a velocidade dos seus passos atravessando o pátio, a estranha porta e a hora tardia, tudo isso se mostrava bastante furtivo. Ele não se movia como um homem que antevisse um encontro agradável.

Lembrei-me da maneira curiosa como ele falara comigo mais cedo: "*há coisas nesta família que você não sabe... Coisas que jamais deveria ficar sabendo*". De quê ele estava falando? Que coisas eram essas?

Continuei pensando no assunto e senti que pelo menos de uma coisa eu sabia: algo problemático estava acontecendo naquele momento, e eu não gostava disso — nem um pouquinho.

IV

O Grupo de Busca

Os tons dourados da luz do dia filtravam-se dentro da *Sala dei Misteri* quando um par de mãos carinhosas me acordaram. Eu passara a noite inteira aninhada na cadeira esperando Juan. O vulto idoso de Panthasilea, minha criada principal, agora inclinava-se para mim. Ela tinha olhos pequenos e castanhos, rosto magro e cabelos grisalhos presos em um coque apertado. Como todos os serviçais do *palazzo*, ela era catalã, pois papai confiava apenas em seus conterrâneos e não em qualquer italiano.

— Já é dia, *madonna*. É hora de levantar — disse ela em sua voz grave.

Gemi e me espreguicei, tentando recuperar a sensação em minhas mãos.

— Panthasilea, você pode por favor me trazer alguma coisa para comer? Talvez um pouco de queijo, uma fatia de pecorino romano?

— Certamente, *madonna*. — Ela franziu a boca. — Devo lembrar, no entanto, que estamos na quaresma. Hoje é a Quarta-feira de Cinzas, e antes que a senhorita faça qualquer coisa devemos colocar-lhe um vestido preto. Não pode mais usar essa fantasia.

Olhei de relance pela janela.

— A que horas meu irmão voltou ontem à noite?

— César?

— Não, Juan.

— Acho que ele ainda não retornou, *madonna*.

Essa notícia me inquietou. Com Panthasilea ao meu lado, corri ao meu quarto de dormir para mudar de roupa. Ela ajudou-me a enfiar um corpete novo, de cambraia branca, uma combinação de seda preta e um vestido negro de tafetá encorpado franzido sob o busto. Praticamente antes de que ela pudesse terminar de atar minhas mangas postiças eu a deixei e corri para o quarto de Juan.

Do lado de fora da porta estaquei e tentei ouvir algum ruído dentro do quarto. Girei a maçaneta silenciosamente, para não despertá-lo, e espiei para dentro. Meu rosto ensombreou-se. Ninguém dormia na cama de dossel. Os lençóis estavam limpos e esticados. Eu soube imediatamente o que devia ser feito e corri para contar a papai.

Chegando à suíte de papai, fui instruída a permanecer na antecâmara até que Alexandre estivesse inteiramente vestido. Ainda era cedo e papai não receberia pessoa alguma sem seus trajes formais. Minhas mãos amassavam impacientemente um lenço, dando-lhe nós enquanto eu esperava. Perto de mim, algumas das cortesãs de Alexandre já estavam vestidas — com as poucas roupas que elas costumavam usar — e estavam se divertindo fazendo poses num sofá junto à janela. Fiammetta, a mais bonita, penteava seus longos cabelos castanho-dourados e piscou os olhos para mim.

— Alguma novidade, Lucrécia? — ela perguntou em tom simpático. — Parece cansada hoje, seus olhos têm círculos cinzentos. Você não dormiu bem?

— Há uma coisa me preocupando hoje, só isso.

— Ah, não! Espero que não seja nada a ver com as meninas ou comigo. — Ela aproximou-se mais e cochichou como se me contasse um segredo. — Você não está zangada conosco, está? Por causa do que fazemos? Sabe que seu pai nunca toca em nós. Simplesmente dançamos para ele ou cantamos, às vezes vestidas, às vezes não. Claro, quando ele fica excitado...

— Sim, agora chega! — Falei, erguendo a mão. — Há alguma tesoura por aqui?

— Por quê? — ela perguntou com uma carranca.

— Preciso cortar minhas orelhas.

Felizmente, antes que ela pudesse responder as portas do quarto de dormir papal abriram-se com estalidos. Disparei para dentro do quarto, deixando Fiammetta bem para trás.

Dentro do quarto, Alexandre estava parado junto à lareira enquanto dois cavalheiros papais cuidavam do seu traje, escovando e esticando a *mozzetta* em volta dos seus ombros. Uma estola roxa pendia em volta dos ombros, caindo sobre o estômago.

— Sua visita é um pouco mais extemporânea do que o costumeiro, minha filha — ele comentou em tom neutro.

Marchei através do quarto diretamente para ele.

— Pare! Pare! — Ele recuou e moveu rapidamente a cabeça. — O que, em nome dos céus, é este terrível som rascante? — Baixou o olhar para os meus pés. — Você está usando outra vez aqueles chinelos de solas grosseiras, Lucrécia?

— Não sei.

— Várias vezes eu lhe disse que eles fazem um barulho horrível nesses pisos. Terei que lhe dar chinelos novos de pele de carneiro, macios e silenciosos. No futuro terá que usá-los sempre que estiver em minha presença.

— Sim — respondi através dos dentes cerrados. — De qualquer maneira, vim tratar de um assunto mais importante do que os meus chinelos. Juan não voltou para casa ontem à noite e estou preocupada. Acho que devemos enviar um grupo de busca.

— Acha? — ele disse lentamente. — Acha mesmo? — Seus olhos se afastaram dos meus. — Penso que não precisamos tomar essa decisão exatamente agora. A essa altura, será má ideia perturbar a cidade de Roma com grupos de busca simplesmente porque Juan não dormiu em sua cama. Aliás, é provável que seu irmão esteja ainda em alguma casa de má fama, como foi declarado na última vez que ele falou com você.

— Ainda em um bordel? Até esta hora?

— Sim, é possível que ele simplesmente tenha dormido demais em algum estabelecimento miserável. Pode não desejar sair de lá agora que a luz do dia revelaria os seus assuntos ao populacho.

— Mas...

— Tenho certeza de que ele voltará assim que ficar escuro. — Ele estudou meu rosto e viu que eu ainda tinha dúvidas. — No entanto, se ele não estiver de volta ao *palazzo* no final do dia, discutiremos o curso de ação que for apropriado. Enquanto isso prometa-me que vai parar de entrar em pânico e de arranhar os pisos.

Olhei para os grandes olhos dele, que nunca se fechavam. Mais do que o conteúdo do que ele dissera, eu escutara a harmonia leve, relaxante e reconfortante da voz dele. Uma sensação de segurança me invadiu e afastou a maior parte dos meus temores. A volta de Juan parecia quase que inevitável.

Depois das cerimônias matutinas da Quarta-feira de Cinzas, passei as horas seguintes em tranquilidade, lendo minhas lições de latim e grego. Ao meio-dia Juan ainda não havia retornado. O tempo passou e a minha confiança diminuiu ainda mais. Uma hora da tarde... duas horas... ainda sem qualquer sinal dele em parte alguma.

Com Panthasilea como companhia, saí para os jardins de inverno da *Città del Vaticano*. Descemos degraus cheios de musgo e passeamos por veredas cheias de curvas que se afastavam serpenteando dos fundos do *palazzo*. Ciprestes postavam-se em colunas gigantescas ao longo de alamedas úmidas e terraços arborizados. Antes de retornar ao palácio avistei César na borda de um gramado distante. Ele segurava na mão uma balestra e atirava em um alvo de treinamento a cerca de 50 metros de distância. Deixei Panthasilea e arrastei minha saia pela grama molhada para juntar-me a ele. Tinha algumas perguntas para lhe fazer.

Ele escutou minha aproximação mas manteve o olhar no alvo para disparar outra flecha. Seu dedo apertou o gatilho. Outra flecha atingiu o centro do alvo, e aplaudi.

— Não aplauda, não foi um tiro perfeito — ele falou, recarregando a balestra.

Apertei os olhos para ver o alvo.

— Ah, sim. Deixou de atingir a mosca pela enorme distância de um fio de cabelo!

Ele tornou a erguer a balestra. O gatilho fez um estalido. A flecha rasgou o ar e afundou-se na mosca do alvo. Ele voltou-se para mim com expressão de orgulho.

Recusei-me a bater palmas.

— Sinto muito, mas agora o momento passou, não estou mais impressionada.

Ele sorriu e puxou outra flecha da aljava a seus pés.

Embora ele fosse Cardeal de Valença, nada em sua aparência sugeria a igreja. Todos os outros cardeais usavam agora batinas de cetim fúcsia por causa da Quaresma, mas ele vestia uma jaqueta justa pontilhada de rubis e pérolas — trajes de um príncipe.

— Há quanto tempo você está aqui fora? — perguntei, com um bocejo proposital.

— Desde o amanhecer. Você parece cansada.

— Pareço? Talvez seja porque esperei a noite inteira pela volta de Juan. Sabe, ele ainda não voltou. — Aproximei-me dele. — O seu sono também foi perturbado? Pensei ter visto você no pátio ontem à noite...

Ele não respondeu, limitando-se a recarregar a balestra. Deixei a pergunta no ar.

— Lamento se a incomodei — ele resmungou.

— Ah, não, você não me incomodou. Simplesmente vi você e fiquei curiosa sobre o que estava fazendo, só isso.

— Procurando alvos para a balestra.

— No porão da torre? Mas não era tarde demais para isto? Por que não mandou um criado depois que amanheceu?

— Não quis perturbar ninguém.

Ele deu-me as costas e passou um longo tempo acertando a mira.

Eu não tinha certeza se acreditava nele. Por que de repente ele iria levantar-se no meio da noite e procurar um alvo de balestra? E por que razão estaria usando roupas sociais àquela hora? Teria talvez dormido assim à noite? Era possível. No entanto, uma pergunta ainda me incomodava mais do que as outras.

— Foi a algum lugar interessante depois? — perguntei em tom casual.

Ele franziu a testa.

— Por que pergunta isto?

— Por nenhum motivo, simplesmente pensei ter ouvido as suas esporas tilintarem. Elas me despertaram.

— Eu não estava usando esporas.

— Que estranho! Eu poderia jurar que tinha ouvido...

— Eu não estava usando esporas — ele me interrompeu bruscamente. — Agora posso voltar para o meu treino?

Fiquei imóvel enquanto ele disparava outro tiro na direção do alvo. A flecha ficou a uns 15 centímetros da mosca.

Minha preocupação pela ausência de Juan intensificou-se ao longo do resto da tarde. Por volta das seis horas o sol sumiu atrás das torres, das cúpulas e dos campanários de Roma e a escuridão finalmente esgueirou-se para as ruas. Dentro do *palazzo*, intrometi-me no encontro de meu pai com dois cardeais e informei-lhe que Juan ainda estava ausente. Ele de imediato dispensou os cardeais para que pudéssemos conversar em particular, e mandou chamar César.

— É uma situação difícil — Alexandre declarou em tom grave. — Por um lado, tenho que pensar nos cidadãos de Roma. Eles ficarão alarmados quando um grupo de busca formado por soldados

Veneno nas Veias

papais invadir seus pacíficos bairros e suas *piazze* adormecidas, especialmente se Juan for descoberto vadiando na cama de alguma meretriz. No entanto, por outro lado, se o alarme não for falso e Juan estiver em perigo...

César permaneceu calado, costas eretas, braços cruzados, fazendo com que o tecido da jaqueta ficasse esticado em volta dos ombros musculosos. Fiquei parada ao lado dele ansiosamente.

— É tudo culpa minha — falei. — Eu provoquei a atenção do guarda dos Orsini ontem e provoquei a briga, e agora Juan está em perigo por minha causa. O senhor vai mandar um grupo de busca, não vai? Tem que fazer alguma coisa.

Alexandre acariciou uma sobrancelha com a borda do roliço dedo indicador. Ficou a andar de um lado para o outro do aposento, plantando cada passo com um cuidado lento e deliberado. Sua cruz peitoral balançava-se de um lado para o outro. Ele ergueu a cabeça e olhou para César.

— Meu filho — começou, em tom resoluto. — Quero que você leve um esquadrão de soldados do quartel e lidere uma busca pelo seu irmão.

— Eu? — fez César.

— Sim, gostaria que você fizesse isso. Seria apropriado diante das circunstâncias... Ou estou enganado ao pensar que você pode cuidar de um assunto de tamanha importância?

Observei enquanto outro momento estranho ocorria entre eles, exatamente como havia acontecido na noite anterior na *Sala dei Misteri*. César empertigou-se e seus olhos faiscaram. Alexandre esperou a resposta, as mãos tremendo levemente diante da misteriosa tensão que dominava o aposento.

Toquei no ombro de César.

— Faça isto por mim, meu irmão. Eu lhe imploro.

Ele voltou para mim um olhar hesitante, depois girou nos calcanhares e dirigiu-se para a porta.

— Já que é preciso! — falou de longe em tom irado.

Com um grupo de soldados, César logo partia da *Città del Vaticano* e penetrava nos *rioni* de Roma. Decidi visitar o túmulo de São Pedro enquanto esperava o resultado da busca, e orar pela volta de Juan em segurança.

Em meio a uma floresta de colunas Panthasilea e eu atravessamos as multidões de peregrinos que atulhavam o interior da maior igreja do mundo, a *Basilica di San Pietro*. Mantos de lã, membros ossudos e bengalas ruidosas apinhavam-se em torno de nós enquanto avançávamos. No centro de todos os relicários de mármore, finalmente conseguimos um lugar em um dos bancos. De onde eu estava olhei para a cruz de ouro acima do grandioso túmulo de São Pedro. Concentrando meus pensamentos, rezei por Juan, recitando em voz baixa a ave-maria muitas vezes:

— *Ave Maria, gratia plena, Dominus tecum. Benedicta tu in mulieribus et benedictus fructus ventris tui, Iesus. Sancta Maria, Mater Dei, ora pro nobis peccatoribus, nunc et in hora mortis nostrae. Amen.*

Quando Panthasilea e eu saímos da *Basilica*, paramos do lado de fora, junto aos degraus que desciam para a *Piazza San Pietro*. Inspirei o frio ar noturno, o aroma de castanhas cozidas, grãos de bico assados, figos e mariscos, que se erguia das movimentadas barraquinhas da praça. Por toda parte pequenos quiosques vendiam rosários baratos para os peregrinos, prometendo um preço especial.

Panthasilea agarrou meu braço e apontou para o outro lado da *piazza*.

— Veja, *madonna*! Seu irmão já voltou!

Meus olhos saltaram por cima da *Ponte Sant'Angelo*. Sob as forcas alinhadas ao longo da ponte César cruzava-a em disparada, chicoteando o cavalo, esporeando-o para que o animal corresse mais. Eu nunca o vira cavalgar com tanta pressa. Vinte soldados

Veneno nas Veias

esforçavam-se para acompanhá-lo. Eu havia imaginado encontrar Juan entre eles, no entanto ele ainda não estava à vista.

— Não pode ser boa coisa! — exclamei, sem fôlego. — Senhor, não pode ser boa coisa, não pode ser boa coisa!

Seguida por Panthasilea eu disparei de volta ao *palazzo*.

Com a minha chegada um alvoroço soou no salão central, a *Sala Reale*. Antes que eu entrasse no aposento, cardeais, prelados e soldados me rodearam, bloqueando minha visão. Segundos depois enxerguei a causa da comoção: dez cavalheiros papais emergiram do salão carregando nos braços o corpo inconsciente de meu pai. Sua cabeça caía por sobre o peito. Os braços estavam pendurados. Ele era tão pesado que quase que precisavam arrastá--lo pelo corredor.

— Que foi que aconteceu? — exclamei. — Para onde vão levá-lo?

Um dos cavalheiros que carregavam as pernas de Alexandre virou-se para mim e respondeu:

— Sua Santidade sofreu um grave choque, *madonna*. Vamos levá-lo para o *Appartamento*.

Eles percorreram com esforço o corredor carregando Alexandre e desapareceram de vista. Imediatamente entrei na imensa *Sala Reale* e encontrei César rodeado de soldados. Ele estava parado junto ao trono papal e seu rosto parecia duro e frio.

— E Juan? — perguntei. — Diga-me que o encontrou.

Ele aproximou-se de mim.

— Ainda não. Mas temos uma firme ideia de onde ele está agora.

— Então... então por que você não o trouxe para casa?

— Falamos com uma testemunha ocular. Hoje de manhã, na margem do Tibre, viram o corpo de um rapaz ser jogado dentro do rio.

Repeti as palavras dele, tentando absorver o significado delas.

De repente o mundo à minha volta virou cinza e sombra. Senti meu corpo leve, como se meus membros houvessem secado. Todas as vozes tornaram-se nada mais do que sussurros vazios, murmúrios que ecoavam sem significado em meus ouvidos. Lembro-me apenas da escuridão escorrendo da borda dos meus olhos... meus joelhos cedendo, o solo erguendo-se para a minha cabeça rapidamente...

V

Um Funeral

O cadáver de meu irmão logo foi localizado no Tibre e dragado para a superfície. Seu corpo foi jogado na margem como um refugo.

Não estive presente a essa cena infeliz, mas simplesmente pensar nela enchia-me da mais profunda piedade e tristeza pelo destino dele. Juan havia sido um homem com muitos defeitos, mas nada fizera para merecer um tratamento tão cruel. Embora fosse às vezes arrogante, preguiçoso e vingativo, os piores elementos do seu caráter só haviam desabrochado no final da sua infância, quando papai passou a conceder-lhe privilégios em excesso. Apesar das suas falhas, eu conhecia meu irmão de um modo que a maioria das pessoas desconhecia. Eu sabia que ele era capaz de grande generosidade com seus amigos, que possuía um senso de humor encantador, e que abraçava a vida com o maior entusiasmo e prazer. Doía-me pensar sobre os seus últimos instantes antes da morte. Quanto tinha sofrido? Ainda respirava quando o lançaram à água? A brutalidade daquele ato atingia o mais profundo de mim.

Embora eu pudesse ter feito vigília a seu lado chorando a sua perda durante dias sem conta, quando o seu corpo foi trazido ao *palazzo* a pele já estava a decompor-se por causa da água do rio.

Tivemos que enterrá-lo às pressas.

Em um cortejo liderado por duzentos homens carregando tochas, cavalheiros da comitiva papal levaram o corpo de Juan através das ruas margeadas por milhares de espectadores. A procissão seguiu do Vaticano para a vizinha *Basilica di Santa Maria del Popolo*. Observei o ataúde decorado com veludo, fitas e lírios negros mover-se ao longo das ruas, rodeado por fisionomias em choque e vozes sussurrantes que espalhavam boatos. Haviam preparado o corpo tão bem que nenhum ferimento maculava o rosto dele, e para mim parecia que meu irmão não estava morto e sim adormecido. Como papai ainda estava chocado demais pela morte para comparecer ao serviço fúnebre, somente César e eu assistimos enquanto o corpo era finalmente enterrado na *capella* da família. Colocamos Juan em um túmulo que já fora destinado à nossa mãe. Ele tinha apenas 21 anos de idade.

Embora eu estivesse presente ao sepultamento, o serviço fúnebre ocorrera tão rapidamente que eu ainda não compreendia muitas das circunstâncias que cercavam a sua morte precoce. Funcionários papais declararam que Juan havia provavelmente sido assassinado, no entanto eu sabia muito pouco além desse fato. Como eu havia desmaiado ao ficar sabendo da notícia, todos agora se preocupavam em não me perturbar novamente, e recusavam-se a me revelar mais do que uns poucos detalhes. Isso serviu apenas para me dar maior determinação em descobrir por conta própria as misteriosas circunstâncias. Estava decidida a saber tudo, de qualquer maneira.

Assim, quando voltei para casa fiz com que Panthasilea fosse secretamente a Roma para trazer um panfleto sobre a morte de Juan. Inteligentemente ela o ocultou e o levou para o meu quarto.

Esses panfletos eram folhas de pergaminho de baixo preço, frequentemente distribuídas em Roma depois de qualquer acontecimento

Veneno nas Veias

de importância que afetasse a vida da cidade. Os panfletistas empreendedores copiavam o anúncio oficial do arauto sobre o assunto, enfeitavam-no com um pouco de trabalho investigativo ou algumas declarações de testemunhas e depois vendiam-no ao público por uma quantia baixa. O panfleto sobre a morte de Juan dizia o seguinte:

PARA O POVO DE ROMA

Neste trágico dia 16 de fevereiro, no ano de 1497, anunciamos que Juan Bórgia, Duque de Gandia e filho do Papa Alexandre VI, foi encontrado morto no Rio Tibre, assassinado por pessoa desconhecida.

O desaparecimento de Juan Bórgia foi descoberto na Quarta--Feira de Cinzas: às sete horas, a Guarda Espanhola do Pontífice, liderada por Don César Bórgia, atravessou a cidade em disparada, em um esforço desesperado para encontrar o duque desaparecido. Mulheres e crianças fugiram para dentro de seus lares e trancaram as portas, temendo por sua vida. Com medo de uma vendetta, os membros da Casa de Orsini e da Casa de Colonna tomaram medidas para fortificar seus palazzi contra um ataque.

Os soldados logo encontraram um vendedor de madeira perto da Ponte Ripetto que possuía informações trágicas a respeito do Duque de Gandia. O mercador, Giorgio Schiavi, disse aos guardas papais que ele estava descarregando sua carroça na margem do rio na noite em que o duque fora visto com vida pela última vez. Depois de ter adormecido em uma barcaça atracada à margem do rio, ele acordou subitamente e viu dois homens agindo de maneira suspeita junto à água. De seu esconderijo na barcaça o Signor Schiavi observou os homens fazerem um sinal para um companheiro. Eis o que ele contou aos funcionários papais:

"Das sombras surgiu um homem montado em um cavalo branco, carregando um corpo atravessado sobre a sela, a cabeça e os braços pendurados de um lado do cavalo, as pernas do outro. Tendo

atingido o ponto onde normalmente o lixo é jogado dentro do rio, o cavaleiro aproximou sua montaria da água e os dois homens a pé pegaram o corpo pelas mãos e as pernas. Com toda força eles jogaram o corpo no rio. O cadáver logo afundou, mas o manto do morto logo voltou à tona e continuou a flutuar. Quando os dois homens perceberam esse fato, o cavalheiro jogou algumas pedras no manto e o fez afundar. Feito isso, todos os homens afastaram-se do rio por um beco que leva ao Ospedale San Giacomo."

Quando questionado por que não havia comunicado o fato antes, Giorgio respondeu que: "... durante a minha vida já vi uns cem cadáveres como aquele jogados no rio sem que ninguém se preocupasse em fazer perguntas".

A reação do Vaticano foi rápida. No amanhecer do dia seguinte, equipes de pescadores e barqueiros vasculharam o Tibre, motivados por uma recompensa de dez ducados oferecidos a quem quer que conseguisse localizar o cadáver do duque desaparecido. Antes do meio-dia um pescador de nome Battisto da Taglia recuperou um corpo em sua rede — o cadáver de um jovem ricamente vestido e desfigurado por oito facadas nas pernas e no tronco. Não tinha havido qualquer tentativa de roubo, pois no cadáver ainda havia um colar precioso e uma bolsa com 30 ducados.

Depois da descoberta, funcionários removeram o corpo para o Castel Sant'Angelo, onde membros da família Bórgia confirmaram que o cadáver era realmente de Juan Bórgia. Segundo relatos, Alexandre VI ficou tão abalado com a notícia que fechou-se em seus aposentos e chorou amargamente durante horas.

Uma investigação sobre a morte do Duque de Gandia está sendo levada a cabo. Para se manter informado sobre o inquérito, procure futuros panfletos vendidos nas piazze *e esquinas da nossa abençoada cidade.*

Assim que acabei de ler o panfleto voltei a lê-lo várias vezes, tantas que quase memorizei as palavras.

Alguma coisa sobre o conteúdo dele me perturbava. Não era apenas o ato macabro de ler tais detalhes sobre a morte do meu irmão, era alguma coisa a mais. Minha mente encheu-se de perguntas e suspeitas em relação às pessoas responsáveis pelo crime. Quem quer que tivesse cometido o assassinato de Juan ainda estava livre de qualquer castigo, sua identidade ainda um mistério para a lei. Perguntei-me se poderia ter sido alguém de dentro do *palazzo*, alguém que eu conhecia e com quem falava em minha vida diária. Esse pensamento era absolutamente aterrador.

VI

O Meu Novo Destino

César e eu estávamos juntos na *Sala delle Arti Liberali*, um salão no *Appartamento* que meu pai usava como escritório. Eu estava vestida de preto e ainda me sentia abalada pela morte recente de Juan. Alexandre havia mandado nos chamar sem explicar o motivo para isso, e agora esperávamos com ansiedade a sua chegada.

Depois de longo tempo ele entrou na sala com expressão séria. Retirou o solidéu e passou a mão pela calva lisa.

— É sobre a investigação de assassinato? — eu quis saber. — Sei que só se passou um mês, mas já houve algum resultado? Pelo que ouvi, ainda não existem suspeitos.

— Sim, houve um progresso. Convoquei vocês dois para anunciar que a investigação está agora concluída.

César permaneceu silencioso nos fundos do aposento. Em contraste, eu avancei e me sentei perto da escrivaninha de carvalho.

— Diga-me quem foi. Qual foi o criminoso que foi preso pelo assassinato? — perguntei, com o coração galopando.

— Criminoso? Minha querida criança, infelizmente você me interpretou mal. Quando eu afirmo que a investigação está concluída, quero dizer que todas as linhas de investigação foram exauridas. O comandante da polícia informa-me que ele nunca tinha visto um caso envolvendo tantos problemas.

— Mas não compreendo, a investigação não pode estar concluída se não há resultado. O comandante da polícia não devia investigar até encontrar a pessoa responsável?

— Infelizmente já foi dada a ordem de encerrar o inquérito.

— Quem deu essa ordem?

— Eu mesmo.

Fiquei de pé em um salto, revoltada.

— O senhor! Por que logo o senhor fez uma coisa tão maldita? Não pode cancelar a investigação! Foram apenas algumas semanas! Não quer encontrar o assassino de Juan e levá-lo à justiça?

Alexandre acomodou-se em uma cadeira. Inclinou-se para a frente sobre a escrivaninha, seus dedos deixando marcas na superfície empoeirada.

— Minha filha, insisto que você me permita explicar esta questão.

— Explicar?

— Sim. Acredito que mais de uma pessoa é responsável pela morte do seu irmão. Aliás, o verdadeiro culpado pode ser uma organização inteira: uma família. Somente uma das casas mais poderosas de Roma teria ousado tal ataque em um filho meu, e depois ter a audácia de esconder o assassino e proteger sua identidade. Foram os Orsini? Talvez sim, mas há certamente outros que também têm motivos poderosos. Poderia facilmente ter sido os Colonna, os Savelli, ou os Cenci, ou até mesmo algum inimigo desconhecido vindo dos Estados Papais rebeldes. Como nenhuma família tomou a iniciativa de aceitar a responsabilidade, considero todas elas responsáveis pelo crime. Todas elas mataram meu filho ao promover uma atmosfera de desafio ao poder dos Bórgia.

Franzi a testa.

Veneno nas Veias

— Que é que o senhor está dizendo?

— Estou dizendo que está na hora de esta casa reagir e assegurar o controle total não apenas da cidade mas de todos os estados sob o domínio papal.

— Guerra?

— Sim, vamos à guerra — ele disse em tom brando. — No entanto, antes que qualquer ação seja possível precisamos nos tornar fortes de novo e aguardar com paciência o momento em que todos os nossos inimigos se tornarem plácidos e pacíficos. Então atacaremos. Enquanto isso, nossa tarefa será forjar uma rede de alianças mais abrangente.

Sentei-me numa cadeira, sabendo exatamente o que "rede de alianças" queria dizer.

— O senhor planeja um casamento para mim? — perguntei.

No canto do aposento César raspou o calcanhar da bota no chão. Alexandre observou-o, depois voltou seus olhos sem pálpebras para mim e sorriu.

— Até agora, Lucrécia, a sua vida foi notavelmente fácil. A maioria das mulheres da sua idade estão casadas ou instaladas em um convento. Quando você fez 14 anos eu já tinha duas ofertas de casamento para você, mas nenhuma das propostas era satisfatória, e desde aquela época recusei inúmeros outros candidatos, sempre adiando à espera da aliança certa. Mesmo assim, você sabia que este dia chegaria mais cedo ou mais tarde.

— O que foi que o senhor combinou?

— Você vai fazer parte de uma casa que não apenas controla as férteis terras da Espanha mas também o magnífico Reino de Nápoles, o maior de todos os estados italianos.

— Os Aragon?

— Sim. Negociei o seu compromisso com a linhagem real da Casa de Aragon, a família mais poderosa do mundo.

Não reagi. Alexandre me encarou, perplexo e indeciso.

A reação da maioria das fidalgas a tal notícia teria sido uma mistura vertiginosa de choque e prazer. No entanto, eu não estava impressionada com a honra de um casamento tão poderoso, apenas tomada por uma profunda sensação de perda. Não queria deixar Roma para viver na Espanha ou em Nápoles, ou perder a companhia íntima de meu pai e meu irmão.

— Meu marido tem um nome? Acho que é ilegal casar-se com toda uma família — falei, levemente perturbada.

— O seu futuro marido é o ilustre Afonso de Aragon, Duque de Bisceglie. O duque é filho natural de Afonso II, o falecido Rei de Nápoles. — Ele me estudou atentamente. — Bem, minha filha, sinta-se livre para expressar sua gratidão.

Eu espirrei por causa da poeira.

Alexandre recostou-se na cadeira, indignado.

— Como é que você ousa, Lucrécia? Ah, meus nervos, meus pobres nervos! Que estrondo! Você tirou um ano da minha vida, eu juro!

— Pode me dar uma descrição do meu futuro marido? — pedi em tom brusco. — Ou será uma surpresa para o dia do meu casamento?

Ele não respondeu, permanecendo recostado na cadeira, abanando o rosto. Para meu espanto, César veio até mim e colocou a mão no meu ombro.

— Dom Afonso tem 17 anos. A mesma idade que você — disse.

Virei o corpo na direção dele.

— Você sabia disso, soube antes de mim?

— Sim.

— E nunca me contou? E sobre a investigação? Sabia disso também?

Ele ignorou a pergunta.

— Achamos que será um casamento digno. O duque é conhecido como um homem bonito.

— E quanto ao cérebro dele? Ele é inteligente também? Ou é apenas uma peça de xadrez da família, como eu?

César ergueu os olhos para o teto e voltou para perto da janela. Finalmente Alexandre recuperou-se o suficiente para falar. Tornou a colocar o solidéu:

Veneno nas Veias

— Lucrécia, não seja perversa com o seu irmão. Só desejamos o que for melhor para você. Como você com toda a certeza sabe, o atual poderio da nossa família terminará quando eu morrer. Ao contrário de outros títulos, o Papado não é uma honra que um filho pode herdar. Para assegurar o nosso futuro agora, precisamos estabelecer fontes de poder fora da igreja. Se não, a luz da dinastia Bórgia logo irá se apagar. — Ele colocou a mão sobre o peito corpulento e olhou para mim com tristeza. — Tenho certeza de que você não deseja me desafiar em relação à questão do seu casamento. Tenho certeza de que tenho uma filha leal e ciosa de seus deveres; uma filha que está disposta a ajudar o poderio da Casa de Bórgia. Estou correto pensando assim?

Apesar dos meus protestos, seria inútil resistir. O casamento faz sentido, não o amor — eu sabia disso desde muito nova, e aquele casamento parecia mesmo uma decisão sábia, pelo menos no ponto de vista da minha família. Eu não estava feliz com aquilo, mas sabia que o arranjo prosseguiria se eu concordasse ou não. O desejo de papai e o futuro da minha família prevaleceriam sobre todas as outras questões, até mesmo sobre a minha própria felicidade.

— Concordarei. Aceitarei o noivado. Que outra escolha eu tenho? — respondi melancolicamente.

Retirei-me do aposento sem dizer outra palavra, e sem fazer qualquer tentativa de esconder o meu desprazer.

Quando a porta se fechou atrás de mim, cerrei os olhos e fantasiei dar um grito bem alto no corredor deserto. Mais do que o choque do cancelamento da investigação, mais do que a surpresa dos planos de casamento, eu me sentia magoada pelo fato de que meu pai e meu irmão haviam decidido o meu destino com tanta presteza. Parecia que eles não se importavam em me abandonar com um duque desconhecido, numa corte ignorada, muito distante, em Nápoles. E por que César sabia tanta coisa sobre isso? Quase que da noite para o dia ele passara do status de filho esquecido para o mais íntimo confidente de papai.

Enquanto eu estava parada perto da porta, uma voz alteada soou dentro do aposento: o timbre rouco de César. Resolvi escutar e descobrir o por quê. Depois de me certificar de que não havia camareiros, escudeiros ou prelados por perto, inclinei a cabeça para mais perto da porta e pus-me a escutar a conversa lá dentro.

A voz de César fervilhava de sarcasmo.

— Não é suficientemente bom! Já foi feito para Lucrécia!

— Não é necessário afligir-se, meu filho — Alexandre retrucou, soando um pouco assustado. — Vou fazer você se casar na Casa de Aragon também, mas essas coisas necessitam de planejamento e paciência.

— Diga-me uma data.

— Como já declarei, acontecerá no momento adequado, quando todas as coisas tiverem sido apropriadamente...

Um objeto pesado no interior do aposento bateu com força na parede e interrompeu Alexandre. Calculei que se tratasse de uma cadeira.

— Não me venha com suas palavras melífluas, velho! Quero resultados, não sermões! — César berrou. — Ganhei o direito a isto, não ganhei?

Mais nervoso do que antes, papai respondeu:

— Fiz uma promessa a você e pretendo cumpri-la.

— E vai mesmo. Pela minha espada, vou me certificar de que você vai fazer isto.

Alexandre pigarreou.

— A primeira coisa que deve ser feita antes de qualquer proposta de casamento é remover o seu cardinalato. Enquanto conversamos aqui, você devia saber que já comecei o processo de anulação com o Sacro Colégio.

— Ótimo. — Os passos de César ressoaram fortemente atravessando o salão até a escrivaninha. — E depois disso o senhor vai procurar os Aragon espanhóis. São eles que têm o verdadeiro poder. Não o ramo menor em Nápoles. Não aceitarei menos do que a Princesa Carlotta, está claro?

Veneno nas Veias

— Você tem consciência de que os espanhóis já prepararam planos muito ambiciosos para a princesa?

— Então serão obrigados a mudar seus planos, não serão?

— Nesse caso, posso perguntar como você pretende conseguir o consentimento deles sem possuir qualquer status ou título de nobreza?

— Luís XII.

— O nome Rei da França? Lamento dizer que a sua estratégia ainda está bastante obscura, meu filho.

— Luís quer desesperadamente o divórcio. Ele já pediu isto ao senhor. O senhor vai concordar, mas com a condição de que em troca eu receba um ducado francês.

Seguiu-se um silêncio. Obviamente aquele plano surpreendeu bastante meu pai. César logo continuou:

— De qualquer maneira, precisamos do rei francês. A Princesa Carlota vive na corte dele e ele pode ajudar a influenciá-la em meu favor, especialmente se eu precisar visitar a França.

Não escutei a resposta, porém como do interior do aposento não vinha uma explosão violenta, imaginei que papai havia concordado. Alexandre tornou a falar, dessa vez em voz branda e cansada, com um toque de ressentimento.

— Meu filho, embora eu aplauda as suas novas ambições, espero que o seu olhar esteja sempre fixo no bem da sua família, mais do que na sua glória pessoal.

— Quer saber se eu vou continuar a ser obediente? — A voz de César tornou-se rude e ameaçadora. — Escute, Santíssimo Padre, não sou mais simplesmente o filho mais velho, agora sou o único filho. E não vou deixar que coisa alguma me reprima novamente. Nada.

— Sim, eu não questiono isto — Alexandre respondeu, quase em um sussurro.

Afastei-me da porta, cada vez mais preocupada. Como o único filho vivo, César finalmente tinha meios para dobrar papai segundo a sua vontade. Ele sempre estivera mal colocado como cardeal, e agora poderia deixar a Igreja e conseguir ao mesmo tempo um título de nobreza e um casamento de posição elevada. Um mês antes aquela situação teria parecido impossível. A morte de Juan certamente abrira caminho para uma nova vida para meu irmão mais velho...

César poderia estar envolvido no assassinato de Juan? Deus sabia que ele tinha motivos: sempre desprezara Juan pelo modo como meu pai injustamente o elevara e o cobrira de títulos, fortuna e poder. Parecia que raramente se passava um dia sem que César ameaçasse matar Juan de algum modo doloroso. Eu sempre ria quando ele dizia essas coisas. Talvez isso tivesse sido um erro.

Meus pensamentos voltaram para a noite de Carnaval e o conteúdo do panfleto. A testemunha ocular viu o corpo de Juan sendo jogado no Tibre às cinco horas da manhã; por volta dessa hora, vi César sob a *Torre* Bórgia agindo como se estivesse prestes a sair do *palazzo*. Um dos homens que jogaram o corpo de Juan estava a cavalo; eu escutara as esporas de César batendo nas pedras do chão. Havia também muitas maneiras pelas quais meu irmão poderia obter um cavalo branco. Mas se César era suspeito, por que os policiais da cidade ainda não haviam descoberto isso?

Ou haviam? Era essa a verdadeira razão por que a investigação tinha sido cancelada tão abruptamente? César teria exigido que meu pai encerrasse o inquérito quando este começou a apontar para ele?

Saí correndo através do *Appartamento*. Apesar das minhas suspeitas, era uma coisa vil ter pensamentos tão horríveis a respeito do meu irmão. Nenhuma evidência que eu conhecia poderia provar a culpa dele, tratava-se apenas de uma série de coincidências, nada mais, e ele merecia o meu apoio.

Em última análise, tudo girava em torno do porão. Para dissipar as minhas dúvidas eu precisaria ir em pessoa ao porão e provar que nada de sinistro havia lá dentro. Meus pés voaram escada abaixo e eu saí para o pátio. Embora fosse dia, César e Alexandre ainda conversavam no salão, permitindo-me a oportunidade de visitar o porão sem ser vista.

Do lado de fora as brisas frias do rio invadiam o pátio, e eu me aproximei da gigantesca coluna de pedra cinzenta que era a *Torre Bórgia*. Ramos desfolhados de glicínia marrom subiam pela torre em direção ao céu. Diretamente abaixo havia uma diminuta porta para o porão.

Girei a maçaneta, porém a porta estava trancada.

Depois de olhar em volta peguei a minha chave-mestra pessoal no bolso da manga e girei-a na fechadura. Aquela chave deveria abrir qualquer aposento do *palazzo*, no entanto não funcionava ali. Que estranho!

Se eu não tinha a chave do porão, então presumivelmente ninguém entre os funcionários papais a teriam. Aliás, parecia óbvio que apenas um homem tinha o poder de abrir aquela fechadura. Estremeci ao vento frio. Para entrar no porão sem ser percebida, eu agora só tinha uma opção: apesar das enormes dificuldades e do potencial de constrangimento, até mesmo dos possíveis riscos se eu fosse surpreendida, precisava entrar secretamente no quarto do meu irmão e roubar a chave enquanto ele estivesse dormindo. Precisava roubá-la do próprio César.

vii

Os Segredos No Porão

Uma noite tranquila estabeleceu-se gradualmente nos salões do *palazzo*, mas esperei até a madrugada antes de tentar levar a cabo o roubo das chaves de César.
Esgueirei-me pelo corredor do lado de fora do meu quarto, prestando atenção se algum dos criados do *palazzo* estavam por perto. O quarto de César ficava a uma pequena distância do meu. Cheguei à porta dele e abri-a delicadamente.
Entrei logo na antecâmara que levava ao quarto privativo de César. Aquele aposento era usado para encontros com amigos e mensageiros. Deixei a porta externa entreaberta e atravessei cuidadosamente o aposento, temendo tropeçar em alguma coisa na escuridão. À porta do quarto de dormir, a maçaneta rangeu quando a baixei.
Dentro do quarto de César o ar era pesado. Vislumbrei meu irmão deitado, esparramado sobre o colchão, o corpo imóvel em um sono profundo e silencioso. Para um homem com a voz tão alta, eu imaginava que ele roncasse com tanta violência que as traves da

cama estremecessem. Além disso, as cobertas estavam em posição estranha, a colcha puxada tão alto que eu não conseguia enxergar a cabeça dele, apenas o vulto comprido do seu corpo imóvel.

Ignorando a estranheza de tudo aquilo, pus-me a procurar as chaves. Havia espelhos de metal polido em todas as paredes, refletindo as sombras enquanto eu me movia na penumbra. O chaveiro estava sobre a mesa de cabeceira de César. Peguei-o com mãos hábeis, protegi o metal entre as mãos e apressei-me a sair do quarto antes que ele acordasse.

Fora do *Appartamento* a sombra da lua caía branca sobre as pedras do piso do pátio. Fui pé ante pé até a porta do porão, experimentei todas as chaves de César e finalmente abri a fechadura.

As dobradiças enferrujadas rangeram quando empurrei a porta.

Parei e fiquei esperando ouvir uma reação: em algum lugar à distância, as vozes das sentinelas papais conversavam baixinho. Um cavalo sacudiu a corrente que o prendia. Nenhum som vinha de perto o suficiente para me preocupar.

Para iluminar meu caminho peguei uma tocha no muro do pátio, atravessei a soleira do porão e fechei a porta suavemente atrás de mim.

As chamas da tocha chegavam perto do meu rosto enquanto eu descia uma escada curta sob a torre. No fundo encontrei um aposento como uma caverna, apoiado em inúmeras colunas. A luz da tocha iluminou uma confusão de objetos descartados amontoados entre as colunas: cadeiras com pernas quebradas, rolos de corda, pedaços de tábua e barris empilhados até o teto. Talvez aquele fosse exatamente o lugar onde alguém pudesse procurar alvos de balestra, afinal.

Explorei o aposento e por acaso encontrei um espaço minúsculo escondido no canto mais remoto. Ao contrário do resto do porão, ali o chão havia sido varrido e estava livre de objetos. Várias fileiras de prateleiras cobriam a parede, cada uma contendo uma série de frascos etiquetados. Abaixo, sobre a superfície desgastada de uma escrivaninha, as fivelas de manuscritos presos por tiras de

couro brilharam aos meus olhos. Por cima dos manuscritos estendia-
-se um rolo de pergaminho.

À primeira vista a área parecia bastante inocente, mas decidi
inspecionar as coisas mais detalhadamente. Desenrolei o pergaminho e constatei que ele parecia vazio em ambos os lados. Em seguida ergui a tocha para iluminar as prateleiras e li os rótulos nos
frascos empoeirados:

"Dedaleira", "Acônito", "Mel de Rododendro", "Vapor de Mercúrio",
"Cogumelo Amanita", "Pó de Cantárida", "Arsênico".

Reconheci aqueles nomes imediatamente — eram venenos! Os
rótulos traziam a dose fatal, os sintomas e a cura para cada veneno.
O rótulo mais perto de mim dizia:

BELADONA
MORTAL: *1 folha*
SINTOMAS: *Náusea, Confusão, Sufocamento*
CURA: *Feijão Calabar*

Com mãos trêmulas estudei os manuscritos sobre a escrivaninha. Dois eram textos gregos: "*Theriaca*" de Nicandro de Cólofon;
e "*Materia medica*" de Dioscórides. O terceiro era uma obra mais
recente, em latim: "O livro dos venenos", por Magister Santes de
Ardoynis. Eram todos guias de classificação, propriedades e trata-
mentos de venenos.

Dentro de um dos volumes encontrei uma nota escrita a mão
na primeira página. O título era: "Cantarela: Uma Preparação", e
abaixo dele vinha descrito em detalhes o método de combinar todos os venenos para criar um pó branco, brilhante e de sabor doce.
A fórmula afirmava que para aquele novo composto não existia
antídoto. Lamentavelmente eu reconheci a caligrafia. As manchas
e os erros eram inconfundíveis. Tratava-se da letra de César.

Embora nada ainda incriminasse César na morte de Juan, eu
havia encontrado algo igualmente horrível. Obviamente aquele

canto do porão era a base secreta da mais recente e mais sinistra operação. A Casa de Bórgia pretendia revidar ao ataque de seus inimigos rebaixando-se ao uso de venenos.

Agora eu compreendia por que havia visto César esgueirar-se para fora do porão. Ele tivera suficiente visão do futuro para começar os preparativos na noite do desaparecimento de Juan. Sabia que a morte do guarda dos Orsini provocaria um ataque de revide, e já havia começado a preparar os meios para reagir a ele. Os boatos logo seriam verdadeiros: se minha família já não tivesse assassinado pessoas no passado, iam fazer isso no futuro próximo.

Eu tinha vontade de contar a alguém imediatamente e impedir mais mortes, no entanto sabia que não havia pessoa alguma a quem eu pudesse pedir ajuda. Não havia autoridade no mundo, fosse espiritual ou legal, mais alta do que meu pai. Se César de alguma forma o tivesse convencido a tomar o caminho do assassinato, quem poderia impedir qualquer um dos dois de seguir esse caminho? Tampouco poderia falar com alguém a respeito dos venenos que eu havia encontrado nessa noite — nenhum cardeal, nenhum policial, nenhum cidadão de Roma poderia saber disso sem que sua vida corresse perigo. Todas as pessoas que eu conhecia ou eram leais à minha família ou estavam à mercê de serem destruídas por ela.

Quando mais eu raciocinava, mais duvidava de que poderia algum dia revelar os segredos da minha família. Eles estavam planejando algo diabólico, mas isso não era pior do que as táticas usadas por muitos governantes dos estados italianos. Aliás, o veneno era uma arma muito comum para livrar-se de inimigos sem levantar suspeitas. Era limpo, eficiente, difícil de detectar, e os sintomas eram facilmente confundidos com doenças naturais. Você podia ficar sorrindo para a sua vítima enquanto ela bebe da taça envenenada, despedir-se amigavelmente quando ela se retira e até mesmo consolar a família que chora em seu enterro. Ninguém ligaria você àquela morte. Ninguém reagiria buscando vingança.

Veneno nas Veias

Eu jamais em toda a minha vida havia sentido tanta vergonha, não apenas de César e Alexandre, mas também de mim mesma. Não importava o que meu irmão e meu pai fizessem, eram meus parentes e eu não conseguiria traí-los. Não iria traí-los. Se havia veneno na Casa de Bórgia, em minha própria linhagem sanguínea, daí em diante eu teria que aceitá-lo como parte de mim mesma. Para o bem ou para o mal, havia veneno em minhas veias.

— Vou partir deste lugar — declarei à escuridão. — Vou sair daqui e jamais voltarei...

Antes de sair correndo tornei a olhar para o pergaminho, e desenrolei-o totalmente. Enquanto o pergaminho estava em branco, eu o puxei para perto e aspirei um leve perfume cítrico. Essa descoberta era decerto curiosa, mas não oferecia novas revelações, e coloquei o pergaminho de volta sobre a escrivaninha.

Com pés ágeis subi os degraus para o pátio, tranquei a porta e corri para o quarto de César para devolver a chave. O quarto dele ainda estava tão silencioso e abafado quanto antes. Recoloquei o chaveiro sobre a mesa de cabeceira e me preparei para sair. Como precaução, olhei para a cama para ver se ele ainda estava dormindo. Ele ainda jazia imóvel e silencioso, escondido sob a coberta. Franzi a testa contemplando aquela forma saliente. Ele estava um pouco imóvel e silencioso demais...

Aproximei-me da cama e fiquei escutando: não havia qualquer som de uma respiração ou um movimento das cobertas. Temendo que ele estivesse morto, resolvi correr o risco de despertá-lo. Estendi a mão e cutuquei o ombro dele, mas meu dedo não encontrou resistência.

Puxei a coberta com violência. Nada havia sobre a cama exceto uma trouxa de lençóis e roupas arrumadas no formato de um corpo.

Um truque!

Ele certamente me ouvira quando entrei na antecâmara e reagiu instantaneamente, antes que eu chegasse ao quarto. Estava escondido nas sombras enquanto eu roubava suas chaves! Recuei para longe da cama, tomada pelo pânico. Se César não estava em seu quarto naquele momento, então onde poderia estar?

Saí em disparada do quarto dele, batendo as portas atrás de mim enquanto fugia. De repente me veio uma ideia muito precisa de onde ele estava. Chegando do lado de fora do meu quarto, vi a luz de vela sob a porta, confirmando as minhas suspeitas. Saindo às escondidas nessa noite, eu dera a César a chance de penetrar no meu próprio quarto.

Respirei fundo para acalmar-me e depois entrei. À minha frente, César estava reclinado em minha cama, lendo uma pilha de cartas a seu lado. Olhei para ele com cautela.

— Boa noite, minha irmã — ele cumprimentou, olhando por cima de uma carta. — Não pretendia assustá-la. Alguma coisa me perturbou esta noite, só isso. Não consegui dormir. Vir conversar com você mas você não estava, então fiquei esperando.

Recolhi a pilha de cartas da cama.

— E enquanto esperava achou que seria divertido vasculhar a minha correspondência particular? Estas cartas são de minha mãe. Não queria que qualquer outra pessoa as lesse.

— Encontrei por acaso. — Ele se levantou e me entregou a carta que tinha na mão. — Não achei que fosse errado deitar-me aqui para as ler.

— O seu problema, César, é que você acha que pode mentir quando quiser!

E ele estava mesmo mentindo. A única maneira pela qual ele poderia encontrar acidentalmente as minhas cartas no esconderijo era se tropeçasse, caísse debaixo da cama e enfiasse a mão sob o colchão.

Ele apontou para o meu braço arrepiado.

— Você parece estar com frio. Saiu para algum lugar?

— Sobre o quê você queria falar comigo? É por isto que está aqui, lembra-se?

— Sim, eu queria que você soubesse que logo muitas coisas vão mudar. O nosso mundo dentro do *palazzo* vai mudar. O mundo de

Veneno nas Veias

fora também vai mudar. Mas aconteça o que acontecer você sempre estará em segurança. Nunca vou deixar que algum mal lhe aconteça. Acredita em mim?

Assenti com um gesto, sentindo um leve medo dele.

— Diga, Lucrécia — ele pediu.

— Sim. Você tem o rosto de Jesus. Como eu poderia não acreditar em você?

Ele me contemplou com atenção, sem saber o que pensar. Finalmente me deu boa-noite. Naturalmente sabia exatamente onde eu estivera naquela noite e o que havia descoberto. Só viera me ver para saber da minha reação. Queria saber como eu iria julgá-lo.

Depois que ele deixou meu quarto, contei as cartas para ter certeza de que não estava faltando alguma. Aliviada, procurei em meu quarto e encontrei um novo esconderijo. Enquanto as enfiava atrás do forro de uma das minhas arcas de roupas, fiz uma promessa silenciosa e solene a mim mesma. Decidi esquecer tudo o que havia visto no porão. César tinha razão, havia coisas sobre a minha família que eu não sabia e que não queria saber.

Durante o resto da noite fiquei deitada sob o dossel da minha cama, de olhos abertos, a mente perturbada por uma variedade de pensamentos. Lembrei-me da drástica revelação de papai naquele dia: meu iminente casamento com Afonso de Aragon, Duque de Bisceglie. Esse casamento me daria um título, Duquesa de Bisceglie. Para mim, no entanto, o casamento podia ser muito mais. Afonso era uma pessoa diferente, uma pessoa nova, que poderia rejuvenescer a minha vida. Não era ruim que ele fosse também jovem e muito bonito. Mesmo assim sabia que quando finalmente nos conhecêssemos eu poderia achá-lo enfadonho, indiferente ou nojento.

Mas e a alternativa? E se eu sentisse algum carinho por ele desde o início? E se a minha afeição crescesse aos poucos até se transformar em alguma coisa mais profunda? E se nós encontrássemos o amor à primeira vista?

E se...

viii

Meu Futuro Marido

Embora o meu casamento com Afonso fosse um acordo entre duas famílias, os detalhes do contrato ainda requeriam negociações antes que os Bórgia e os Aragon pudessem fazer uma união feliz. Assim, não fiquei conhecendo Afonso de Aragon, Duque de Bisceglie, até muitos meses depois que papai me falou do casamento pela primeira vez.

Para o primeiro encontro, Alexandre, César e eu nos postamos no exterior do Belvedere — uma casa de verão nos terrenos da *Città del Vaticano* — para esperar a chegada de Afonso. Ao redor de nós, o mês de julho florescia pelos jardins. As castanhas cresciam nos ramos, os lírios martagões pendiam as cabeças roxas, e um falcão *pecchiaiolo* planava bem alto no céu azul.

Eu havia passado a maior parte da semana preparando-me para o encontro. Clareei minha pele com loção de cera de abelha, esfreguei os dentes com vinagre e mel até ficassem brilhantes, pintei os lábios com um tipo de alga marinha para tingi-los de vermelho e molhei meus cabelos com uma perfumada água de rosas. Vesti um traje de brocado azul feito especialmente para a ocasião, bordado com ouro e pérolas para simbolizar pureza e virtude. Um véu de tecido muito fino, curto e triangular, agora pendia na frente do meu rosto, e luvas de seda tecidas com fios de diferentes cores, que lançavam sombras cor de arco-íris sobre minhas mãos e meus antebraços.

Repentinamente as trombetas tocaram uma saudação real — Afonso estava chegando!

À frente de um grupo de embaixadores napolitanos, o Duque de Bisceglie marchava pelo caminho que levava ao Belvedere. Usava uma roupa justa em tom branco-azulado, com mangas pendentes à moda antiga. O sol da manhã aquecia seu chapéu e seus cabelos castanhos despenteados, e ele caminhava com passos elásticos. O rosto mostrava uma pele macia e feições simétricas, e a seu próprio modo ele parecia tão belo quanto o meu irmão. No entanto, a mandíbula imberbe e a constituição física delicada não possuíam a robustez de César. Os grandes olhos castanhos pestanejavam pra mim enquanto ele se aproximava.

Afonso cumprimentou formalmente papai, depois César, antes de chegar diante de mim. Aparentava palidez e tensão, como se estivesse petrificado demais para dizer qualquer palavra. Dei-lhe um sorriso apaziguador. Os olhos dele ficaram maiores, ele retribuiu o sorriso e as palavras saíram em um jorro:

— *Donna* Lucrécia Bórgia, é uma honra estar aqui, estou muito feliz em conhecê-la finalmente! Esperei ansiosamente por este momento. Estou muito celiz de fonhecê-la!

Fiz uma meia careta diante daquela linguagem confusa. Ele abriu a boca, mortificado por causa do pequeno erro.

— Quero dizer... Eu quis dizer que estou muito feliz em conhecê--la — afirmou, quase ofegante. — Perdoe-me, sinto dizer que quando fico nervoso, como agora, não falo tão bem quanto deveria. Minhas palavras às fezes me vogem sem controle pela boca.

Papai fez uma carranca dirigida a ele. César sentiu-se ofendido e deu um passo à frente, mandíbula tensa, olhos brilhantes.

— O duque insultou você, Lucrécia? — perguntou.

Hesitei. Afonso olhou para César em um pânico crescente, como um gato prestes a ser afogado.

— Não, ele é maravilhoso — apressei-me a responder.

César rugiu:

— Como assim?

— Sim, foi muito gentil da parte de *Don* Afonso ter se dado ao trabalho de aprender sobre os meus interesses. — Voltei-me para Afonso e sorri graciosamente. — Fico lisonjeada que você tenha ficado sabendo do meu interesse pelos jogos de palavras. Normalmente gosto de descobrir anagramas, mas o seu jogo de mistura é delicioso. Pode fazer de novo? Poderia me ensinar a jogar, também?

Ele me encarou por um instante, sem saber dizer se eu estava sendo sincera. Mantive os olhos nos dele. Ele aprumou o corpo e deu uma curta risada de alívio.

— Claro que sim! Terei o maior prazer em lhe ensinar, *madonna*. Seria para mim uma honra ter uma parceira tão bondosa e simpática em meu jogo — respondeu em tom carinhoso.

César bufou, mas papai pareceu convencido e sugeriu que nós entrássemos no Belvedere para um lanche. Enquanto Afonso e eu entrávamos na edificação na frente dos outros, ele inclinou a cabeça para perto da minha.

— Não tenho como agradecer-lhe suficientemente. Tenho uma dívida eterna para com você — disse baixinho.

— Sim, também acho — respondi.

Dentro do pavilhão de verão, Alexandre e César compartilharam taças de bebida com os embaixadores napolitanos e discutiram política. Sentei-me com Afonso no outro extremo da sala, ambos empoleirados na beirada de um pequeno sofá sob a janela. A paisagem de Roma estendia-se diante de nós: trezentas torres erguendo-se entre diminutas cabanas dos camponeses e as sombras de ruínas antigas. Apesar de tanta beleza, não nos demoramos em contemplação — estávamos demasiado concentrados um no outro.

— E como foi a sua viagem de Nápoles a Roma? Não muito arriscada, espero — falei educadamente.

— Foi, sim! — ele respondeu. — Na metade do caminho os céus bombardearam a terra com chuva e a margem de um rio desmoronou. As estradas estavam todas debaixo d'água, porém meus amigos e eu conseguimos atravessar na parte mais estreita. Nadamos ao lado dos nossos cavalos. Tive que tirar toda a roupa para que ela ficasse enxuta, prendê-la na sela e tentar segurar as rédeas enquanto atravessava o rio a nado e nu!

Um leve rubor tingiu-me o rosto quando imaginei vividamente a cena. Afonso prosseguiu:

— Mas o resto da viagem não demorou muito. Aliás, Nápoles não é muito longe de Roma em rinha leta. — Ele fez um gesto brusco com a cabeça, irritado. — Quer dizer, em linha reta.

— Tudo bem — falei, dando de ombros.

— Você não me acha idiota por causa desses meus erros?

— Não.

— Eu só queria que Nápoles fosse assim tão sábia, a corte não se cansa de me ridicularizar por causa disso. Quando estava vivo, até meu pai costumava rir. Ele não queria me dar um título. Dizia que eu era idiota demais. Só me deu um ducado para que eu pudesse conseguir uma noiva.

— Bom, eu discordo. A linguagem na Corte Papal é tão gasta e sem vida às vezes, acho que ela precisa de uma certa ruptura. Vai me ensinar como fazer isso?

As feições dele iluminaram-se.

— Sim, é simples, você só precisa inverter as primeiras letras de um par de palavras. Por exemplo, uma vez eu disse acidentalmente a um criado para palar o liso. O que eu queria mesmo dizer era lavar o piso. Está entendendo?

— Estou! — respondi, rindo. — Vou tentar.

Ele olhou em volta e apontou para um dos seus criados, que levava uma espada cerimonial.

Veneno nas Veias

— Tente com aquele criado ali, o meu portador da espada.

Concentrei-me por um instante.

— Ele é o seu espador... de portada...

— Isso mesmo! Bom trabalho, *madonna*!

— Que coisa interessante! Podemos dizer todo tipo de coisas! — exclamei, começando a rir.

O rosto dele ficou sério novamente.

— Não é sempre tão engraçado, infelizmente. Nas brigas, é realmente muito embaraçoso quanto tento insultar alguém e o que sai é uma besteirada. Um dia eu tinha um criado que não parava de reclamar de um problema qualquer sem importância. Fiquei zangado e chamei-o de mercalhão de reclerda.

Coloquei as letras nos lugares corretos e ri com tanta vontade que quase caí do sofá. Afonso juntou-se a mim nas risadas. A conversa na sala havia adquirido um tom mais baixo, e algumas pessoas viraram-se para olhar para nós, incluindo César e papai. Era óbvio que os nervos sensíveis do Papa não apreciavam o nosso barulho. Até mesmo César nos lançou um olhar severo.

Logo recuperamos nossa compostura e ficamos sentados em silêncio. A desaprovação da minha família gradualmente dissipou o meu entusiasmo e fiquei olhando pela janela para a distante *Torre* Bórgia.

Embora eu me esforçasse muito para esquecer o porão, não conseguia deixar de pensar nas minhas descobertas daquela noite. A única coisa que ainda me deixava confusa era o pergaminho. Ele estava em branco, mas tinha um cheiro cítrico, como se estivesse sendo utilizado para um propósito desconhecido. Comparado aos venenos nos frascos, ele tinha a aparência de um simples pedaço de papel sem maldade. Teria eu deixado de enxergar alguma coisa? Haveria algum mistério mais profundo por trás do pergaminho?

Afonso mexeu-se desajeitadamente, constrangido com o meu súbito silêncio.

— Perdoe-me, *madonna*, está preocupada com alguma coisa? Posso ajudar de alguma forma?

— Ah não... Eu duvido — respondi.

— Tem certeza?

— É apenas um problema que preciso resolver... É estranho demais para lhe contar...

— Estranho? Tem certeza de que não pode me contar? Gosto de resolver problemas, às vezes sou bom nisso. O que é?

Hesitei, arrependida de ter mencionado alguma coisa. Infelizmente eu já lhe contara demais para mudar de assunto sem constrangimento. Respondi em voz baixa:

— Está muito bem, mas aviso: é uma questão incomum.

— Qual seja...

— Sabe por que um pergaminho em branco teria um cheiro cítrico?

— Cheiro cítrico? — Ele recostou-se e franziu a testa. — Um pergaminho em branco? Alguém derramou suco de laranja nele, imagino?

— Acho que não.

— E você não pode me dizer mais alguma coisa? Outra pista?

— Infelizmente não.

Ele ficou a olhar para mim como se me estudasse. Então coçou o queixo imberbe, divertindo-se com o desafio.

— Já sei! Existe uma solução possível, pode ser uma escrita invisível.

— Não entendi.

— Palavras secretas, uma escrita que não pode ser vista a olho nu. Vou lhe mostrar!

Ele ordenou que um criado papal nos trouxesse uma pena, um pergaminho novo, uma taça de vinho branco e uma vela. Quando essas coisas chegaram, aninhei-me junto a ele na janela, tentando esconder as nossas atividades de quaisquer espectadores curiosos, particularmente o meu irmão. Totalmente fascinada, fiquei observando enquanto ele mergulhava a pena no vinho e com ela escrevia palavras no pergaminho, como se o líquido fosse uma tinta. Segurou o pergaminho na direção da luz que entrava pela janela, mas ele ainda parecia totalmente virgem.

Veneno nas Veias

— Veja, o pergaminho parece estar em branco. O vinho continua translúcido até ser aquecido e adquirir uma cor. Preste atenção! — ele disse com entusiasmo.

Sacudiu o papel acima da chama da vela. Do vazio da página, as letras de vinho tornaram-se marrom claro e aos poucos ficaram legíveis. Li as palavras: "O amor não se delicia com o mal, mas se alegra com a verdade".

— Magia! — exclamei.

— Não, nada disso, apenas um truque simples que aprendi quando era garoto. Meus amigos e eu costumávamos escrever cartas secretas uns para os outros. Mas acho que isso tinha uma utilidade mais séria, também, como em trabalhos de espionagem. Ouvi dizer que os espiões costumam usar o vinho em documentos secretos.

Esfreguei o pergaminho entre os dedos e tornei a estudar as palavras. Meus temores estavam corretos: o pergaminho no porão era mais importante do que eu havia imaginado. Era óbvio que meu irmão havia usado tinha invisível para escrever nele alguma coisa confidencial. Desejei com ansiedade voltar ao porão e dar outra olhada. No entanto, e se dessa vez César me pegasse? Fazer outra tentativa parecia-me arriscado demais.

Virei-me para Afonso e sorri.

— Muito obrigada por me mostrar isso. Você me ajudou muito.

Ele se aproximou de mim e disse:

— Lucrécia, não nos conhecemos há muito tempo, mas eu gostaria de dizer que você é uma das damas mais simpáticas e inteligentes que eu conheci. No entanto, os homens sempre dizem essas coisas às mulheres, de modo que preciso pensar em uma maneira melhor de fazer-lhe um elogio.

Ri suavemente.

— Acho que você acaba de fazer isto!

Ele retribuiu o meu sorriso. Seu rosto era bondoso e belo. Estávamos tão próximos que eu sentia o delicioso perfume dos cabelos, das roupas, da pele dele — o aroma de grama recém-cortada.

Meu coração palpitou. Era cedo demais para saber com certeza, mas eu me sentia já começando a amá-lo.

Antes que nossa conversa continuasse, percebi um reflexo na vidraça da janela. O vulto alto de César estava parado bem atrás de nós!

Virei o corpo para ficar de frente para ele. Meu irmão inclinou--se em minha direção, espiando o pergaminho sobre o sofá. Instintivamente cobri-o com as mãos e logo me arrependi desse gesto que só servira para me fazer parecer mais culpada.

— O que é isto, irmã? — ele quis saber.

— Nada de importante — respondi. — Estávamos só fazendo uma brincadeira, um truque de salão.

— Estavam mesmo?

— Sim — Afonso respondeu com expressão inocente. — Eu estava simplesmente mostrando a *Donna* Lucrécia como escrever com tinta invisível.

César apertou os lábios.

— Fascinante. Muito inteligente da sua parte, *Don* Afonso. O senhor é mesmo um homem de talentos inesperados.

O tom da voz do meu irmão era gélido. Afonso tentou sorrir, mas constrangeu-se com o olhar de César fixo nele. Arrependi-me de ter envolvido Afonso em meus problemas, e fiquei de pé para mudar de assunto:

— César, acho que o duque está cansado da viagem. Não deveríamos mantê-lo aqui por muito tempo mais. Teremos uma semana inteira de bailes e espetáculos planejados para antes do casamento, de modo que podemos conversar mais em outro dia. Você pode providenciar para que os palafreneiros tenham o cavalo dele preparado para partir em breve?

— Será um prazer — César respondeu. Com um último olhar disfarçado para o pergaminho, ele se afastou para instruir um criado que estava por perto.

Afonso deu de ombros, um pouco confuso:

— Eu disse alguma coisa errada, Lucrécia?

Veneno nas Veias

— Não — respondi, contemplando a torre pela janela. — Não se preocupe, não é você quem está errado, Afonso. Não é você quem está errado, nem um pouco...

Embora o encontro terminasse sem mais incidentes, os acontecimentos surpreendentes daquele dia ainda não tinham terminado. Papai visitou meu quarto durante o início da noite para conversar comigo em particular. Queria saber se eu ficaria feliz com o duque.

— Acho que sim. *Don* Afonso é diferente de qualquer outra pessoa em Roma. Não parece que ele pertença a um mundo de política ou falsa simpatia — respondi. — Acho que é por isso que gosto tanto dele. Ele é tão entusiasmado, e jovem, e honesto. Não há qualquer coisa remotamente hipócrita na natureza dele. Seria um bom marido para qualquer mulher.

— Bem, minha criança, fico contente de que esse casamento seja bem-vindo de sua parte, assim como da parte do duque. — Ele ergueu a mão forte e coçou o queixo. — Lucrécia, vim informar que acrescentei uma última cláusula ao seu contrato de casamento. Depois da cerimônia você e seu marido serão obrigados a residir em Roma, e não podem deixar a cidade até depois da minha morte.

— Santíssimo Padre, não quero abandoná-lo, mas normalmente a noiva não vai morar no lar de seu marido? Eu não deveria residir no *castello* de Afonso em Bisceglie? — respondi.

— Sim, mas o casamento da filha de um pontífice é especial, e meu pedido é razoável. Sua vida será bastante melhor se ficar em Roma em vez de Nápoles.

— Que foi que Afonso disse sobre isto? Ele concordou?

— Na verdade, ele concordou de imediato com a proposta. Creio que o duque tem pouca estima por sua família e nenhum desejo ardente de permanecer em Bisceglie. — Ele fixou o olhar em mim. — O oferecimento de um *palazzo* em Roma também foi um fator de persuasão.

— O senhor vai nos dar nosso próprio *palazzo*?

— Na realidade não se pode esperar que você more no Vaticano depois do casamento. Não, consegui um aluguel longo do *Palazzo Santa Maria in Portico*. A propriedade está localizada a curta distância do *Appartamento Bórgia*.

Sentei-me ereta, sem saber como reagir. Estranhamente, nunca havia sentido que o casamento me afastaria de Roma. Não conseguia imaginar-me deixando para trás meu pai ou meu irmão. Apesar disso, uma coisa me preocupava:

— Santíssimo Padre, não faço objeção a viver aqui, mas não tenho certeza de que Roma será sempre segura para Afonso e eu. A cidade tem se mostrado muito perigosa nos últimos meses.

— O mundo inteiro é perigoso, Lucrécia, e é exatamente por isso que quero que você fique aqui. Sob a minha proteção você estará bem mais segura em Roma do que em qualquer outro lugar.

— E *Don* Afonso também? O senhor quer que eu me case com ele porque isso ajudará a família. Mas tem certeza de que jamais se arrependerá de ter formado uma união com os Aragon?

— Não tomo esse tipo de decisão levianamente, Lucrécia. Depois que você estiver casada, essa união é para a vida inteira, impossível de ser desmanchada. No entanto, não há coisa alguma no futuro que se possa prever que poderia colocar seu marido em perigo, e mesmo se houvesse, ainda assim eu não teria condições para acabar com o seu casamento.

Fiquei ali sentada, imóvel, satisfeita apenas pela metade. Lembrei-me do modo como meu irmão olhara para *Don* Afonso naquela tarde. Eu não estava gostando daquilo.

Alexandre me observou, depois acariciou meus cabelos.

— Minha filha, mal me recuperei da perda de Juan, e tenho certeza de que você não deseja aumentar a minha dor e me abandonar em minha velhice.

— Não diga uma coisa dessas, Santíssimo Padre! Nunca vou abandoná-lo.

Veneno nas Veias

— Então alivie meus nervos e diga-me que concorda.

Respondi com hesitação:

— Sim... é claro... Vou ficar em Roma...

Ele continuou a acariciar meus cabelos.

— Você é uma boa filha, uma filha leal.

Abracei-o, ainda incerta a respeito daquela decisão. Por mais que tentasse, não conseguia parar de pensar no porão, ou nos venenos, ou na escrita secreta oculta no pergaminho. Era melhor que tais coisas ficassem no passado, mas eu estava achando cada vez mais difícil esquecê-las.

IX

Os Cinos da Serimônia

Casei-me com Afonso no dia 21 de julho na *Basilica di San Pietro*. Meu vestido de noiva era feito de brocado de seda dourado, cortado em estilo francês, com uma longa cauda. Havia joias em tudo o que eu estava usando, inclusive pérolas no meu cinto, rubis *balas* na minha tiara e diamantes no meu colar. Afonso estava com uma bela aparência em um traje justo muito elegante, preto com debruns roxos. Estranhamente, no entanto, a pessoa que mais se destacava na cerimônia era o meu irmão. César havia enfeitado a sua figura alta com tanto brilho de esmaltes dourados, diamantes e rubis que todos os nossos convidados cochichavam elogios. Durante o último mês ele havia renunciado à púrpura cardinalícia e tomado o título francês de Duque de Valentinois. Estava também prestes a conseguir um casamento muito superior, com uma princesa Aragon. As pessoas já o chamavam de "Príncipe de Roma".

A cerimônia do casamento foi bastante modesta. Afonso e eu nos ajoelhamos aos pés de papai, um arcebispo conduziu a cerimônia e o capitão da Guarda Papal segurou uma espada sobre as nossas cabeças. O gume da espada cintilava à luz do sol, simbolizando o castigo para a noiva se ela desrespeitasse seus votos. Estremeci e mal consegui esperar o final das formalidades.

Para o nosso banquete de casamento convidamos centenas de pessoas a voltar à *Sala dei Pontifici*, o aposento mais amplo do *Appartamento*. Alexandre sentou-se sozinho à mesa principal, ao passo que César, Afonso e eu nos sentamos com os cardeais às longas mesas que se estendiam por todo o comprimento do salão. Menestréis enchiam o ar com as notas de suas flautas e alaúdes, e a estátua de um boi jorrava vinho pela testa. O vinho logo transbordava das taças e as pessoas estalavam os dedos para que os criados trouxessem mais clarete, verney ou trebbiano das adegas nos porões. Para estimular o nosso apetite entrou no salão uma procissão de bandejas com confeitos, as gelatinas azuis e as laranjas glaceadas refletindo suas cores nas laterais das travessas douradas e das bandejas prateadas. Em seguida vieram os pratos principais: javalis assados até adquirirem uma cor marrom-dourada; pavões e faisões com suas penas; lebres e coelhos temperados com ervas; e peixes cobertos com prata. Todos os convivas competiam pelas melhores iguarias, e as bandejas de carne logo desapareceram em um caos de facas despedaçando as carnes. Achei que luvas teriam sido úteis para manter as mãos deles em segurança!

Em nossa mesa, um urso assado inteiro jazia estendido em uma bandeja, mas meus pensamentos estavam em outro lugar: eu contava as horas nervosamente até que pudesse abandonar o banquete com Afonso para consumar o nosso casamento. Embora eu fosse uma donzela em todos os sentidos da palavra, não deixava de ter uma ideia geral das exigências dessa noite. Mesmo assim ainda estava ansiosa. Afonso iria gostar de mim? Eu seria uma esposa satisfatória?

Na cadeira ao meu lado, Afonso colocava legumes em seu prato. Alguns tinham formatos suspeitos, como uma certa parte da anatomia masculina. Tentei não pensar em sexo.

Veneno nas Veias

— Quer um pouco? — Afonso perguntou-me de repente, oferecendo-me um nabo do seu prato.

— Não, obrigada. Os legumes não fazem bem à saúde — respondi.

— Por que não?

— São sujos, todo mundo sabe disso. Vêm do chão.

Ele deu de ombros e mastigou entusiasticamente uma cenoura. Olhei em volta à procura de um assunto para conversarmos:

— É uma pena que ninguém da sua família tenha podido vir ao casamento, *Don* Afonso. Eu gostaria de conhecer seus parentes.

— Não gostaria, não, eles estão sempre conspirando coisas. Quando papai estava vivo, as pessoas o chamavam de "o mais cruel, o mais corrupto, o mais vulgar dos homens", e era verdade! A minha família não é como a sua, ela é dominada pelo orgulho e a ambição.

— Talvez a minha não seja tão diferente — falei em voz baixa, olhando para César.

Meu irmão sentava-se ereto em sua cadeira, sem falar com pessoa alguma. Tinha os olhos fixos distraidamente em um ponto no ar enquanto mastigava a sua carne.

Afonso inclinou-se para mim e falou em tom sussurrante:

— Ele é um pouco presunçoso, não? Está usando mais joias do que qualquer dama neste salão!

— Cuidado, Afonso. Se você dá valor à sua língua, é melhor deixá-la em silêncio. Meu irmão não é uma pessoa que consiga aceitar um insulto. E também eu não quero vê-lo ofendido.

— Mil perdões, eu não pretendia ser tão petulante, Lucrécia. — O rosto dele ficara um pouco pálido. — Talvez eu esteja um tanto amargo por causa da tourada que César organizou ontem. Enquanto nós assistíamos ao seu irmão lutando com os touros na arena, juro que ele olhava demais para mim, como se preferisse que eu fosse picado em vez do touro!

Respondi em um sussurro:

— Você precisa entender, César toma conta de mim desde que eu era um bebezinho. Quando crianças, éramos inseparáveis, não apenas como irmão e irmã, mas como amigos também. Sempre apoiamos um ao outro. Não é fácil para ele aceitar que agora gosto de outra pessoa. Ele ajudou a arranjar o nosso casamento, mas mesmo assim vai levar tempo para ele se acostumar. Nem todo mundo tem a sua força, Afonso. Nem todo mundo consegue cortar os laços com a família tão facilmente quanto você.

— Como eu disse, sinto muito.

Fez-se um silêncio entre nós e tentei comer alguma coisa. Afonso deu um tapinha leve em minha mão.

— Não demorou muito, não é? — disse em tom seco.

— O quê?

— Estamos casados a menos de meio dia, e já tivemos a nossa primeira briga! Imagino o que virá em seguida.

Eu já estava preocupada demais com o que viria em seguida.

De repente percebi do outro lado do salão a presença do chefe de polícia de Roma, o funcionário que estivera encarregado da investigação do assassinato de Juan. Era um homem magro, de meia-idade, com a pele acinzentada e a testa quadrada, lembrando uma lápide de sepultura. Exalando presunção, ele estava recostado na cadeira, conversando com outro convidado. Eu nunca havia falado com ele, mas ele parecia o tipo de homem que encobriria um assassinato se o preço fosse alto.

Depois que comemos e os convidados passaram a movimentar-se pelo salão, pedi licença a Afonso e me dirigi à mesa dele.

— Boa noite, senhor Chefe de Polícia. Espero que esteja gostando do banquete — falei em tom cordial.

Ele pousou o copo, levantou-se da cadeira e fez uma reverência.

— Decerto que sim, muito obrigado, *Donna* Lucrécia. E ofereço meus melhores votos à senhora e ao seu marido nesta ocasião tão feliz.

— Naturalmente seria mais feliz se meu irmão Juan também estivesse conosco.

Ele assentiu com a fisionomia séria.

— Sim, lamento muito a sua perda, *madonna*. O assassinato é um destino terrível para qualquer pessoa, quanto mais um fidalgo tão ilustre. Foi o pior de todos os crimes.

— E a mais difícil de todas as investigações. Que pena que o senhor não tenha conseguido encontrar provas suficientes para incriminar alguém. Deve ser muito frustrante saber que o assassino ainda está livre. No entanto, não foi culpa sua a investigação ter fracassado. Tenho certeza de que o senhor deu o melhor de si.

Ele empertigou-se, com seu orgulho ferido.

— A investigação foi cancelada, como a senhora bem sabe, *madonna*. Cancelada por poderes acima do meu controle, apesar dos resultados significativos que eu possa ter encontrado. Se houve alguma falha, não foi da minha parte, posso assegurar-lhe.

Olhei para César do outro lado do salão. Ele estava completamente concentrado em uma conversa com um diplomata. Aproximei-me mais do Chefe de Polícia e falei em voz baixa:

— Então o senhor encontrou um suspeito? Se a investigação não tivesse sido cancelada tão cedo, o senhor poderia ter provado a identidade do assassino?

— Eu realmente não poderia especular — ele respondeu. Seus dedos tremiam levemente. — Agora tenho que lhe pedir que me dê licença, por favor.

Ele fez uma reverência rápida e tentou voltar a sentar-se. Postei-me na frente dele, perdendo a paciência.

— O senhor não pode especular sobre o assassino ou não quer especular, senhor Chefe de Polícia? Sabe, acho que o senhor poderia dizer o nome do culpado neste instante, se quisesse. Infelizmente a injustiça paga tão melhor do que a lei, não é? Diga-me, quanto foi que o senhor recebeu de propina para manter-se discreto quanto à identidade do assassino? Quanto vale realmente a alma de um homem?

O rosto dele virou pedra.

— Como ousa! Não permito que pessoa alguma me chame de mentiroso, nem mesmo a senhora, *madonna*! Sou um homem de respeito, não um criminoso.

— Não, o senhor escondeu um assassinato! Isto o torna tão ruim quanto o próprio assassino!

Ele olhou em volta, para se certificar de que ninguém estava ouvindo. E sussurrou enfaticamente:

— Fui forçado a isto, a senhora não entende? Eu tinha resolvido o caso! Mas minha vida estava em jogo! Ninguém me subornou!

— O senhor foi ameaçado? — perguntei, um pouco chocada. — Por quê? Aonde suas provas o conduziam?

— Não faz diferença. Há certas pessoas neste mundo que ninguém pode acusar.

— Como quem?

Ele passou por trás de mim.

— Com todo respeito, *madonna*, esta conversa está terminada. Não é apropriado conversarmos sobre esses assuntos aqui. Não é uma questão da minha honestidade, é uma questão de segurança...

Antes que eu conseguisse detê-lo ele deixou a mesa e saiu por entre os convidados em direção à porta. Estava assustado demais ou corrompido demais para me dizer mais alguma coisa. Observei-o sair do salão discretamente, sem ousar olhar para trás.

Se ele havia me dito a verdade, então as minhas suspeitas estavam corretas. A investigação não tinha falhado. Pelo contrário, o Chefe de Polícia tinha tido sucesso demais, reunido provas demais, e tinha começado a incriminar alguém poderoso. Papai mentira pra mim — ele havia cancelado a investigação para impedir que ela avançasse. Mas por que faria isso? Quem ele estaria tentando proteger? Seu único filho restante, talvez?

Frustrada, retornei ao meu lugar ao lado de Afonso. Então olhei em volta e percebi de repente que César não estava à vista. Ele aparentemente havia deixado o salão ao mesmo tempo que o Chefe de

Polícia. Perguntei a algumas pessoas, mas ninguém sabia aonde ele tinha ido. Aquela coincidência era um pouco perturbadora.

O banquete terminou e Afonso e eu levamos os convidados para outro salão, agora transformado em um bosque encantado. De todos os lados brotavam árvores de *papier-mâché*, as folhas e os ramos pintados lançando longas sombras sobre o piso de cerâmica esmaltada. À meia-luz dos lustres a dança teve início, e Alexandre anunciou que eu devia primeiro dançar sozinha, antes de todos os convidados, depois com Afonso. Em seguida todos os convidados se puseram a dançar por entre as árvores.

César reapareceu e veio em minha direção através da floresta. Dançamos juntos entre os ramos sombreados, curvando nossos corpos, movendo-nos e saltando ao ritmo das canções do menestrel. Enquanto dançávamos falei com ele em meio ao som das flautas e das liras:

— Você desapareceu do banquete. Aonde foi?

— A lugar nenhum. Talvez você não tenha me notado. Estava muito ocupada conversando com os convidados.

Eu quase perdi um passo da dança.

— Sim, falei com o chefe de polícia, na verdade. É um homem interessante, não acha? É cheio de conhecimentos úteis.

— E cheio de orgulho. Isto o torna não confiável. Você não devia perder tempo com ele.

— Discordo. Na verdade, eu teria conversado mais com ele, mas parece que ele saiu do banquete sem falar com pessoa alguma.

— Como eu disse, aquele homem não é de confiança.

Ele estendeu a mão para a minha, obedecendo à dança. Nisso percebi uma mancha marrom-avermelhada no punho de sua camisa. Ela assomava da manga da jaqueta, e a cor era escura demais para ser vinho.

— Se isto secar, você nunca vai conseguir tirar — falei, apontando para a mancha. — Posso mandar um criado buscar um pano e uma terrina com água, se quiser. O que foi que causou isto?

Ele enfiou o punho da camisa de volta dentro da manga da jaqueta.

— É só uma mancha, não se preocupe. Você tem assuntos mais importantes esta noite, eu acho.

Preparei-me para responder, mas minha atenção foi despertada para outra coisa. Uma das cortesãs de papai passou perto de nós com passos ritmados e sensuais, lembrando-me da minha noite de núpcias. Não faltava muito tempo.

César fez um gesto indicando Afonso do outro lado do salão.

— Está feliz com o casamento? — quis saber.

— Sim, muito. Mas e quanto a você? Não gosta do meu marido nem um pouquinho?

Ele deu de ombros.

— O rosto dele é estranho.

— Não é, não! Você não está acostumado com ele, só isso. Talvez com o tempo você se sinta diferente.

— Como se estivesse doente?

— César! Não seja tão desagradável, principalmente no dia do meu casamento. Ele agora é meu marido e você precisa tentar respeitá-lo.

— Eu só respeito os meus superiores, não meninos como Afonso. Posso superá-lo em tudo.

— Principalmente em fanfarronice — comentei, decepcionada. A música cessou e parei de dançar. — Estou falando a sério, meu irmão. Agora sou casada, exatamente como você e papai planejaram. E insisto que você trate Afonso como mesmo respeito com que me trata. Vai tentar fazer isto?

— Posso tentar.

Balancei a cabeça, perturbada pela atitude ele. Uma nova canção começou e a música encheu o ar mais uma vez, mas agora entre nós havia apenas silêncio. Não nos falamos durante o resto da noite.

Depois que dancei tantas horas que meus pés ficaram dormentes, Alexandre e os convidados nos entregaram seus presentes de

Veneno nas Veias

casamento, que incluíam joias, prataria e tecido finos. Desejaram-nos felicidade e a festa finalmente acabou. Ficava faltando apenas um último ato...

Afonso e eu caminhamos de mãos dadas pelos corredores do *Appartamento*, dirigindo-nos para o meu quarto. Atrás de nós, um cardeal diácono, um embaixador napolitano e meu pai nos seguiam em silêncio. A mão de Afonso estava suada. Meu coração estava disparado. Eu imaginava que me despediria de meu pai e dos dois funcionários à porta do quarto. Em vez disso, eles sorriram e entraram no quarto conosco.

Rapidamente entendi o que eles iam fazer. Iam testemunhar a consumação do contrato de casamento. Iam assistir.

Entramos no quarto muito constrangidos. Ao lado da cama, Panthasilea esperava, e ajudou-me a me despir, deixando-me apenas com minha combinação de linho. Do outro lado, um cavalheiro empregado da casa de Afonso despiu-o, deixando-o de camisa. Os criados logo nos deixaram e nós subimos para nossa cama, as costas descansando sobre almofadas. Não olhamos um para o outro e um pedaço da colcha fazia uma margem entre os nossos corpos. Ao pé da cama três políticos nos encaravam.

O vulto avantajado de Alexandre diminuía nossas duas figuras. Ele disse calmamente:

— Minhas queridas crianças, não vamos incomodá-los mais do que o necessário, mas antes de deixarmos este aposento precisamos nos certificar de que o casamento é oficial e totalmente válido. Pela lei, esta união pode ser dissolvida a qualquer momento se não for consumada. Portanto devemos testemunhar uma intimidade formal entre vocês dois.

Ninguém moveu um músculo. Papai esperou, depois virou-se para conferenciar em voz baixa com o cardeal e o embaixador. Olhei para ele com expressão contrariada, procurando algum resquício de compaixão em seu rosto. Não encontrei: nessa noite ele era o Papa, não o meu pai.

Finalmente Alexandre voltou para o pé da cama.

— Concordamos que o casamento será legalmente consumado depois que vocês se abraçarem uma vez... na carne...

Afonso e eu não tínhamos outra escolha senão despirmos o resto das roupas que ainda usávamos. Embora os lençóis protegessem nossa modéstia da cintura para baixo, nossos troncos estavam à mostra. Cruzei os braços com força sobre os seios. O ar frio do quarto arrepiava a minha pele. Os lábios de Afonso pareciam finos e azuis. Como duas marionetes, inclinamo-nos na direção um do outro, demos um curto abraço e tornamos a nos separar.

Os espectadores aplaudiram um pouco. Papai então proclamou que o casamento era oficial e todos saíram do quarto alegremente, deixando-nos afogados no silêncio. Com os braços cruzados sobre o peito, voltei-me para Afonso:

— Esta noite tem sido muito romântica até agora, não concorda?

Ele apontou para a porta e cochichou em tom melancólico:

— Veja, ainda não foram embora, estão do lado de fora escutando. Ainda estão esperando que a gente comece.

Olhei para a porta. Havia sombras bloqueando a luz sob ela. Aparentemente, a alegria deles ao ver o abraço era apenas um ardil para permitir-lhes sair do aposento e nos deixar mais à vontade. Ainda não estava terminado. Eles queriam que outras coisas acontecessem antes que se sentissem confiantes de que aquele casamento era uma união para toda a vida.

— Bem, se eles querem um espetáculo, quem somos nós para decepcioná-los? — falei.

— Que é que você sugere?

Sussurrei no ouvido dele. No momento seguinte, agarramos os lençóis para cobrir a nossa nudez e nos pusemos de pé sobre o colchão. Comecei a pular, produzindo estalidos na cama e sacudindo as colunas ritmadamente, como se houvesse realmente um ato sexual muito vigoroso acontecendo ali.

Na porta, as sombras ainda bloqueavam a luz.

Afonso juntou-se a mim e a cama começou a ranger e bater violentamente sob os nossos pés. Os cachos dos meus cabelos sacudiam-se sobre os meus ombros. O rosto de Afonso recuperara o rubor.

Os homens ainda escutavam à porta. Embelezei nosso desempenho com alguns gemidos.

— Ah, isto é espantoso, meu senhor — suspirei. — Muito espantoso...

Afonso grunhiu:

— Minha querida *madonna*... eu imploro... mais uma vez...

Saltávamos cada vez mais alto, caindo com força sobre a cama, nossas vozes cada vez mais ruidosas.

— Oh, Afonso! Afonso! — exclamei.

— Lucrécia! Lu-cré-cia! — ele exclamou.

Os lençóis caíram de nossas mãos acidentalmente e nos deixou expostos, mas não nos importamos. Afonso pegou minhas mãos carinhosamente e continuamos aos saltos, fazendo força para não rir.

Quando tornamos a olhar para a porta, as sombras haviam desaparecido.

Paramos de pular e caímos sobre o colchão entre risadas. Afonso tomou-me em seus braços. Por um momento todas as minhas preocupações tornaram-se menores e mais distantes, como se eu olhasse para elas de bem longe, como montanhas do outro lado de um vale. Passei os dedos pelos cabelos dele.

— Você não está exausta demais, eu espero — ele disse, com um sorriso maroto.

Fingi estar chocada.

— Decerto você não quer me possuir de novo!

— Quero sim, Lucrécia, quero possuir você para sempre!

Sorri e enlacei o pescoço dele com os braços, beijando-lhe o pescoço, as faces, a boca. Ficamos deitados, os corpos entrelaçados, e lentamente desaparecemos sob as cobertas.

X

Um Aviso

Papai, Afonso e eu estávamos de pé diante da *Basilica* ao meio-dia para dizer adeus a César. Depois de muitas negociações com Louis XI, o rei francês, ficou combinado que meu irmão passaria um período de tempo na corte francesa. Oficialmente ele estava indo à França para receber treinamento político e militar, mas na realidade estaria também procurando ganhar a mão da Princesa Carlotta. Para impressioná-la, estava levando consigo um enorme tesouro de 200.000 ducados, uma das maiores quantias que Roma já juntara sob a minha família.

Estávamos agrupados no topo dos degraus que levavam à *Piazza San Pietro*: abaixo de nós, a maior parte da cidade saíra de casa para testemunhar a grandiosa procissão de lacaios, soldados, criados e amigos que iam acompanhar meu irmão em sua viagem. O garanhão castanho de César esperava na base da escada, a crina enfeitada com fitas, as patas calçadas de prata, o cabresto e a sela ataviados em ouro. O próprio César tinha uma aparência igualmente deslumbrante, vestido de damasco branco e rubis cintilantes.

Ele despediu-se primeiro de papai, beijando o anel de Alexandre e falando junto ao ouvido dele. Depois aproximou-se de Afonso e eu, que estávamos esperando ao lado.

— Quanto tempo você vai ficar longe? — perguntei, muito infeliz.

— Um ou dois anos, não deve ser mais do que isto — ele respondeu.

— Acho muito estranho você ter que ir para a corte francesa para conhecer uma princesa espanhola. Espero que ela valha os seus esforços.

— Eu também espero. — Ele silenciou e suspirou profundamente. — Vou sentir saudade de você — acrescentou.

— E eu vou sentir saudade de você — respondi, com os olhos úmidos. — Promete que vai me escrever todos os dias contando tudo o que acontecer na França? Se deixar de descrever uma única folha de grama da corte francesa vou me sentir terrivelmente ofendida.

— Detesto escrever, você sabe disso.

Sorri com tristeza.

— Isto é porque os seus dedos sempre quebram a pena e derramam a tinta!

Ele riu, depois estendeu os braços e abraçou-me. Sussurrei:

— Vamos ficar distantes por um longo tempo, mas quando você voltar com uma princesa em seus braços quero que tudo seja diferente entre nós. O que quer que tenha sido feito no passado, o meu casamento é um novo começo para nós dois, você está entendendo?

Ele não fingiu estar confuso, tampouco fez quaisquer perguntas. Sabia exatamente o que eu queria dizer.

— Adeus, minha irmã.

Abracei-o novamente, perturbada demais para falar. Quando César virou-se para partir, Afonso estendeu-lhe a mão educadamente. Meu irmão quase deixou de ver esse gesto, mas tornou a virar-se e apertou-a com força.

— Faça uma boa viagem — disse Afonso.

César olhou-o nos olhos.

— Cuide bem da minha imã. Se alguém a maltratar, ficarei sabendo, eu lhe asseguro.

Afonso engoliu em seco.

— Sim, tenho certeza de que irei...

César desceu os degraus e saltou para cima do cavalo. A multidão aplaudia enquanto ele saia a trote e circundava a *piazza*, fazendo um aceno elegante. As joias e os tecidos ricos que portava cintilavam com força ao sol do meio-dia; com ele à frente, o cortejo atravessou a rua em direção à porta principal da cidade.

Uma sensação de solidão me dominava enquanto o vulto alvo dele desaparecia rua abaixo, as multidões escuras e as altas edificações engolindo o cortejo e obscurecendo a visão que eu tinha dele. Durante toda a minha infância minha mãe estivera ausente e meu pai estivera ocupado demais com o seu trabalho — somente César havia sido meu companheiro mais chegado, meu protetor, meu amigo. Agora ficaríamos separados por um vasto trecho de terra e de mar, e durante um período de tempo ainda mais vasto. Quando eu o veria novamente? O percurso dele até a França seria perigoso. E se aquela fosse a última vez que eu o via com vida? De repente fui tomada por um sentimento de vergonha por não termos conversado mais antes que ele se fosse; por eu não ter dito a ele o quanto o amava.

Enquanto eu me deixava ficar no alto da escadaria, Afonso rodeou meus ombros com o braço. Tinha as faces coradas e parecia descontente com as últimas palavras de César.

— Sei que ele tem sido frio com você, Afonso, mas tente não pensar muito mal dele. Roma será um lugar mais pobre agora que ele se foi.

— Mais pobre, porém menos perigoso também — Afonso respondeu com amargura na voz.

— Fico magoada quando você fala deste jeito.

— Lamento muito, mas não sou a única pessoa que pensa assim. Você deve saber o que o povo diz dele. Deve conhecer os boatos. Dizem que ele jogou o pobre Juan no Tibre para poder escapar da Igreja e conseguir títulos mais nobres.

Senti um susto à menção do nome de Juan — Afonso jamais tinha falado dele antes. Embora a notícia da sua morte tivesse sido anunciada por toda a Cristandade, chocando a aristocracia da Itália e da Europa, a minha família jamais havia rompido seu código de silêncio a respeito do assassinato. Afonso sabia apenas que meu irmão havia morrido, eu nunca lhe falara a respeito do porão sob a *Torre* Bórgia. Nunca falara sobre isso com alguém.

— São só mexericos escandalosos — retorqui.

— Mas você tem que admitir que uma parte deles faz sentido, especialmente depois das últimas notícias.

— Quais notícias?

— Sobre o Chefe de Polícia. Pensei que a esta altura você já tivesse ouvido.

— Não! — exclamei, com um nó na garganta. — Estava ocupada ajudando César a embalar seus pertences. Que foi que aconteceu?

Afonso aproximou-se mais e baixou a voz:

— Ele desapareceu, é quase certo que tenha sido assassinado. A última vez que alguém o viu foi no banquete. Aparentemente, alguns dias antes do nosso casamento o Chefe de Polícia vinha se embebedando nas tavernas, fazendo reclamações sobre a investigação da morte de Juan, até mesmo citando o nome de César como o assassino. Depois do banquete, como ele não atendia à porta de sua casa, seus colegas policiais entraram e revistaram a casa. Não havia qualquer traço dele em parte alguma, exceto na mesa da cozinha...

— Continue.

— Encontraram uma mão humana segurando uma língua humana entre os dedos.

Engoli em seco, enojada com aquela imagem horripilante. Afonso olhou-me com preocupação.

Veneno nas Veias

— É obviamente um aviso, Lucrécia, um recado para qualquer pessoa que ousar falar sobre o assassinato.

De repente lembrei-me do banquete — o rosto do Chefe de Polícia enquanto eu o interrogava, a sua raiva diante das minhas acusações, seu medo enquanto eu lhe ordenava que denunciasse o matador. Depois que o policial deixou o salão, César havia se ausentado estranhamente. Minha imaginação dominou-me. O que era aquela mancha estranha na camisa do meu irmão? Ele não chegara a explicá-la. Seria sangue?

— Você não tem certeza de que César é o responsável! — exclamei em tom de desafio. — Simplesmente porque as pessoas o insultam com boatos e disse-me-disses, nada o liga ao assassinato de Juan. Não há provas. E qualquer pessoa poderia ter atacado o Chefe de Polícia dessa maneira. Pode ser que o destino dele não esteja ligado ao fato de ele caluniar César, certo?

— Certo. Reconheço isto, mas é possível, você tem que admitir. Não quero ferir os seus sentimentos, mas acho que o seu irmão é uma das pessoas mais perigosas que conheci. — Ele pegou minha mão. — Só estou dizendo que não é ruim que o seu irmão se afaste por algum tempo. A nossa vida ficará mais segura sem ele.

Não respondi. Embora não houvesse provas contra César, eu sabia que era possível, e até mesmo provável, que ele tivesse atacado o policial. Ele nunca conseguira suportar um insulto. Eu sabia também que ele era capaz de matar Juan. Aliás, eu estava começando a achar que ele era capaz de qualquer coisa. Os limites normais, os valores normais a que as pessoas comuns obedeciam e sobre os quais as civilizações eram construídas, nada dessas coisas parecia aplicar-se ao meu irmão. Se ele fosse realmente o culpado de tais crimes como os boatos sugeriam, então não era seguro alguém interpor-se em seu caminho. E se Afonso — ou mesmo eu — algum dia constituísse um obstáculo às ambições dele? Com sorte isso jamais aconteceria.

A tristeza que senti pela partida de César não ficou menor com as terríveis notícias de Afonso. Felizmente logo me distraí com a mudança para uma nova residência, o *Palazzo Santa Maria in Portico*.

Exatamente como papai prometera, Afonso e eu tomamos posse do *palazzo* logo depois da nossa noite de núpcias. Com cinco andares de altura, a nossa nova moradia agigantava-se acima dos passantes como uma fortaleza medieval. Comparada ao *Appartamento* Bórgia, a casa era a princípio um tanto modesta, mas tinha uma biblioteca bem agradável, uma capela privativa e um jardim cheio de flores. Eu gostava também da proximidade da cidade lá fora. Ao contrário dos meus antigos aposentos no *Appartamento*, a nossa nova casa era bem próxima da *Piazza San Pietro* e do Tibre. Todos os dias eu acordava com as brisas frescas do vento vindo do rio, o cheiro dos barcos de pesca, os gritos dos vendedores ambulantes e a visão das carroças de lixo passando ruidosamente sobre as pedras do calçamento.

Uma vez estabelecida em nossa casa, passei a escrever para César todos os meses com notícias minhas, mas nunca chegou uma resposta da França. As estações do ano passavam lentamente e nenhuma carta chegava da corte francesa, e eu me preocupava, temendo que alguma coisa estivesse errada. Sabia que meu irmão não me escreveria se não tivesse uma façanha para contar. Ele não admitiria um fracasso a ninguém. Presumivelmente a França era decepcionante e ele não fizera progressos com Carlotta. Eu tinha esperança de que isso não fosse verdade. A última coisa de que precisávamos agora era de problemas com a família de Afonso.

Infelizmente a minha nova vida com Afonso apresentava também alguns contratempos: tentávamos muito ter um filho, mas nada produzíamos além de fracassos repetidos. Na realidade, o insucesso durou tantos meses que nós chegamos a temer que a nossa união nunca fosse abençoada. Finalmente, em fevereiro de 1499, essa situação mudou.

Veneno nas Veias

De camisola entrei no quarto de vestir de Afonso, quando a luz matinal começava a jorrar através dos losangos das vidraças. Afonso estava sentado em uma cadeira enquanto seu barbeiro barbeava o seu queixo. Olhou para mim de relance e viu que a expressão em meu rosto era de grande contentamento.

— Que foi? Você parece especialmente feliz esta manhã.

Lancei-lhe um olhar intenso e baixei a mão para o estômago.

Ele arregalou os olhos, as pupilas escuras e brilhantes. Deu um salto da cadeira, quase fazendo o barbeiro cortar-lhe o queixo.

— Você não está querendo dizer... Você não está... — falou em tom comovido.

Assenti.

— Não sangro a dois meses. Posso estar errada, mas acho que desta vez vai acontecer mesmo.

— Não acredito... — Afonso disse, bastante perturbado. Virou-se para o barbeiro. — Ouviu o que ela disse? Ela está grávida! Finalmente conseguiu!

O barbeiro sorriu e ofereceu suas congratulações.

— Acho que nós dois conseguimos, Afonso — respondi sorrindo.

Quando tomou consciência total da notícia, ele foi até mim, tomou-me nos braços e beijou-me nos lábios. Sua paixão era entusiasmante. Mesmo antes que eu conseguisse recuperar o fôlego, ele pegou-me pela mão e desfilou comigo por todo o *palazzo*. Fomos aos saltos de um aposento a outro, embriagados de alegria, gritando para as vigas, ansiosamente informando todos os criados que encontrávamos.

— Conseguimos! — Afonso bradava. — Haverá uma criança correndo por estes corredores! Nós conseguimos! Finalmente conseguimos!

Depois de tanta frustração, nada teria o poder de diminuir o nosso entusiasmo pelo bebê. Encontrei-me de olhos pregados na minha barriga. Ainda não havia qualquer indício, mas a ideia de que uma nova vida estava em formação no meu ventre era assombrosa. Sabia que meu corpo amadureceria e se desenvolveria em preparação para a maternidade, e rezava para estar preparada para as responsabilidades que me esperavam. Afonso, por sua parte, me assegurava que seria um pai excelente; nas semanas seguintes ele se pôs a me paparicar em qualquer oportunidade, certificando-se de que eu estava comendo e bebendo adequadamente, sempre confortável e saudável, e jamais exposta a qualquer doença ou frio.

Gradualmente minha barriga ficou curva, depois gorducha, depois redonda e cheia, exigindo vestes mais soltas. Enquanto o verão passava, preparávamos um aposento para o bebê e a ama de leite, medíamos o tamanho crescente da minha barriga e até mesmo tentávamos adivinhar o sexo da criança. O bebê logo começou a chutar, e pela força dos chutes concluímos que seria um menino.

Era mesmo um menino! Dei à luz um menino no dia 14 de outubro!

O parto foi exaustivo, mas quando finalmente recuperei minhas forças mal podia esperar para visitar o quarto do bebê. Afonso e eu entramos justamente quando a enfermeira estava banhando nosso filho em uma banheira perto da lareira. Inclinei-me sobre a banheira, fascinada pelo que via lá dentro.

Uma criatura de pele lisa dava chutes dentro da água rasa e cheia de sabão. Cabelos finos e castanhos grudavam-se à cabeça dela, e os olhos negros ergueram-se para mim.

— Ah, meu coraçãozinho! — exclamei, ajoelhando-me perto da banheira. — Você é tão lindo e gordo, meu querido! Afonso, veja como ele estica os dedinhos! É tão lisinho e lindo! Parece com o pai!

Enquanto o contemplava, uma grande variedade de sentimentos enchia-me a cabeça: assombro, orgulho, adoração e desejo de proteger. Ele era tão pequeno e delicado, tão vulnerável, tão inteiramente despreparado para o mundo ao seu redor! Tantos bebês não sobreviviam ao seu primeiro ano... Eu rezava para que ele não fosse uma dessas inúmeras vítimas.

Veneno nas Veias

Toquei no braço da ama de leite.

— Esta água está limpa? Não quero que o dedinho dele seja mordido por mosquitos. E espero que não haja pulgas no quarto. Por favor, lave mais a sola dos pés dele. Não se esqueça de limpar os dedos, está bem?

A ama de leite sorriu pacientemente para mim. Ergueu a criança da água, mas eu insisti em enxugá-la eu mesma e embrulhá-la em cueiros limpinhos. Segurei-o em meus braços e puxei Afonso para mais perto do bebê.

— Sinta o cheiro dele, Afonso. A cabeça dele tem um cheiro estranho. Tem cheiro de manteiga, manteiga recém-batida — falei com entusiasmo.

Ele cheirou a cabeça do bebê.

— Tem razão, cheira mesmo a manteiga fresca!

Juntos acariciamos o rosto do bebê. Deslizei a mão carinhosamente pelas costas da cabeça dele, sentindo aquele peso levíssimo em minha palma. Um pensamento novo me ocorreu.

— Afonso, acho que tenho um nome para o nosso filho. Você se importaria se ele se chamasse Rodrigo?

— Não sei. Esse nome combina com ele?

— É o nome de batismo do meu pai, antes que ele se tornasse papa e adotasse o nome de Alexandre VI. — Lancei-lhe um olhar de súplica. — Isto significaria muito para mim. Vamos chamá-lo Rodrigo!

— Rodrigo... — ele repetiu, coçando o queixo. — Sim, é um nome forte para um menino. De qualquer maneira, se ele precisa ter o nome de um de nossos pais, fico feliz que seja o seu pai e não o meu. Não quero que ele tenha o nome de qualquer pessoa de Nápoles.

— Obrigada — exclamei, beijando seu rosto. — Papai ficaria orgulhoso da nossa escolha.

Afonso assentiu e pegou o menino dos meus braços, ajeitando-o nos seus. Contemplei os dois juntos, muito feliz de ver pai e filho interagindo pela primeira vez.

Agora, mais do que nunca, eu me dava conta da felicidade que era ter Afonso como marido. A maioria dos casamentos consistia totalmente em arranjos financeiros ou diplomáticos, uma questão mais prática do que sentimental, mas o nosso era algo mais. Afonso tinha muitas qualidades que eu admirava: era gentil sem ser fraco, apaixonado sem ser inflexível, e tinha um senso de individualidade sem ser frio ou isolado. Durante os dois anos em que o meu irmão ficou ausente de Roma nós compartilhamos dias de grande contentamento e paz. Nosso casamento era forte, nosso lar era confortável, e a presença de Rodrigo nos dava tudo aquilo que sempre havíamos desejado.

Infelizmente isso não durou.

No início do inverno a segurança da nossa vida foi destruída, como folhas arrancadas de um galho. O primeiro sinal de problemas veio de uma fonte incomum: um embaixador de Florença chamado Nicolau Maquiavel.

XI

O Homem com o
Sorriso Perverso

Nosso primeiro encontro com Maquiavel foi no grande salão do nosso *palazzo*. Certa tarde, enquanto estávamos sentados ouvindo um grupo de poetas recitarem seus versos, um criado anunciou que o embaixador de Florença havia chegado para nos visitar. Aquilo era bastante normal; com frequência funcionários buscavam a minha ajuda para influenciar o Papa em questões variadas da política. Enquanto o embaixador adentrava o salão eu permiti que um poeta chamado L'Unico Aretino terminasse o seu poema:

"... pois para onde ela voltar seu olhar alegre
Ela derrubará não apenas muralhas
E mármores, mas até mesmo os próprios céus."

Aplaudi educadamente e dispensei os poetas com a promessa de um patrocínio anual. Eles saíram do salão alegres e ruidosos.

Em seguida Maquiavel dirigiu-se a nós. Fez uma mesura breve, sem demonstrar reação a ter sido obrigado a esperar pela nossa atenção. Roupas sóbrias em tecido vermelho e preto cobriam seus membros rijos e musculosos. O rosto parecia cinzelado e estreito, com uma barba curta de pelos rígidos e lábios finos como navalhas.

— Duque e Duquesa de Bisceglie, meu nome é Nicolau Maquiavel. Sou o Secretário da Segunda Chancelaria da República Florentina. Perdoe-me por perturbá-los quando estão tão ocupados — disse em tom impaciente.

Ergui a cabeça, surpresa com aqueles modos ríspidos.

— Boa tarde, *Signor* Maquiavel. Como o senhor aparenta estar com pressa, por favor diga-nos depressa por que veio. Que foi que o trouxe aqui, além da sua carruagem?

Ele franziu os lábios, como se reprimisse uma resposta rude.

— *Donna* Lucrécia, vim até aqui em nome da minha república. Insistimos para que o Pontífice mantenha a aliança entre Roma e Florença.

— Uma causa digna, tenho certeza, mas não acredito que essa aliança esteja em perigo.

— Não? — fez ele em tom sarcástico. — Bem, não quero dizer "a senhora está errada", *madonna*... porém acabo de fazer isto. Recentes acontecimentos políticos entre Roma e a França agora ameaçam a segurança de muitos estados, inclusive o meu. Talvez até mesmo a senhora e seu marido possam em breve estar correndo perigo.

Endireitei-me na cadeira, alarmada.

— Não há motivo para isto. É verdade que nos últimos seis meses Roma tem dado as costas a Nápoles e à sua associação com a Espanha. Infelizmente a conexão com os Aragon já não ajuda meu pai como fazia antigamente. No entanto, não acredito que tenhamos motivo para preocupação por enquanto.

— Lamento muito, mas a senhora parece ignorar o recente comportamento de *Don* César na França. Por causa das atitudes dele, o Pontífice está ficando mais próximo de Louis XII e pode em breve ajudar a França a invadir os estados italianos.

— Invadir? O senhor está querendo dizer que a França está mais uma vez tentando reclamar o Reino de Nápoles?

— Sim — ele assentiu, respirando fundo. — E isto é muito útil ao Papa, já que ele deseja derrotar todos os seus inimigos nos Estados Papais. Se a França e Roma se unirem, ambos os poderes terão condições de atingir seus diferentes objetivos.

Olhei para ele, chocada com as insinuações.

— Os franceses ganhariam acesso a Nápoles através dos Estados Papais? E Roma ganharia o uso do exército francês?

— Correto, *madonna*! — ele exclamou com um sorriso perverso. — Na realidade, espanta-me que a senhora compreenda. É mais inteligente do que eu imaginava.

— O senhor tem a língua afiada, Embaixador. Tome cuidado para que ela não perca o fio por excesso de uso.

Afonso olhou para Maquiavel com olhos arregalados, atônitos.

— Por favor, continue, *signore* — disse. Indicou uma cadeira com um gesto. — Fique à cadeira para acomodar-se em uma vontade.

Maquiavel encarou-o, confuso.

— Ele quis dizer fique à vontade para acomodar-se em uma cadeira — esclareci, ocultando o meu desagrado. — De qualquer maneira, o senhor tem certeza de que esta informação é correta? Afinal de contas, Roma ainda é oficialmente uma aliada de Nápoles e Espanha. Meu irmão só está na corte francesa para conquistar a Princesa Carlotta de Aragon, isto é inquestionável.

Maquiavel curvou os ombros.

— Não, *madonna*, estou questionando isto neste momento, portanto é questionável.

— Não gosto do seu tom. A inteligência pode ser uma boa maneira de apresentar um argumento, mas também pode colocar a pessoa em risco. Para um homem que busca ajuda, até agora o senhor não tem demonstrado muito respeito a esta corte.

— Peço perdão — disse ele hipocritamente. — Mas com todo o respeito possível, estive na corte francesa há menos de um mês. Vi por mim mesmo o estado das relações entre *Don* César e o rei francês.

— O senhor esteve com César? — Fiquei boquiaberta e minha voz estremeceu um pouco. — Chegou a falar com ele?

— Vou lhe contar, mas apenas se a senhora escutar sem mais dúvidas e questionamentos.

Ignorei esse comentário, ansiosa para ouvir as notícias.

— Recebemos pouquíssimas informações sobre meu irmão. Por favor descreva o que o senhor sabe dele. Ele parece estar bem?

Maquiavel ajeitou-se devagar na cadeira e arrumou as vestes em volta das pernas, deliciado com sua vitória.

— O Duque de Valentinois já não é o tolo ostentoso que era em Roma, *madonna*. Tornou-se um homem de grande disciplina e estima, um estudioso da política e da liderança na corte francesa. Treinou com o exército francês e aprendeu a arte de guerrear. Ele é respeitado, até mesmo temido, aonde quer que vá. Os soldados franceses consideram-no o melhor comandante entre eles. Louis XII o adora e fará qualquer coisa que ele pedir. Sim, *Don* César é agora uma figura severa e imponente. Veste-se apenas de preto e baniu todas as outras cores do seu guarda-roupa. Há nele alguma coisa noturna. Aliás, ele mantém um horário estranho, dormindo durante o dia e trabalhando durante toda a noite e a madrugada.

Fui até a janela, organizando meus pensamentos. Parecia que ele estava falando sobre alguém que não era o meu irmão. Se César havia realmente passado por tais mudanças, então eu me sentia especialmente magoada por ele não ter me escrito. No passado nós compartilhávamos todas as coisas da nossa vida, sempre discutindo nossas experiências cotidianas. Muitas vezes ele pedia a minha opinião sobre qualquer decisão importante que ele planejava tomar. Talvez já não quisesse saber as minhas opiniões, ou sentir-se desanimado pela minha crítica. Talvez estivesse desenvolvendo traços de seu caráter que ele sabia que eu não aprovaria?

Veneno nas Veias

Declarei incredulamente:

— Acho estranho que ele pudesse ter mudado tanto em apenas dois anos.

— Bem, é verdade — Maquiavel retrucou. — Eu próprio testemunhei essas mudanças. Eu estava com o exército francês em treinamentos de campo quando conheci o seu irmão. Ele me deu uma entrevista curta às duas horas da manhã dentro de sua barraca, cumprimentou-se à luz de uma única vela. As feições escuras e os trajes negros causaram em mim uma impressão inesquecível.

— Ele franziu a testa. — É óbvio que se trata de um homem que conhece o valor das aparências. Entendo por que o adoram. Se ele invadir os Estados Papais, acredito que irá esmagar seus oponentes sem piedade.

— Mas... ele ainda não pretende casar-se com uma espanhola? — perguntei com melancolia.

— Quem sabe? No entanto os Aragon têm outros planos para a Princesa Carlotta, possivelmente com a monarquia inglesa, já que ela não lhe deu qualquer atenção na corte. Dizem agora que uma fidalga francesa ocupa os pensamentos de *Don* César.

Olhei para Afonso com medo. A França era inimiga da Espanha, de Nápoles e dos Aragon. Se a união com os Aragon havia se deteriorado, então Afonso poderia logo deixar de ser bem-vindo em Roma e o nosso casamento ficaria instável. Ele ficou de pé em um salto e nós conferenciamos baixinho junto à janela.

— Isto é terrível, parece que a minha família está se voltando contra a sua e tornando você inimigo dela — sussurrei.

Ele acariciou minha mão com dedos frios e rígidos.

— Não há motivo para preocupação por enquanto, tenho certeza disso. Afinal, como é que podemos saber até mesmo se o embaixador está falando a verdade? Que é que ele ganha com isto? Que é que ele quer de você?

— Vamos descobrir. — Girei nos calcanhares e marchei até Maquiavel.

— Embaixador, por favor explique por que o senhor precisa de mim para influenciar meu pai. O senhor defenderia muito bem o seu pensamento sobre a salvação de Florença, por que não vai conversar com ele o senhor mesmo?

Maquiavel retesou os lábios.

— Ao contrário da senhora, *madonna*, não posso simplesmente "conversar com ele" sempre que quiser; eu e o resto do mundo precisamos requerer a entrada na Corte Papal. O processo é longo, e tantas pessoas solicitam a audiência que a atenção dele é muito dividida. Além disso, mesmo se me fosse permitido defender a minha causa, ele provavelmente a esquecerá no momento seguinte. Mas não se a filha mostrar interesse na minha causa. Se a senhora me ajudar a conseguir uma audiência, o destino de Florença talvez fique ressoando nos pensamentos dele.

— Sim, posso conseguir um encontro para o senhor, se isto é tudo o que me pede.

Ele hesitou, como se de repente tivesse ficado constrangido.

— Naturalmente tenho consciência de que os outros embaixadores costumam retribuir a sua ajuda com presentes de vinho, queijo ou carpas de alto preço. Infelizmente não tenho essas coisas. Posso oferecer-lhe apenas um presente, *Donna* Lucrécia: a sabedoria dos meus conselhos. A senhora pode aceitá-los ou não, como achar melhor.

Apesar de seu comportamento rude, levei a sério aquela sugestão. Se Afonso estava em perigo, precisaríamos de toda ajuda que pudéssemos conseguir, e Maquiavel seria um bom conselheiro para a nossa corte. Embora rude, e às vezes beirando o ofensivo, sua atitude não obscurecia a inteligência brilhante ou a honestidade fundamental que ele possuía — qualidades raras em um político. Eu sentia também que não havia malícia em sua natureza, apenas um desejo de ser apreciado. E realmente as notícias que ele trazia nesse dia eram inestimáveis para nós. Perguntei-me o que meu irmão estaria fazendo naquele momento na França. Por que

Veneno nas Veias

estaria cortejando uma fidalga francesa e não uma moça da família Aragon? Essa notícia me lembrava acontecimentos passados: César esgueirando-se através de um pátio escuro, papai desabando diante da notícia da morte de Juan, frascos de veneno nas prateleiras empoeiradas de um porão...

Não cheguei a ter a oportunidade de responder a Maquiavel. De repente cornetas tocando uma saudação papal ecoaram pelos corredores do meu *palazzo*, e alguns porteiros entraram apressados no salão nobre para comunicar uma novidade urgente. O Papa Alexandre VI chegara inesperadamente!

Uma visita de papai era rara, e deveria ter sido um privilégio receber sua companhia naquela tarde. De qualquer maneira, eu não me sentia honrada: aquela não era uma visita respeitosa. Normalmente, quando ele desejava me ver mandava um mensageiro para requerer minha presença na *Città del Vaticano*. Alexandre não viria pessoalmente à minha moradia, especialmente com tanta urgência, a não ser que tivesse algo de muito grave e urgente para anunciar.

XII

Verdades e Mentiras

Papai entrou no salão nobre arrastando os pés, a batina batendo em seu corpo volumoso. Afonso e Maquiavel puseram-se de lado enquanto eu me adiantava para saudá-lo.

— Santíssimo Padre, que surpresa! — Inclinei-me para beijar seu anel *Pescatorio*. — Mas por que sair em uma tarde tão fria? *Don* Afonso e eu teríamos muito prazer em ir fazer-lhe uma visita, se o senhor tivesse nos chamado.

Ele puxou o lóbulo da orelha, irritado.

— Minha filha, mal consigo escutar a sua voz. Temo que os seus corneteiros tocando com tanto vigor tenham perfurado os meus tímpanos.

— Vou repreendê-los, Santíssimo Padre, e isto não se repetirá.

Ele deslizou até a minha cadeira, acomodando-se nela.

— Achei que uma visita breve era necessária para informar-lhe sobre um incidente que ocorreu hoje no *Palazzo Apostolico*.

— Não deveríamos conversar em particular? — perguntei, olhando de relance para Maquiavel, o único estranho presente.

— De modo algum. Esse incidente aconteceu na arena pública, e pode ser até que você ouça algum mexerico sobre isto nos próximos dias.

Afonso apertou as mãos. Perto dele, Maquiavel postava-se silenciosamente, com o mesmo sorriso perverso nos lábios. Escutei cautelosamente enquanto meu pai continuava:

— Esta tarde, no meu consistório, fui abordado por três embaixadores da corte espanhola. Eles anunciaram que a Casa de Aragon desaprova cabalmente a amizade do seu irmão com a França, e exigiram que eu o convoque de volta a Roma imediatamente, devolvendo-lhe o cardinalato. Quando graciosamente declinei seus conselhos, eles se tornaram bastante impertinentes. Aliás, estavam tão esquentados que me ofereci para esfriar-lhes a cabeça jogando-os no Tibre.

O rosto de Afonso tornou-se de um branco esquelético. Perguntei com irritação:

— Mas a família Aragon ainda é nossa aliada, não? O senhor não está se voltando contra ela, está?

— Claro que não, minha filha. Os nossos aliados podem nem sempre estar de acordo uns com os outros, mas não desejo o mal de qualquer um deles.

— Espero que isto seja verdade, porque sou casada com um Aragon e não quero que qualquer pessoa cause problemas para nós. Lembre-se da promessa que nos fez: concordei em ficar na cidade porque estaríamos mais seguros aqui do que em qualquer outro lugar — respondi, cada vez mais zangada.

— Céus, Lucrécia, você está tirando as conclusões mais bizarras! Vim até aqui para tranquilizá-la exatamente sobre isto, não para assustá-la.

— Bem, não estou tranquila. O meu casamento com Afonso foi consumado e temos um filho. O contrato ainda é inteiramente válido e nada pode rompê-lo. Espero que o senhor compreenda isto.

— Claro que compreendo: nenhum meio legal pode acabar com a união de vocês dois. E para respeitá-lo farei qualquer coisa em meu poder para resolver esta situação de um modo ou de outro. Fique sossegada, Afonso não tem o menor motivo de preocupação. Tenho certeza de que a corte espanhola logo abrandará sua atitude impensada e no final a paz reinará como antes.

— Em quanto tempo? Quando o senhor se reconciliará com o embaixador? No mês que vem?

Ele assentiu em um gesto delicado.

— Eu não provoquei essa quebra nas nossas relações, portanto não se pode esperar que eu tome a iniciativa de fazer as pazes. Entretanto, se a família Aragon decidir voltar à *Curia* com um pedido de desculpas, permanecerei aberto para a retomada da nossa aliança.

— Não entendo, como isso é possível? César teria que deixar a França para contentá-los.

— Ainda não estamos enfrentando este problema, portanto não necessitamos de discuti-lo neste momento.

Suspirei.

— O senhor pelo menos me dá a sua palavra de que Afonso ainda está em segurança?

— Como já declarei, você pode partir do princípio de que este contratempo é apenas um solavanco temporário nas amistosas relações entre as nossas duas casas — ele respondeu em tom paciente.

Olhei para o rosto dele, ainda não convencida. Sabia que ele jamais nos visitaria em casa se a situação com os Aragon não fosse mais séria do que ele estava deixando transparecer. Em lugar de revelar essa verdade incômoda, ele estava tentando abrandá-la com ilusões, acobertá-la com falsas esperanças e abafá-la com mentiras. Eu poderia muito facilmente ter acreditado, mas não acreditei.

Quando meu pai se preparava para partir lembrei-me do pedido de Maquiavel. Essa era a oportunidade perfeita para recomendá-lo a Alexandre. Apressei-me a fazer as apresentações e solicitar a meu pai que concedesse uma audiência privada a Maquiavel.

— Isto me faria muito feliz, Santíssimo Padre. Afinal, Florença é um estado importante.

Alexandre inclinou a cabeça para Maquiavel, aceitando.

— Considere feito, Embaixador. Meu secretário entrará em contato com o senhor para marcar uma hora.

Maquiavel fez uma mesura profunda.

— Estou honrado, Santíssimo Padre.

Depois que papai partiu abracei Afonso e fiz o possível para confortá-lo.

Maquiavel nos observou, depois balançou a cabeça e deu uma risadinha. Voltei-me com ímpeto para enfrentá-lo:

— Não há motivo para risadas, Embaixador. O senhor não é o único que percebe que meu pai acabou de mentir para nós.

Ele parou de rir imediatamente, bastante surpreso.

— Impressionante, *madonna*. Muito impressionante. Perdoe-me, eu não pretendia ridicularizá-la. E estou profundamente grato pela ajuda que deu à minha causa junto ao Papa.

— Se o senhor sente alguma gratidão, então pode nos retribuir com o seu conhecimento. Sei que meu pai mentiu porque ele não viria até aqui se a situação não fosse crítica. Mas diga-me, como foi que o senhor percebeu os sinais da hipocrisia dele?

O semblante dele endureceu.

— Vou explicar minhas observações sobre este encontro, mas somente se a senhora garantir que as minhas palavras não sairão deste aposento.

Afonso assentiu.

— Prometemos, *signore*. Agora, por favor conte-nos o que sabe.

Maquiavel encolheu-se, tomando a forma aproximada de um barril de pólvora.

— O Papa mentiu para vocês em cada sílaba que pronunciou. Sei disso porque passei a minha vida inteira observando os hipócritas e mentirosos na corte. — Ele ergueu o dedo, discursando para nós. — Se vocês tivessem prestado bastante atenção há pouco, teriam percebido que a todo momento o seu pai olhava para o alto e para a esquerda, que os seus movimentos eram rígidos e limitados, e que as suas pupilas contraíam-se bastante sempre que ele respondia às suas perguntas. Meu Deus, esses são apenas alguns dos muitos erros cometidos por um charlatão! Presencio isto todos os dias em todas as cortes aonde vou!

Ele calou-se, esperando a minha reação. Eu achava desagradável ouvi-lo falar da minha família em termos tão severos, mas não podia negar o que ele dizia.

— Muito obrigada, Embaixador. Apreciamos a sua honestidade — falei em voz calma.

— A senhora vai me mandar embora agora, não vai? — ele perguntou, franzindo a testa. — É o que sempre acontece quando digo o que penso.

— Não vamos mandá-lo embora.

— Tem certeza? Já fui expulso de várias cortes, e foi o suficiente para compreender o castigo por não ficar de boca fechada. Eles podem me expulsar dos *palazzi* e *castelli* mais elegantes de toda a Cristandade, mas nunca me preocupei por ofender pessoas que são ignorantes demais para escutar.

— A nossa corte é diferente. Damos valor à verdade, não a falsidades. Aliás, eu gostaria de requisitá-lo como conselheiro no futuro. Isto é aceitável?

Ele me encarou de volta com espanto, depois assentiu lentamente.

— Já tive missões piores, eu acho.

Afonso esfregou os olhos como se estivesse com dor de cabeça.

— Talvez seu pai não tenha mentido a respeito de tudo, Lucrécia. E a última declaração dele? Ele não afirmou... que eu ainda estava seguro? — ele perguntou desesperadamente.

O salão ficou em silêncio. Eu desejava abrandar a verdade para Afonso, mas me recusei a mentir.

— Não exatamente — respondi. — Papai disse: "você pode partir do princípio" de que não haveria problema. Infelizmente... ele não fez tais afirmações...

Afonso apertou os lábios com amargura.

— Malditas famílias! Todas estas conspirações e estes truques, por que não podem simplesmente nos deixar em paz? Por que não podemos ter uma vida simples, uma vida totalmente afastada da política?

Tentei responder, mas não consegui encontrar as palavras adequadas para confortá-lo. Ele baixou a cabeça e atravessou o salão pisando com força para retirar-se, desejando ficar sozinho.

O encontro estava terminado e me ofereci para levar o Embaixador Maquiavel até a porta. Ali paramos para verificar se Afonso estava suficientemente distante.

Maquiavel franziu a testa.

— Seu pai mentiu para a senhora, e o seu marido está longe de estar seguro. Mas não exagere em sua reação, *madonna*. A aliança entre Roma e França não está firmada ainda. Pode nunca acontecer. São poucas as certezas na política.

— Quando a situação poderá se tornar um pouco mais perceptível para nós? — perguntei.

— Casamento. Se o seu irmão se casar com uma fidalga francesa, Roma e França estarão unidas, formando um novo corpo. A sua união com Afonso será transformada em uma conexão inútil, um ganho indesejável que vai prejudicar qualquer movimento político futuro.

— Eu seria um instrumento inutilizado?

— Sim. Imagine o que aconteceria se *Don* Afonso morresse de repente amanhã. Seu pai logo tornaria a casá-la com outra pessoa. A senhora seria usada para criar outra aliança política, mais útil para a casa Bórgia.

— Tenho certeza de que é isto mesmo...

— Francamente, que a verdade seja dita, *madonna*: se *Don* César se casar com uma francesa, Roma logo será um lugar muito perigoso para o seu marido.

Respirei fundo e assenti às trágicas palavras dele.

XIII

Uma Carta

Embora César geralmente fosse pouco disposto a escrever cartas para qualquer pessoa, ele me escreveu uma vez durante a sua longa ausência de Roma. Passou-se somente um dia depois do aviso de Maquiavel quando um portador chegou ao *Palazzo Santa Maria in Portico* e entregou uma mensagem curta da corte francesa.

Eu estava ao mesmo tempo feliz e nervosa por finalmente ter notícias do meu irmão. Havia tanta coisa que eu queria saber sobre a sua nova vida! Os boatos eram verdadeiros? Ele havia realmente mudado tão drasticamente nos dois últimos anos? E quanto à Princesa Carlotta? Teria ele havia feito algum progresso com ela, ou havia outro sucesso que ele desejava relatar? Fiz uma pausa antes de abrir o envelope, quase que nervosa demais para conseguir ler.

Amada Irmã,

Perdoe meu longo silêncio, mas até hoje nada havia a relatar. Agora informo que estou casado.

Você pode pensar que eu me casei com a Princesa Carlota, mas os Aragon nos traíram: alegaram que eu não tinha títulos de nobreza suficientes para me casar com a filha deles. De qualquer maneira, uma união com os Aragon teria sido inútil, e eu lucro mais unindo-me à França.

Em vez disso casei-me com Charlotte d'Albret, uma dama altamente relacionada — irmã do rei de Navarra e prima do próprio Louis XII. O casamento foi consumado imediatamente, duas vezes antes do jantar, seis vezes à noite. Com sorte, isto deve ser suficiente para deixar Lady d'Albret grávida, de preferência de um menino.

Tente não se chocar com esta nova união com a França. A Casa de Aragon está cheia de cães sem valor, no entanto Afonso não é um inimigo. Ele será sempre protegido enquanto tiver a sua afeição.

Meu casamento me dá agora uma posição com o rei da França. Sou um oficial do exército dele e vou juntar-me a ele quando ele invadir Milão neste mês. Já provei minha rara habilidade como soldado em incontáveis torneios, duelos e treinamentos de batalha. Louis acha que a minha liderança é suficientemente forte para comandar um esquadrão da sua cavalaria pesada. Depois que Milão for derrotado, Louis invadirá o Reino de Nápoles para retomar a herança que é sua de direito.

Não irei com o rei a Nápoles. Em vez disso, vou me separar do exército dele com 10.000 homens e me dirigir aos Estados Papais para derrotar os inimigos do governo Bórgia. A minha primeira operação militar será na Romagna, atacar e dominar as fortalezas de Imola, Forli e Pesaro. Deseje-me sorte em minha missão, irmã. Com a minha vitória transformarei a Romagna em um ducado sob meu comando único.

Preciso terminar, mas espero que você esteja bem. Anseio por vê-la outra vez. Se meus homens forem corajosos e a campanha

Veneno nas Veias

não sofrer algum revés, minha volta a Roma pode dar-se dentro de quatro meses. Reze para que seja antes.

Seja qual for o destino que me aguarda, procuro honrar meu xará Julius Caesar. Meu lema agora é "Caesar ou nada".

*Seu amado irmão,
César Bórgia, Duque de Valentinois*

A carta não me surpreendeu: Maquiavel já havia me preparado para o pior. No entanto, a notícia sobre o casamento de César com uma fidalga francesa me perturbou profundamente, pois tudo agora estremecia com essa mudança. As atitudes do meu irmão haviam enfraquecido as alianças passadas e tornado insegura a posição de Afonso em Roma. Por que ele estava fazendo isto conosco? César não se preocupava com o meu casamento? Enquanto eu pensava no que faria em seguida, guardei segredo da carta por algumas horas. Não queria contar a Afonso, pois isso serviria apenas para deixá-lo em pânico, mas sabia que ele logo descobriria. Na realidade, no final da tarde o Vaticano havia anunciado o casamento de César em cada esquina de Roma.

Fiquei parada junto à janela do meu salão espiando a *Piazza San Pietro*. Uma grande fogueira agora ofuscava a minha visão — labaredas chicoteavam o negrume do céu e lançava reflexos alaranjados, amarelos, brancos e vermelhos nas pilastras da minha residência. Aquela fogueira era uma "manifestação espontânea de alegria" para comemorar o casamento do meu irmão. Em toda a cidade muitas outras "manifestações espontâneas de alegria" queimavam em honra da união.

Na realidade, aquelas fogueiras eram meramente um espetáculo preparado por funcionários papais, já que o povo de Roma estava horrorizado com a notícia. Cinco anos antes, o último rei da França havia invadido a Itália para tomar a terra de Nápoles, deixando atrás de si uma trilha de cadáveres e aldeias destruídas. Agora, com o novo casamento de César, todas as pessoas sabiam que a violência e o caos logo retornariam do Norte. Pessoas que apoiavam abertamente Nápoles ou Espanha haviam escolhido fugir naquela mesma noite, não mais convencidos de sua própria segurança. Durante toda a noite escutei notícias de barões, bispos e cardeais desaparecendo da cidade, sumindo na escuridão como a fumaça que se espalhava das inúmeras fogueiras.

Com tristeza eu reconhecia que eles estavam certos. Era mais seguro partir antes que meu irmão voltasse para casa.

Dentro do nosso quarto de dormir, debrucei-me sobre uma pequena arca de madeira usada em viagem e comecei a guardar nossos pertences. Sem entusiasmo soquei as roupas de qualquer maneira dentro da arca, embaraçando as meias de seda e as camisas de Afonso com meus espartilhos, minhas mangas postiças e combinações. Eu não queria partir, mas não havia escolha. Não podíamos ficar em uma cidade que se voltara contra nós.

Afonso apareceu de repente à porta, com o semblante preocupado.

— Que é que está fazendo? Ouvi a notícia, mas por que está arrumando a arca? — perguntou em tom melancólico.

— Temos que ir embora. Recebi uma carta de César. Ia contar para você depois de juntar nossas roupas — expliquei. — Nossos aliados estão fugindo da cidade esta noite, Afonso. Todos os que são leais à sua família estão partindo, e temos que ir com eles.

— Como? Não podemos partir! — Ele se aproximou apressado e me impediu de guardar mais roupas na arca. — A notícia é terrível, mas ainda não há motivo para irmos a qualquer lugar!

Sacudi a cabeça.

— César agora é nosso inimigo, você não enxerga? Ele se casou com alguém de um país que quer destruir os Aragon. A minha família traiu a sua e amedrontou todos os que apoiavam você, fazendo com que abandonassem Roma. Não podemos ficar em uma cidade onde você já não é bem-vindo. Precisamos ir antes que seja tarde demais.

— Que foi que seu irmão disse exatamente, Lucrécia? A carta é realmente tão terrível?

Veneno nas Veias

Encontrei a carta no bolso e entreguei-a. Ele a leu devagar, estudando cada palavra:

— Não compreendo, diz aqui que ele não me deseja mal. O seu irmão é um homem traiçoeiro, e eu não ficaria se achasse que ele estava atrás de mim, no entanto isto mostra que não temos motivo para nos preocuparmos. Por favor não nos faça partir por causa disto! Não é o suficiente!

— Mas como você pode confiar nele quando ele odeia os Aragon, a sua própria família?

— O que ele pensa da minha família não importa, eu também não gosto deles! De qualquer maneira, ninguém me considera um Aragon. Moramos em Roma, em um *palazzo* que nos foi dado por seu pai, nossas vidas protegidas pela fortuna e o poder da Casa de Bórgia. Sou um Bórgia, tanto quanto você. A sua família me protegerá de qualquer mal.

Olhei para ele de testa franzida, desejando poder ser tão confiante.

— Afonso, eu estava fazendo isto por você... e pelo bebê... Pensei que você ia querer voltar para Nápoles, onde é mais seguro.

— De maneira nenhuma! — ele exclamou, enrubescendo.

— Mas se não formos para Nápoles não há outro lugar para irmos. Eu não tenho qualquer propriedade ou amigos que possam nos abrigar.

— Bom, se Nápoles é o único lugar que temos para ir, então definitivamente não vou partir! — Ele agarrou minha mão com intensidade. — Minha vida era vazia antes de conhecer você, Lucrécia, e não há nada lá para mim. Roma agora é o meu mundo. Nunca morei em uma cidade tão excitante, tão bela. Temos um *palazzo* tão maravilhoso, por que você iria querer renunciar a ele? Rodrigo não pode ser criado em um *castello* velho e triste. Não podemos deixar seu irmão tomá-lo, não podemos deixar que ele nos amedronte e nos faça fugir. Durante toda a minha vida, fui subjugado por valentões, e não vou permitir que isto aconteça de novo. Foi por isso que eu quis sair de Nápoles e vir para cá. E você não iria gostar da minha terra natal, como eu não gosto, Lucrécia, ela em nada se parece com Roma. As pessoas são enfadonhas, com costumes rudes e rurais, usam roupas fora de moda, não existe arte, e é muito distante de qualquer outro lugar. Se você nos obrigar a ir para lá, não estará me salvando ou protegendo o nosso casamento, estará apenas nos condenando a um diferente tipo de morte. — Ele fechou a tampa da arca e apoiou-se nela com ambas as mãos. — Eu imploro, não me faça voltar para lá de novo!

Abracei-o, atônita com a intensidade dele.

— Não sabia que você se sentia assim...

Ele fez uma pausa e recuperou-se um pouco.

— De qualquer maneira, e os seus sentimentos? Sei o quanto você gosta da sua família. Não vai querer se separar deles, certo?

— Eu não quero perdê-los, não. Mas não podemos pensar somente em nós. Agora temos um bebê para proteger, e o bem-estar dele deve vir antes do nosso.

— Concordo, mas fugir também é perigoso, não é? Tanto para nós quanto para Rodrigo?

Hesitei e depois, muito infeliz, baixei os olhos para a arca de viagem.

— Não há uma resposta perfeita para a nossa situação. Se partirmos ou não partirmos, de qualquer maneira teremos problemas. Fugir esta noite mostrará uma desconfiança em relação à minha família que ofenderá profundamente Alexandre e fará dele um inimigo... se é que ele ainda não é. — Dei-lhe as costas, cada vez mais confusa. — Não será fácil viajar para Nápoles. Não temos uma escolta preparada, portanto seremos obrigados a viajar durante vários dias sem proteção contra bandidos e assassinos. E se conseguirmos chegar a Nápoles, trata-se um país sob ameaça de invasão pela França. Com soldados estrangeiros à solta por lá, o lugar vai ficar também muito arriscado.

Ele me encarou com olhos bem abertos e cheios de esperança.

— Talvez, então, seja melhor enfrentarmos os perigos de Roma, pelo menos por enquanto?

Veneno nas Veias

— Não tenho certeza de que você esteja falando sério, Afonso. Não tenho certeza de que você compreenda os riscos no nosso futuro. Não acredite que eu tenha alguma visão especial dos nossos problemas. Não sei o que vai acontecer em seguida. É possível que César tenha assassinado Juan e feito o Chefe de Polícia de Roma "desaparecer". Não posso prever as futuras intenções do meu irmão. Ele pode querer fazer mal a você logo, ou pode não querer. Porém Maquiavel nos advertiu desta situação. Além disso, temos também o problema de meu pai: César consegue manipulá-lo, e ele mentiu para nós sobre a rusga entre as nossas duas famílias. Será que papai ainda está disposto a proteger nossas vidas em Roma, como prometeu? Espero que sim, mas nesse assunto sei tanto quanto você. Esses são apenas alguns dos riscos que temos que correr.

— Eu entendo isto, e ainda assim sinto que é errado fugir neste momento. Não faz sentido fugirmos quando nada está ameaçando diretamente você, eu ou Rodrigo.

Voltei para a cama e suspirei profundamente.

— Se eu concordar em ficar... Eu disse "se"... Será apenas para observar o que acontece na volta de César. Preciso ver por mim mesma a nova atitude dele. Parece que ele mudou muito desde a França, mas todo o nosso conhecimento vem de histórias de segunda mão e cartas escritas às pressas. Não posso julgar a situação corretamente até testemunhar por mim mesma o novo caráter dele. Um pouco de tempo será útil para nós planejarmos um meio mais seguro de fugir, para não ficarmos em posição tão desvantajosa de novo. — Agarrei os ombros de Afonso e nos olhamos nos olhos. — Mas se eu disser de novo que temos que ir embora, mesmo em cima da hora, então você tem que estar preparado para fugir. Sem mais discussões? Você me promete isso?

Ele assentiu com entusiasmo.

— Você não vai se arrepender, Lucrécia, não devemos desistir da nossa felicidade se não for necessário. Você vai ver, fez a escolha certa para nós.

— Espero que sim.

Ele me enlaçou em seus braços, aliviado pela minha decisão.

Sentada na cama ao lado dele, olhei em volta do aposento, o teto ornamentado, as tapeçarias, a mobília e as cortinas que nos foram presenteados no nosso casamento. Devíamos realmente proteger a nossa casa e não desistir dela se não fosse necessário. Eu queria ser corajosa pela minha nova família, e era preciso coragem para pensar em partir, mas havia também uma força em não fugir e tentar manter as coisas a que dávamos valor. Era cedo demais para desistirmos da nossa vida juntos. A nossas situação não era suficientemente desesperadora... ainda...

XIV

O Príncipe de Roma

Não precisamos esperar muito pela volta do meu irmão. Durante o inverno a França rapidamente invadiu Milão e expulsou a poderosa família Sforza do ducado. O rei Louis XII então voltou a sua atenção para o Sul e marchou em direção a Nápoles. Enquanto isso, na primavera de 1500 César separou-se de Louis com uma divisão francesa de infantaria e cavalaria e invadiu a Romagna, o maior dos Estados Papais.

Os pequenos senhores da Romagna sempre haviam desafiado papai, dominando inúmeras cidades com suas imposições arbitrárias e cruéis. César invadiu a região e conquistou cada cidade em seu caminho. As fortalezas de Pesaro, Imola e Forli não eram páreo para o seu exército bem treinado, sua habilidade tática e sua grande coragem. Uma vez feito isso, ele restabeleceu a lei com impiedosa eficiência e trouxe muitas cidades de volta ao controle direto do Papa.

Quando César finalmente retornou a Roma, chegou com um cortejo muito mais grandioso do que no dia em que ele deixou a cidade. Papai, Afonso e eu esperávamos na escadaria da *Basilica di San Pietro* para contemplar o longo desfile triunfal atravessar a *piazza* abaixo de nós. Papai sentava-se em um trono abrigado do quente céu de março pela sombra do *Umbraculum*. Enquanto isso, Afonso estava de pé ao meu lado e me dirigiu um sorriso forçado. Também eu estava nervosa — mal conseguia esperar para ver César de novo, não apenas porque sentia uma profunda saudade dele como também para avaliar o seu novo estado de espírito em relação a nós.

— Já se passaram horas! Meu Deus, quanto tempo este desfile vai durar? — Afonso cochichou para mim.

Baixei o olhar para os espectadores silenciosos.

— Parece que a multidão concorda com você. Normalmente eles acenam, gritam elogios ou até jogam flores. Mas estão tão quietos hoje...

— Talvez estejam ansiosos com as mudanças que virão. Sabe, em uma fortaleza os homens do seu irmão chacinaram mais de 400 soldados em um único dia. Quando as pessoas escutam histórias como esta, provavelmente pensam que ele é algum tipo de monstro!

— É o que pensa a multidão ou só você? — perguntei em tom de desaprovação.

— Lucrécia, os meus sentimentos para com o seu irmão ainda não mudaram. Só porque quero continuar em Roma não posso mudar minha opinião sobre ele da noite para o dia.

— Bem, não espere que eu concorde com você. Temos que tomar cuidado com César, e duvidar das intenções dele, mas ainda gosto do meu irmão e não aprecio quando você o insulta. Talvez ajude se você se lembrar que ele fez também coisas boas na Romagna. Ele impôs a lei. Comparando com antigos ditadores, a ordem e a justiça voltaram.

— Sei tudo sobre o estilo da justiça dele, e não gosto.

Cruzei os braços e dei-lhe as costas.

— Afonso, se você pensa tão mal de César, então não vai dar certo tentarmos ficar aqui. Deveríamos começar a fazer planos para a nossa partida o mais cedo possível. É isto que você quer?

Veneno nas Veias

Ele balançou a cabeça com ar grave.

— Você sabe que não é. Não ligue para o que eu digo, estou apenas um pouco nervoso, só isso.

Tornamos a focalizar nossa atenção no desfile que se arrastava pela cidade abaixo de nós. Companhias de soldados franceses marchavam pesadamente, mulas arrastavam cargas pesadas, porta-estandartes levavam bandeiras pendentes, soldados da infantaria usavam armaduras de guerra, a cavalaria exibia suas capas de veludo, e uma centena de membros da guarda pessoal de meu irmão marchavam com a palavra "*Caesar*" escrita em prateado no peito. No final de tudo, montando um possante cavalo negro da Berbéria, vinha o próprio César.

Quando meu irmão partira para a França, sedas e joias esplêndidas faziam dele o espetáculo mais brilhante do desfile. Agora ele mais uma vez se destacava: em total contraste com todos os outros integrantes com seus trajes vistosos, ele usava preto da cabeça aos pés. Botas pretas, calças pretas e um casaco preto. A única exceção era uma bela pluma branca erguendo-se da *biretta* preta que ele levava na cabeça. Com seus olhos escuros e a barba castanho-avermelhada, ele fazia uma figura realmente impressionante. Parecia muito diferente, tão poderoso, como se tivesse dado à luz uma nova identidade.

César desmontou do cavalo e subiu a escadaria. Enquanto ele se aproximava de nós, senti uma vasta gama de emoções: estava feliz por vê-lo, porém ao mesmo tempo zangada e ressentida por ele não ter me escrito mais vezes, como se a ligação entre nós fosse algo que ele pudesse desatar sempre que lhe conviesse. Sua presença conjurava uma quantidade de lembranças felizes da minha infância, mas estas agora misturavam-se às lembranças do assassinato de Juan, dos venenos no porão e do terrível destino do Chefe de Polícia. Beleza e feiura estavam tão emaranhados em seu caráter que eu já não tinha certeza dos sentimentos que nutria por ele.

Papai ficou de pé para cumprimentar César primeiro; seus olhos estavam cheios de lágrimas de orgulho. Meu irmão ajoelhou-se, beijou o anel de Alexandre e trocou várias palavras com ele antes de voltar-se e se aproximar de Afonso. Fiquei observando atentamente enquanto meu irmão apertava a mão estendida de Afonso, provocando um pequeno tremor em seu tronco.

— Prazer em vê-lo — César disse sem entonação.

Para meu alívio, não parecia haver algo venenoso em seu rosto. Ele não gostava de Afonso, porém tampouco o odiava.

— Lucrécia e eu estamos muito felizes com a sua volta — Afonso disse em resposta.

César deixou-o e se aproximou de mim. Sua barba parecia mais cerrada do que eu me recordava, e músculos mais fortes engrossavam seu pescoço e seus ombros. Estendi-lhe a mão formalmente.

— É só isso? Depois de três anos? — ele perguntou. Sua voz não perdera o timbre baixo.

Sorri e abracei-o normalmente. Ele me apertou com força em seus braços, quase que esmagando meus pulmões. A sua voz, o seu toque, encheram-me de ternura, e constatei o quanto eu sentira a sua falta. Fechei os olhos, repousei a cabeça em seu tronco largo e desejei poder perdoar todos os seus pecados passados. Estranhamente, antes de soltá-lo percebi que as suas roupas cheiravam a vinho e vinagre.

— Você não cumpriu a sua promessa, César. Não me escreveu, a não ser uma vez. Espero que não vá quebrar mais promessas, agora que está de novo em casa — falei.

— Prefiro a morte — ele respondeu com um sorriso diminuto. — É bom vê-la finalmente.

Cutuquei seu estômago rijo com o dedo.

— Temos tanto o que conversar! Você precisa pagar pelo seu silêncio contando-me tudo o que aconteceu na França. Inclusive todas as suas vitórias na Romagna. Estamos tão orgulhosos do que você fez lá!

Veneno nas Veias

— Sim, eu inspirei os soldados, conquistei muitos inimigos e fui um governante justo para os meus súditos. Não muitos líderes podem gabar-se de tanto.

— Tenho certeza disso — Afonso comentou em voz baixa.

César escutou o comentário dúbio e voltou-se para ele.

— O casamento fez bem a vocês, pelo que vejo. Ambos parecem saudáveis.

Afonso assentiu, subitamente constrangido sob o olhar de César.

— Sim, realmente, obrigado, mas e o seu casamento, *Don* César? Roma ficou muito interessada na notícia, todas as ruas ficaram cheias de comemorações. As pessoas estavam combatendo mentirosos por toda parte! — Ele fez uma careta de terror diante do que havia dito. — Não, pelo amor de Deus, eu quis dizer...

— Outra coisa, tenho certeza.

Dei um tapinha no ombros de César.

— De qualquer maneira, conte-nos sobre a sua nova esposa. Lady d'Albret é uma beleza? Tem a pele como leite e mel, e olhos amendoados, e lábios cereja?

— Do modo como você fala, parece que ela é comestível.

— Ela é?

— Ela é consciensiosa e de boa linhagem, nada mais. Não é coisa que se compare a você, irmã. Ainda não encontrei uma mulher que se iguale a você.

Fiz um gesto indicando a multidão na *piazza*.

— Talvez seja você quem é sem igual agora.

— Talvez.

Com uma nova onda de entusiasmo, exclamei:

— Você ainda não viu Rodrigo! Nosso filho! — Com um gesto chamei a ama de leite que esperava a um lado, para que trouxesse o nosso filho. Ela colocou o pequeno bebê em meus braços e eu o apresentei a César.

— Ele tem apenas uns meses de vida, mas veja como já cresceu. Acho que terá a bela aparência do pai.

César contemplou pensativamente o rostinho de Rodrigo.

— Você terá que fazer com que ele se lembre de mim quando crescer.

— Lembrar-se de você? Por quê? Aonde você vai? Acabou de chegar! Você não está ainda convencido de que vai morrer cedo, está?

Ele levou a mão ao quadril e desembainhou sua espada cerimonial. Com orgulho me mostrou os dizeres gravados em toda a extensão da lâmina.

— Veja, é a vida do Imperador *Caesar*. Agora eu me comparo a ele somente nas conquistas. Conquistarei o mundo, exatamente como ele fez. Para mim é "*Caesar* ou nada".

Fiquei sem saber o que dizer. Quando o meu irmão girou o corpo para mostrar a espada a Afonso, baixou ligeiramente a cabeça. Na base do pescoço ele tinha dois vergões vermelhos assomando da camisa. Aquilo me alarmou e eu devolvi Rodrigo para a ama de leite. Era esse o motivo pelo qual César pensava que não viveria até a velhice? Teria ele alguma doença misteriosa que poderia lhe roubar a vida? Faltou-me coragem para perguntar.

Papai aproximou-se de nós arrastando os pés. César empertigou-se e perguntou em tom tenso:

— O senhor já pensou no meu pedido?

Alexandre não respondeu prontamente e César encarou-o. O queixo carnudo de papai estremeceu, como se ele estivesse com um pouco de medo. A estranha tensão entre eles lembrou-me as antigas conversas dos dois. Finalmente Alexandre respondeu:

— Você ficará feliz em saber que meu apoio é integral, meu filho.

— Ótimo. Então vamos fazer isto aqui e agora, certo? — ele respondeu, e dirigiu-se ao alto da escadaria acima da *piazza*.

— Que é que está acontecendo? — perguntei inocentemente.

Alexandre voltou-se para mim.

— Vou conceder a Rosa de Ouro ao seu irmão. Além disso, ele será investido como *Gonfalonier* da Igreja e terá o posto de Capitão-Geral do Exército Papal.

Veneno nas Veias

Engoli em seco, pois esses títulos antes pertenciam a Juan. Com tantas honrarias acrescentadas às recentes conquistas de César, ele finalmente suplantaria toda a antiga glória de Juan. Era não apenas um príncipe da igreja e chefe do exército, mas tinha também títulos na França, um casamento poderoso e o início de um feudo na Romagna. Seu sonho de igualar os feitos do Imperador *Caesar* não parecia agora tão longínquo.

Diante da multidão emudecida, afetada pelo sol, Afonso e eu observamos com espanto César ajoelhar-se ao lado de papai e receber o manto de *Gonfalonier* em seus ombros e uma *biretta* carmim sobre a sua cabeça. Ele recebeu então o estandarte de São Pedro e o bastão de comandante. E cruzou os braços sobre o peito para fazer o Juramento de Obediência:

— Eu, César Bórgia da França, juro ser fiel à sede episcopal de Roma. Jamais colocarei a mão em sua pessoa, Pai Santíssimo, ou em qualquer dos seus sucessores, para matá-lo ou feri-lo. Não importa o que os homens possam fazer comigo, jamais revelarei os seus segredos.

Eu nunca tinha ouvido aquele juramento e achei o conteúdo estranho e assustador. Lembrou-me as fogueiras na cidade e a visão da nossa arca de viagem cheia de roupas. Tentei ficar o mais esperançosa possível quanto ao futuro de Afonso. Ainda tinha o meu otimismo, só que agora eu questionava se ele era inteiramente justificado.

A resposta logo apareceu.

XV

A Conspiração

César não demorou a aplicar o seu novo poder. Quase que imediatamente depois da sua volta ele lançou-se a uma *vendetta* impiedosa contra qualquer pessoa que tivesse alguma vez desafiado os interesses dos Bórgia, atacando os nossos rivais e aterrorizando a cidade.

Para minha grande infelicidade, todas as noites viam assassinatos desenfreados, frequentemente de quatro ou cinco pessoas de cada vez, inclusive cardeais, bispos e outros funcionários. Os números eram assustadores. Muitos de nossos inimigos foram encontrados nas margens do Tibre, seus corpos estrangulados ou esfaqueados. Até mesmo o nobre chefe da família Orsini foi aprisionado certa noite e encontrado morto em sua cela na manhã seguinte.

O aspecto mais penoso dessa chacina terrível era que César havia convencido papai a apoiá-la. Eu fiquei de fora, incapaz de intervir, enquanto eles faziam banquetes suntuosos no *Appartamento Bórgia*, convidando muitos de seus antigos inimigos, atraindo-os ao jantar com promessas de reconciliação. Dias depois, alguns dos convidados morriam de uma doença misteriosa que nenhum médico conseguia curar. Se a vítima tivesse sido membro da *Curia*, era direito do meu pai apossar-se dos pertences do falecido, tomar as suas terras e capturar grandes quantias do seu dinheiro. Gradualmente tais truques incharam os cofres papais até criarem uma fortuna sem precedentes.

Os boatos sobre os envenenamentos logo corriam as ruas de Roma, e a reputação de César como assassino ficou mais forte entre o povo. Até mesmo a Corte Papal, antes despreocupada e indulgente, tornara-se triste e tensa. Os cardeais brigavam menos com papai, e as cortesãs não riam tão alto quanto antes. Afonso e eu sentíamos pavor, tanto quanto qualquer outra pessoa: dia e noite nós medíamos as nossas ações e vigiávamos as nossas palavras, para não ofender acidentalmente meu irmão ou chamar atenção para nós. Nada transpirou durante muitas semanas que pensei que estaríamos sempre seguros...

Foi por acidente que descobri uma conspiração contra nós. Certa noite de abril, depois de consultar papai sobre as minhas contas domésticas, parei à entrada do *Appartamento* e esperei uma escolta para me levar de volta para casa. Enquanto eu esperava, um portador papal passou apressadamente por mim e tropeçou, espalhando acidentalmente cartas e documentos pelo chão.

— Sinto muito, *madonna*! Minhas humildes desculpas! — ele balbuciou.

Senti pena dele e ajudei-o a recolher os envelopes do chão. Uma das cartas que peguei exibia o endereço da corte napolitana, selada com o timbre oficial dos Aragon. Obviamente Afonso havia decidido escrever para os seus parentes. Aquilo me fascinou. Sem ser percebida escondi o envelope na manga do meu vestido.

— Que Deus o proteja! — disse ao portador que já se afastava às pressas.

Uma vez sozinha, peguei a carta e tamborilei nela com os dedos. Por que um portador papal estaria com a correspondência de

Veneno nas Veias

Afonso, em lugar de um criado do nosso próprio *palazzo*? Era ainda mais estranho que o próprio Afonso entrasse em contato com a sua família. Geralmente eu fazia estas coisas para ele, já que ele não gostava de escrever para a corte napolitana. Haveria na carta alguma coisa que ele não queria que eu soubesse? Enfiei os dedos sob o selo, pronta para rompê-lo, mas parei para pensar. Afinal, Afonso tinha direito à privacidade e não precisava da minha permissão para entrar em contato com os seus parentes. E não era apropriado para uma esposa virtuosa espionar a correspondência do marido.

Abri a carta e li-a rapidamente. Decidi sentir-me culpada mais tarde.

Afonso escrevera que em breve deixaria Roma e procuraria relaxar em algumas fontes térmicas distantes da cidade. Ele comunicava à família que ficaria fora durante muitos meses e que não esperassem notícias dele até a sua volta.

Ele não informava a data de retorno.

Depois de todos os protestos dele contra deixar Roma, achei pouco provável que ele agora estivesse planejando uma longa estadia fora da cidade. Uma outra coisa na carta também me deixou confusa: a assinatura dele no final era incomum: ele assinara "Afonso de Aragon", mas normalmente escrevia "Afonso, Duque de Bisceglie". Sempre evitava o sobrenome Aragon para desagradar a família. Coisas estranhas no estilo de escrever e na escolha das palavras também despertaram a minha atenção. A caligrafia parecia certinha demais para a mão enérgica dele.

De repente entendi que Afonso não havia escrito aquela carta — era uma falsificação! Alguém estava tentando estabelecer um contexto que explicaria aos parentes o seu desaparecimento.

Antes que eu pudesse reagir, um número enorme de botas desceram pesadamente a escadaria atrás de mim. Uma centena dos alabardeiros pessoais de César desciam para o saguão de entrada. Meu irmão agora não ia a parte alguma sem eles, em parte para intimidar o povo, em parte para evitar tentativas de assassinato.

Alguns dos alabardeiros eram recém-recrutados e não me reconheceram. Ordenaram que eu me pusesse de lado. Rapidamente enfiei a carta na manga e me encostei à parede.

César apareceu no alto da escada e desceu. Enquanto o seu vulto imponente emergia das sombras, percebi que uma fina máscara preta agora lhe obscurecia a face. Eu jamais o havia visto com ela e não conseguia entender o motivo para aquele disfarce naquela noite.

Quando ele viu que eu fora forçada a colocar-me de lado, foi até o guarda à minha frente, agarrou-o pela gola e jogou-o longe. O guarda tropeçou em sua alabarda e caiu no chão.

— Cão odiento dos infernos! Como ousa tratá-la com grosseria? Não está vendo quem ela é? Na próxima vez use os olhos, seu cão! Use-os ou mando arrancá-los! — César rugiu.

O guarda ganiu um pedido de desculpas e os outros alabardeiros o puseram de pé. Avancei e espiei mais de perto a máscara do meu irmão.

— Vai a algum baile ou banquete esta noite, César? Sei que o carnaval já passou. Por que está usando máscara?

Ele mudou o peso do corpo para a outra perna, mostrando-se constrangido, e não respondeu.

Dei um meio-sorriso.

— Vai encontrar alguma cortesã? Diga-me, por que esconder as suas belas feições esta noite?

— Elas já não são belas — ele respondeu, suspirando profundamente.

— Por que não? Não entendo.

— Eu tenho sífilis.

Com um pânico crescente lembrei-me dos vergões em seu pescoço.

— Não, você não tem isso, César. Não vou perder meu irmão outra vez. Você não pode ter isso, está me ouvindo?

— Não se amofine demais, está sob controle. Os franceses estão assolados pela sífilis. Eles me infectaram durante a minha segunda semana lá.

Veneno nas Veias

— Quer dizer que você tem isso há três anos?

— Eu aguento bem. As pústulas vêm e vão, e vinho e vinagre abrandam a dor. Consigo aguentar. — Um raro tremor entrou em sua voz. — Mas o que fazem ao meu rosto...

— Deixe-me ver.

— Não.

— É por isso que você trabalha à noite? Fica no escuro para que as pessoas não enxerguem as marcas ou o disfarce? — Estendi a mão e toquei de leve na máscara. — Deixe-me olhar para você, César. Não vou ficar impressionada. Não me force a olhar para uma máscara.

— Não! — ele repetiu, empurrando a minha mão.

A notícia da doença dele foi tão aflitiva que esqueci completamente a carta. O envelope escorregou pelo meu braço e caiu no chão aos pés dele. Antes que eu conseguisse recuperá-la, ele a agarrou. Seus olhos examinaram o envelope através das fendas na máscara.

— Ah, quase me esqueci disso! — falei com um risinho forçado. –Tenho que entregá-la ao portador antes que ele deixe o *Borgo*.

Os dedos dele amassaram a borda do envelope.

— É importante?

— Não, Afonso escreveu para os parentes para falar de uma viagem futura. — Parei e reuni um pouco de coragem. — É sim, parece que vamos viajar para as fontes térmicas. Vai ser agradável tirar umas férias da cidade.

— Eu não sabia disso.

— Foi uma surpresa para mim também. Só fiquei sabendo muito recentemente.

— Cuidado.

Meus olhos desceram para a adaga no cinto dele.

— Por que está dizendo isto?

Ele virou o envelope e passou o polegar pela cera rachada.

— O selo está quebrado. A carta não vai chegar intacta.

— Então vou levar de volta para casa e selar novamente.

Fiz menção de pegar a carta mas ele ergueu-a para fora do meu alcance.

— Não, você perderia o portador. Não podemos deixar que isto aconteça.

Ele foi até um castiçal sobre uma mesa próxima e segurou o selo acima da ponta da chama. A cera amoleceu enquanto ele apertava com firmeza a aba do envelope. Passou a carta para o alabardeiro mais próximo e latiu:

— Vá até o pátio. Encontre o portador e se certifique de que ele leve isto. Está entendido?

O alabardeiro fez uma continência, contente de receber tal tarefa. Fiquei olhando sem poder reagir enquanto ele descia apressado o corredor. Tentando esconder a minha frustração, agradeci:

— Obrigada, meu irmão. Isto foi muita bondade da sua parte.

— Por que você me apunhala com os olhos? Minha máscara não é tão horrorosa assim — ele disse.

— Não, nada disso... Apenas não se esqueça de uma coisa...

— De quê?

— Mesmo que você não me deixe ver, eu sei o que há sob ela.

Nós nos encaramos. Felizmente um secretário logo se aproximou de César e mencionou uma longa lista de compromissos marcados para aquela noite. Meu irmão hesitou, lançou-me um olhar penetrante e depois partiu, com seus alabardeiros marchando atrás.

Eu queria voltar depressa para o meu *palazzo*, correr para o lado de Afonso e adverti-lo dessa nova ameaça. Tínhamos que fugir de Roma naquela mesma noite. Ao contrário da ocasião anterior, eu não podia permitir que ele argumentasse contra essa decisão ou me convencesse a ficar. Desta vez, realmente precisávamos fugir.

A tristeza da nossa situação finalmente me atingiu. Sabia que, uma vez fugindo de Roma, não haveria como voltar. Papai e meu irmão jamais me perdoariam aquele ato de traição. Eu seria proscrita da família. Depois de perder minha mãe quando criança, depois de perder Juan para o Tibre, agora era obrigada a sofrer a

Veneno nas Veias

perda de Alexandre e César também. Esse pensamento me deixava entorpecida.

Tomei uma decisão rápida: antes de contar a Afonso ou fugir da cidade eu precisava me certificar de que a conspiração existia mesmo. Não havia lugar para erros ou dúvidas em uma atitude que mudaria a nossa vida. Não era justo para com o meu marido, a minha família e a mim mesma. Além disso, Afonso mostrava-se tão relutante em deixar Roma que eu sabia que ele iria diminuir a importância da carta e duvidar de qualquer perigo possível que ela nos trouxesse. Se eu queria mantê-lo a salvo, se eu queria o consentimento dele para fugirmos para Nápoles, então precisava encontrar alguma coisa que o convencesse inteiramente. Precisava de uma prova inegável do plano de meu irmão.

Logo me lembrei do pergaminho em branco com cheiro cítrico que eu havia encontrado no porão. Afonso havia demonstrado como tal pergaminho poderia conter uma escrita escondida. Se esse fosse o caso, certamente seria uma parte importante dos planos de César. Eu precisava voltar ao porão à noite e inspecioná-lo.

Infelizmente havia um problema nessa minha ideia. Eu não conseguiria me esgueirar para o quarto de César e roubar o chaveiro enquanto ele dormia. Seus alabardeiros agora vigiavam a porta de dia e de noite. Além disso, o meu irmão trabalhava em seu quarto durante a noite e só adormecia ao amanhecer. Como eu poderia roubar as chaves sem que me surpreendessem?

Andei pelos corredores do *Palazzo Apostolico*. Apenas um homem conhecia o suficiente da arte de enganar para me ajudar nesse caso: fui procurar o Embaixador Maquiavel.

XVI

Um Ladrão Imaginário

Conversando com alguns funcionários diplomáticos que ainda estavam dentro do Vaticano, descobri que seria pouco provável que Maquiavel estivesse em seus alojamentos em Roma. Em vez disso, para minha surpresa, fiquei sabendo que o embaixador florentino costumava passar suas noites na *Biblioteca Apostolica Vaticana* — os arquivos e a biblioteca papais — ocupado em algum tipo de pesquisa. Aparentemente estava escrevendo um livro. Imediatamente peguei um castiçal, desci as escadas para o primeiro andar do *palazzo*, abri duas portas colossais para passar e entrei na *Biblioteca*.

Uma paisagem sombreada e imensa de corredores feitos de estantes alteava-se acima de mim. A *Biblioteca* era uma das mais grandiosas de toda a Cristandade, cheia de milhares de pergaminhos gregos, textos latinos e códices hebreus. Durante as movimentadas horas do dia, estudiosos de todo o mundo iam até ali para pesquisar, mas àquela hora os bancos e as mesas estavam desertos. Depois de andar em ziguezague pelo aposento examinando os cantos escuros, finalmente descobri o embaixador sentado em um banco. Ele estava imerso em um círculo de luz de velas e inclinava-se sobre uma pilha de volumes antigos. Ao me ver, ele suspirou, levantou-se e fez uma mesura diminuta.

— O que quer de mim, *madonna*? Será que ninguém me deixa sozinho para escrever em paz?

— Isto não vai demorar. Só tenho algumas perguntas sobre o meu irmão. Vim procurá-lo, Embaixador, porque parece que o senhor sabe muita coisa do comportamento dele.

— Espero que sim. *Don* César é um dos assuntos do meu livro.

— É mesmo? Que é que o senhor está escrevendo?

Ele gemeu, fingindo estar contrariado.

— É um tratado sobre o poder político, as minhas observações sobre as cortes que visitei, e os defeitos e triunfos dos líderes. Meu livro oferecerá conselhos sobre a melhor maneira de dirigir um estado.

— Ser um líder virtuoso?

Ele deu um risinho zombeteiro.

— De jeito nenhum! A virtude é a última coisa de que um líder precisa para ter sucesso.

— Então o que é que o senhor aconselha?

— Crueldade, mentiras, medo, essas são a pedra fundamental da política. O seu irmão já sabe disso muito bem. Aliás, vou usá-lo como o exemplo perfeito de um governante moderno. O melhor dos melhores tiranos.

— O senhor não pode estar falando sério. Ninguém quer um tirano.

Ele deu um sorriso afetado.

— Bobagem, o seu irmão é um gênio! Você não sabe o que *Don* César fez na Romagna? Em uma cidade que ele conquistou, as ruas ficaram absolutamente caóticas com assassinatos e pilhagens. As pessoas tinham que ser açoitadas e executadas para restabelecer a lei. Mas o seu irmão fez isso ele mesmo? Não, ele mandou o magistrado--chefe fazer todas as tarefas desagradáveis. Uma vez feito isso, todos odiavam profundamente o magistrado, então *Don* César executou-o,

Veneno nas Veias

enforcou-o na janela superior do prédio do tribunal. Todos aplaudiram quando viram o corpo dele balançando no ar, e agradeceram ao seu irmão por ter livrado a cidade de um homem tão cruel. Não entende, *madonna*? Foi brilhante! Com esta única ação ele se tornou respeitado como um homem justo, e temido por ser forte e impiedoso. Ele batia nas pessoas com uma vara e eles o aplaudiam por isso. Se isto não é ser um gênio, eu não sei o que é!

— Lamento muito, mas o senhor não vai me convencer de que está certo tratar as pessoas como animais.

— Não precisa estar certo. A única preocupação de um governante é cuidar dos melhores interesses do estado, nada mais do que isso. Ele precisa estabelecer a ordem e abandonar a virtude quando for mais prático. — Ele enrubesceu e ergueu a mão com o indicador estendido. — *Madonna*, sabe o que está errado com o mundo? São as pessoas como a senhora: inteligentes, belas e fortes. Elas partem do princípio de que todas as outras pessoas possuem as mesmas virtudes que elas possuem. Se assim fosse, não precisaríamos de tiranos. Mas a realidade é que a maioria das pessoas são volúveis, falsas, covardes e cobiçosas, e querem alguém para lhes dar ordens. Se colocarmos o poder nas mãos delas, se tentarmos mostrar-lhes a facilidade com que seus líderes as manipulam e enganam, elas vão nos agradecer por isso? Não vão, não. Vão cuspir em nós, amaldiçoar-nos e nos expulsar da casa delas. Ninguém é enganado a não ser que queira ser. E elas querem. Estão confortáveis em sua servidão, e reclamam quando as livramos da opressão.

Durante todo esse discurso amargurado eu observei o fervor dos gestos dele, os olhos brilhantes, o dedo rasgando o ar. Senti pena dele e me perguntei quantas vezes ele havia tentado ajudar as pessoas com o seu conhecimento e seus conselhos, para acabar sendo rejeitado e desprezado.

Respondi em voz baixa:

— Debaixo de tudo isto existe alguma coisa muito boa no senhor, *Signor* Maquiavel. Pode estar zangado com as pessoas, mas na verdade não as odeia como finge fazer. Como um porco-espinho, o senhor tem os seus espinhos do lado de fora, mas acredito que por dentro existe uma criatura mais bondosa.

Ele balançou a cabeça, mas seus lábios não conseguiram reprimir um sorriso breve. Ele pensou que eu não tivesse percebido.

— De qualquer maneira, Embaixador, tenho algumas perguntas para lhe fazer sobre a segurança do meu irmão.

— Que são...?

Fiz uma pausa e escolhi cuidadosamente as palavras seguintes. Embora Maquiavel fosse conselheiro da minha corte, eu não tinha certeza de até que ponto podia confiar que ele guardaria meu segredo. Falei cautelosamente:

— Estou com medo de que algum inimigo possa invadir os aposentos dele, e gostaria de ter certeza de que ele está totalmente protegido de qualquer roubo. Teoricamente, devido ao nível atual de segurança de que ele dispõe, acha que é possível que um ladrão arrombe o quarto dele?

Maquiavel jogou os braços para o alto.

— Pelo amor dos céus, como eu poderia saber? Com todos os alabardeiros de vigia, imagino que existe uma chance muito pequena de que alguém se esgueire para os aposentos dele sem ser notado, e uma chance menor ainda de que essa pessoa seja capaz de roubar alguma coisa de valor. Essencialmente, *madonna*, não há chance alguma.

— Pense cuidadosamente — falei, assumindo uma expressão grave. — Se um ladrão estiver disposto a enfrentar os perigos necessários, quando os aposentos de César estariam mais vulneráveis a um roubo? Por exemplo, existe algum momento em que os alabardeiros se afastam da porta dele?

— Ainda estamos pensando teoricamente, certo?

— Claro que sim.

— Então a resposta é não. Existe sempre um vigia de plantão no lado de fora dos aposentos dele, dia e noite, sem interrupção. A

Veneno nas Veias

não ser que o nosso ladrão seja invisível, é impossível esgueirar-se pela entrada principal. — Ele se calou, e os cantos de sua boca estremeceram em um sorriso astuto. — No entanto, as portas para a sacada nos fundos do quarto dele são outra questão.

— Então essas portas não são vigiadas?

— Isto mesmo. É um grande omissão, na verdade. Afinal, o quarto dele fica a apenas dois andares do chão, a uma altura a que se pode trepar, e a sacada dá para os jardins do Vaticano, permitindo privacidade a qualquer pessoa que escale a parede. O nosso ladrão se sairia melhor tentando este método, não concorda? — Ele me encarou com um brilho nos olhos. — Por falar nisso, estou ficando bastante ligado ao nosso amigo imaginário. Vamos dar um nome a ele ou ela?

Não reagi ao sarcasmo dele.

— Quando seria o melhor momento para entrar no quarto? Meu irmão mantém um horário estranho. Seria possível à noite?

— À noite? Não sei... — Ele se pôs a andar pensativamente de um lado para o outro. — *Don* César tem um horário que torna isso difícil para qualquer ladrão. Seu irmão dorme às quatro ou cinco da manhã e acorda por volta das três da tarde. Se o nosso ladrão entrar no quarto durante o dia, enquanto *Don* César estiver dormindo, é provável que a tentativa seja percebida por guardas e criados do palácio. À noite é muito melhor, mas é quando *Don* César fica mais ativo em seus aposentos, de modo que qualquer tentativa noturna será também um grande desafio.

— Mas meu irmão não pode estar sempre presente em seu quarto. Tenho certeza de que ele tem coisas a fazer em outros lugares. Hoje à noite, por exemplo, o senhor sabe quais são os planos dele?

— *Madonna*, não sou o secretário pessoal dele, de modo que não sou informado de tais coisas. Quando falei com ele mais cedo, no entanto, ouvi menção a uma hora marcada com um alfaiate às três horas desta madrugada. Isso serve de alguma ajuda... teoricamente, é claro?

Dei-lhe as costas e me concentrei. A hora marcada com o alfaiate não tiraria meu irmão de seus aposentos. No entanto, eu sabia que César receberia o alfaiate em sua antessala, onde recebia todos os convidados, deixando o quarto desocupado. Enquanto ele estivesse distraído experimentando roupas novas, eu poderia subir para a sacada e revistar o quarto dele para pegar as chaves sem ser percebida. Aliás, enquanto experimentava os novos trajes ele não estaria usando o cinto com o chaveiro. A prova duraria por volta de meia-hora, talvez o suficiente para eu roubar as chaves, revistar o porão, descobrir os segredos do pergaminho e então retornar antes que o roubo fosse percebido. A estratégia era plena de obstáculos, mas certamente não era impossível.

Olhei para Maquiavel do que lado da mesa.

— Obrigada, Embaixador. Com sempre, a sua sabedoria foi muito útil. Nós identificamos uma falha crucial na segurança do meu irmão e vou cuidar para que ele corrija essa falha o mais rapidamente possível.

— Tenho certeza disso. — Ele olhou de relance para a pilha de manuscritos sobre o banco. — Agora posso voltar ao meu trabalho? Está ficando tarde, estou cansado e ainda há muito a pesquisar e escrever.

Dei-lhe um abraço rápido e mais uma vez agradeci-lhe carinhosamente pela ajuda. Por um momento ele sorriu e quase perdeu sua atitude espinhenta... Quase.

Quando cheguei de volta ao meu *palazzo*, evitei Afonso nas horas seguintes. Enquanto aguardava a melhor hora para agir, eu ansiava por estar outra vez perto de Rodrigo, então acendi uma vela e entrei no quarto da ama de leite para contemplá-lo dormindo em seu berço. As faixas mantinham-no pequeno, aquecido e apertado, como um adorável casulo, e fiquei pensando em que ele se transformaria nos anos à frente. Seria gentil e pacífico como o pai, ou ambicioso e forte como um fidalgo Bórgia? Seu futuro tinha tanto potencial, e eu rezei para que Afonso e eu pudéssemos viver o suficiente para vê-lo adulto.

Veneno nas Veias

Minha vela queimava-se aos poucos e as sombras no aposento cresciam à minha volta. Fiquei junto ao berço planejando como evitar os perigos à frente, pensando nos desafios de ser mais esperta do que o meu irmão, na melhor maneira de evitar ser flagrada. Logo chegaram as três horas.

XVII

O QUE ACONTECEU NO PORÃO

Saí de casa sem despertar Afonso do seu sono. Disfarçada com um manto, atravessei apressada os jardins do Vaticano, corri ao longo dos fundos do *Palazzo Apostolico* e parei sob a sacada do quarto de dormir de César. Acima de mim erguiam-se os andares do *Appartamento*, altos e imponentes. O quarto de Alexandre estava agora envolvo em escuridão, mas as janelas iluminadas de César formavam quadrados de luz de velas no gramado.

Com um passo muito mais lento do que o meu, Panthasilea veio apressada pela grama molhada de orvalho e aconchegou-se ao meu lado. Seu corpo estremecia enquanto ela recuperava o fôlego. Eu a trouxera comigo por segurança: César tinha uma legião de soldados para tomar conta dele, e eu tinha uma velha ofegante como vigia. Para a sua própria segurança eu a deixara na ignorância dos acontecimentos dessa noite, mas ela entendia que o meu esquema era importante e não criou qualquer objeção a me ajudar. Não muitos criados seguiriam sua senhora tão prontamente no meio da noite. Ao longo dos anos eu havia sempre confiado na amizade dela e em sua natureza zelosa, esforçada e confiável. Sentia-me sortuda por tê-la ao meu lado.

— Pegue isto — sussurrei, estendendo-lhe o meu manto. Por baixo eu usava apenas minha combinação de tecido fino. — Fique aqui embaixo e me avise se alguém se aproximar.

— Tome cuidado, *madonna* — ela respondeu.

Coloquei as mãos na parede mas não consegui encontrar algo para agarrar. Ao meu lado uma treliça de hera subia e passava ao lado da sacada de César. Arranhando meu pulso, enfiei a mão no interior da folhagem abundante, agarrei as traves da treliça de madeira e alcei-me para fora do chão.

Os ramos ásperos da hera rasgavam minha combinação, mas eu subi depressa até o quarto de César e passei por cima da balaustrada de pedra da sacada. Na ponta dos pés, aproximei-me das portas abertas e espiei para dentro do quarto.

A luz das velas brilhava no aposento, e vozes baixas murmuravam, no entanto nenhuma sombra se movia. Rondei furtivamente pelo quarto. No outro extremo as portas para a antessala estavam fechadas e vozes soavam do outro lado delas. Fiquei escutando um alfaiate ditar as medidas para seu aprendiz. Determinada a não deixar que César fosse mais esperto do que eu outra vez, esperei até ouvir a voz dele e saber que ele estava inteiramente ocupado.

As roupas do meu irmão estavam jogadas sobre a cama perto de mim. Revistei-as com mãos ágeis, quase tossindo por causa do cheiro de vinagre. Logo encontrei o cinto, retirei o chaveiro e me apressei a voltar para a balaustrada da sacada.

Tínhamos que andar depressa, pois César poderia terminar com o alfaiate a qualquer momento. Quase que antes de terminar a descida, saltar de volta ao gramado, agarrar as chaves na mão fechada e apontar o caminho para Panthasilea, estávamos atravessando o gramado em disparada e entrando no pátio da *Torre Bórgia*. Estaquei junto à porta do porão, recuperei o fôlego e esperei

Veneno nas Veias

que Panthasilea se juntasse a mim. Quando ela finalmente chegou, indiquei com um gesto a colunata no outro lado do pátio.

— Fique parada ali e vigie com atenção — cochichei. — Diga-me se perceber alguma coisa suspeita.

— Vou fazer o possível, *madonna* — ela respondeu.

— Você ainda tem a vela que lhe dei antes?

Ela tirou uma vela da manga, acendeu-a em uma tocha na parede vizinha, depois passou-a para mim com a mão trêmula:

— Que Deus a acompanhe.

Sem outra palavra ela manquejou pelas pedras irregulares do piso do pátio. Seu vulto magro e ossudo desapareceu na escuridão da colunata e parou entre dois pilares.

Quanto tempo já havíamos desperdiçado? Cinco minutos? Até mais? Destranquei a porta, esgueirei-me para dentro e desci apressada a pequena escada subterrânea. O ar mais frio bafejou minha pele. No final da escada ergui a vela na escuridão do porão. O que eu vi me espantou.

Na penumbra, aquela área tinha uma aparência muito diferente: em vez de ter entulhos espalhados em volta das colunas, estava limpa, clara e recém-varrida. Junto às paredes viam-se agora estantes de vinho com garrafas de vidro. No centro havia uma mesa retangular com quatro cadeiras, provavelmente usadas para testar o estoque. Procurei no porão a velha escrivaninha desgastada com os manuscritos sobre toxinas, as estantes de frascos de veneno, o pergaminho em branco com sua escrita oculta. Em todos os cantos só o que encontrei foram mais garrafas de vinho.

Teria aquele aposento sido abandonado como depósito de venenos? A última vez que eu visitara o lugar havia sido três anos antes. Talvez a minha intrusão tenha levado a minha família a encontrar um esconderijo mais seguro, mais distante. Eu teria realmente colocado em perigo Afonso, Panthasilea e eu própria apenas para penetrar em uma inútil adega subterrânea?

Fui até a mesa no centro do aposento. As pontas dos meus dedos atrapalharam-se com uma gaveta e o metal liso de uma tranca minúscula. Às pressas experimentei as chaves, abri a gaveta com um estalido e imaginei nada encontrar de interessante dentro dela. Em vez disso, dentro da gaveta estavam os livros sobre toxicologia que eu encontrara antes. Sob eles, em uma pilha arrumada, havia muitas folhas de pergaminho. Espalhei-as sobre o tampo da mesa: estavam todas em branco e todas cheiravam a cítrico. Um resultado!

Antes de inspecionar melhor o pergaminho, corri de volta escada acima e espiei para o pátio para ver como estava Panthasilea. A silhueta dela estava imóvel entre a colunata no extremo oposto do pátio. Aliviada, voltei para o porão, agarrei uma folha de pergaminho da mesa e aqueci-a sobre a minha vela.

Exatamente como Afonso havia demonstrado, uma escrita fantasmagórica emergiu lentamente da página vazia, as letras muito claras escurecendo até um marrom forte. Colunas de palavras desciam pelo pergaminho, formando algum tipo de lista. A caligrafia era de César:

Riario
Castile
Michiel
Calderon
Della Rovere
Sforza
Caetani
De Bilheres
Caprese
Chartres

As palavras pareciam ser títulos ou sobrenomes de dignitários de Roma. Reconheci instantaneamente alguns deles como inimigos da minha família. Por exemplo, "Della Rovere" provavelmente se referia a um importante cardeal que odiava meu pai. Em contraste, os nomes riscados combinavam com pessoas que haviam morrido recentemente: "Michiel", um cardeal que morrera de uma doença misteriosa depois de jantar no *Palazzo Apostolico*. "Calderon", um camareiro papal estrangulado por algum motivo desconhecido, sendo que o seu assassino jamais foi pego. "Caetani", um barão poderoso, encontrado morto nas masmorras do *Castel Sant'Angelo*, muito provavelmente por envenenamento.

Gradualmente entendi que aquela lista não era apenas um registro de mortes recentes. Era também um catálogo de inimigos e alvos em potencial, um registro de assassinatos bem-sucedidos, uma lista de execução!

Corri novamente escada acima para checar Panthasilea. Do outro lado do pátio a sua silhueta angular ainda era vista entre as colunas.

De volta dentro do porão, eu sabia o que precisava ser feito. Aqueci cada folha de pergaminho procurando o nome de Afonso. Em vez dele, para grande tristeza minha, uma lista tinha a palavra "*Gandia*" riscada. Era evidente que se referia a Juan, o Duque de Gandia. O pergaminho confirmou as minhas suspeitas mais profundas: César havia assassinado seu irmão mais novo.

Havia muito tempo eu suspeitava que ele era o assassino, mas meu horror ainda foi intenso. Sempre rezara para que outra pessoa fosse responsável, que César fosse inocente apesar de todas as acusações. Eu não podia mais defendê-lo. Ele merecia todas as ofensas contra o seu caráter. A vida do nosso irmão nada significava para ele. Os dois compartilhavam o mesmo sangue, o mesmo sobrenome, mas ele executara Juan como um criminoso comum. Maquiavel podia admirar sua implacável eficiência, suas táticas astutas, sua vontade imbatível, mas eu nada encontrava para admirar naquele ato egoísta, impiedoso. Muito antes de César ter começado a usar máscara eu havia perdido de vista o irmão que eu conhecera outrora.

E quanto ao meu pai? Estaria também implicado nesse crime terrível? Era pouco provável que ele aceitasse o assassinato do seu filho favorito. Certamente ele protegeu César depois, salvou-o da execução, mas que outra coisa ele poderia ter feito? A morte de César teria levado o seu último filho restante, o único homem na terra que levaria o nome dos Bórgia. Não havia escolha senão protegê-lo da lei. Podia até ser que papai tenha se sentido responsável por causar aquela morte. Afinal, ele havia fomentado o ódio entre meus irmãos dando tudo a Juan, elevando-o acima de César. Papai era culpado de ter fornecido a tentação do assassinato, se não de outra coisa.

Reprimi as lágrimas e continuei a verificar cada folha de pergaminho. O nome de Afonso ainda não havia aparecido na lista. No entanto, só procurei por ele sob o nome de Aragon. Ele era também Duque de Bisceglie e eu rapidamente folheei as primeiras folhas de novo, procurando esse título. Em uma folha de pergaminho li:

*Bisceglie**

Que significado poderia ter aquele asterisco ao lado do nome dele? Um sinal de que a morte estava iminente? Eu não queria ficar sabendo. Tinha que tirar Afonso de Roma imediatamente.

As horas! Eu havia passado tempo demais no porão!

Enxuguei as lágrimas, enfiei o pergaminho de volta na gaveta e tranquei-a. Subindo os degraus aos tropeços, escorreguei e caí de encontro a uma estante de vinhos, derrubando uma garrafa, que se espatifou a meus pés. Em vez de sair líquido da garrafa quebrada, uma nuvem de pó branco encheu o ar. Inclinei-me e inspecionei o pó atentamente: um fino pó branco com cheiro enjoativo. Lembrei-me da fórmula que encontrara certa vez para "cantarela", o veneno sem antídoto. Puxei algumas outras garrafas da estante. Elas eram pesadas demais pra conter vinho.

Maquiavel estava certo quando disse que César era um gênio. O porão ainda guardava os venenos como antes, só que agora meu irmão os havia disfarçado inteligentemente dentro de garrafas de vinho que ele escondera nas estantes — escondera bem à vista. Estremeci ao pensar em quantas daquelas garrafas continham veneno. A operação havia aumentado de tamanho dez vezes desde a minha última visita.

Subi depressa a escada e atravessei o pátio em disparada para ir ao encontro de Panthasilea. Ela não estava à vista e nenhuma silhueta esperava entre as colunas.

— Panthasilea, você está aí? — sussurrei, olhando para todos os lados do pátio.

Não houve resposta.

Minha vontade era de ir embora, mas sabia que precisava voltar ao porão e limpar os cacos da garrafa quebrada. Até aquele momento eu não deixara rastro. Se a minha invasão passasse despercebida durante alguns dias, César não teria motivo para se alarmar, e nós poderíamos ter tempo suficiente para fugir. Mas por que Panthasilea havia ido embora? Teria apenas se afastado dali? Talvez a idade dela a tornasse menos confiável do que eu havia imaginado...

Corri de volta ao porão e usei a borda da minha chinela para varrer o pó e a garrafa quebrada para debaixo da estante. Quando estava terminando ouvi passos acima, no pátio.

Panthasilea passou como um dardo pela porta do porão e fechou-a com força.

— Ajude-me, *madonna*! — ela bradou, descontrolada. — Ajude-me a manter a porta fechada!

Antes que eu pudesse perguntar o motivo, as vozes dos guardas ressoaram à porta. Subi os degraus num salto, ajudei-a a segurar a porta fechada e tranquei-a com as minhas chaves. Punhos esmurravam a porta. Pés chutavam a madeira.

— Quantos são? — perguntei.

— Não sei, *madonna*! Perdoe-me! Os homens de *Don* César vieram patrulhar o pátio e me mandaram sair. Voltei alguns minutos depois, mas eles me viram de novo e começaram a suspeitar. Eu não sabia o que fazer! Corri para o porão. Coloquei a senhora em perigo!

— Não entre em pânico, deixe-me pensar — falei, levando-a para as profundezas do porão. — A porta não vai segurá-los por muito tempo. — As batidas dos guardas trovejavam em meus ouvidos enquanto eu fazia um plano. — Este porão já foi um depósito de lenha. Provavelmente há uma rampa por onde esvaziavam as carroças de lenha diretamente aqui dentro. Venha, é por aqui!

Enganchei meu braço no dela e reboquei-a através da escuridão, estudando desesperadamente o alto das paredes em busca de uma abertura.

— Ali! — exclamei, apontando para um pontinho de luar.

Ela me segurou enquanto eu escalava a estante de vinhos mais próxima. Tateei para determinar o contorno das portas do alçapão e bati nelas com os punhos. As ferragens estavam enferrujadas com a falta de uso, e meus braços tremiam enquanto eu empurrava para cima e conseguia abrir inteiramente uma delas.

Estendi a mão para Panthasilea.

— Você sai primeiro. Vou empurrá-la!

— Não, eu não vou conseguir. Não tenho força suficiente. A senhora vai ter que me puxar depois que subir — ela respondeu.

Não havia tempo a perder discutindo. Saí pelo alçapão, arranhando as unhas e os tornozelos na pedra áspera, contorcendo-me até sair em uma trilha atrás do *Appartamento*. O clamor dos guardas ecoava do lado mais distante da torre. Inclinei-me para dentro do alçapão e estendi o braço para pegar a mão de Panthasilea. Ela não estendeu a dela.

— Por Deus, quer se apressar? Eles estão quase entrando! — exclamei.

Ela ficou imóvel e olhou para mim, a fisionomia calma.

— Vou ficar, *madonna*. Será mais seguro para a senhora se eu ficar e levar a culpa. Eles só viram a mim. Não sabem que a senhora está aqui.

— De que é que você está falando? Não posso deixar você. Me dê a mão, estou ordenando!

— Eles não vão machucar uma velha. Vou dizer que estava tentando roubar uma garrafa de vinho.

— Não... por favor... Ainda posso salvá-la.

— A senhora tem sido boa para mim, *madonna*. Pagou o enterro do meu falecido marido e vestiu meus quatro filhos. Nunca me bateu, sequer uma vez. Nem mesmo quando...

A porta do porão abriu-se violentamente. Botas pesadas socaram os degraus e os guardas mergulharam no porão. Panthasilea apontou de repente para as chaves na minha mão.

— O chaveiro, senhora, jogue para cá. Tenho que explicar como foi que entrei.

Joguei o chaveiro lá dentro e segurei a porta do alçapão.

— Feche agora, *madonna*, vejo a senhora em breve. — Sua voz fraquejou de medo.

Hesitei, depois fechei o alçapão silenciosamente. A demonstração de coragem dela deixou-me boquiaberta. Tinha vontade de ficar ali fora e adiar a separação, mas não podia esperar mais um minuto sequer. Tinha que voltar para Afonso.

XVIII

Escapamos... Por Pouco...

Quando retornei ao meu *palazzo*, imediatamente subi correndo a escada, disparei para dentro do nosso quarto e arranquei os lençóis de cima de Afonso, despertando-o de seu sono. Sem fôlego, expliquei tudo o que havia acontecido naquela noite.

Ele ficou zangado por eu ter adiado contar-lhe sobre a carta forjada. Quando narrei as minhas duas viagens ao porão, e descrevi como Panthasilea me havia salvo da captura, ele ficou tenso e tomou-me em seus braços.

— Por que não me disse antes? — quis saber.

— Lamento muito, mas eu sabia que você se recusaria a partir sem provas. Depois de ler o pergaminho, não há dúvidas agora de que meu irmão está planejando um ataque. Não podemos mais permanecer em Roma. Você concorda com isto, não concorda?

— Depois do que você me contou, como eu poderia recusar? — Ele esfregou a lateral da têmpora e apertou os olhos à luz fraca do aposento. — Só não espere que eu fique feliz com tudo isso, é só o que eu peço. Odeio o seu irmão por fazer isso, eu nada fiz que o ofendesse, nós não merecemos isto.

— Pelo menos nada aconteceu ainda. Devíamos arrumar alguns pertences agora mesmo e selar nossos cavalos. Vamos galopar para fora da cidade antes do amanhecer.

— Antes do amanhecer? — ele repetiu em tom de incredulidade.

— Mas ainda nem fizemos qualquer preparativo! Você me prometeu que iríamos planejar a nossa fuga, Lucrécia. Caso contrário, não será seguro tentar partir, você mesma concordou com isto, lembra-se?

Assenti solenemente.

— Mas eu não sabia que meu irmão ao retornar seria tão mau. Ele tem espiões por toda parte. Não teria sido prudente termos feito planos antes desta noite. Se César tivesse descoberto que estávamos nos preparando para fugir, as consequências teriam sido graves para nós dois.

— Muito bem, mais ainda precisamos fazer pelo menos alguns preparativos, não?

— Não. A coisa mais importante é nos afastarmos de Roma. Nada mais importa.

Ele ergueu os braços com força.

— Para onde iremos? Sabe que eu não quero ir para Nápoles, que vai ser invadido pela França, de modo que não é seguro. E como poderemos viajar para fora de Roma? Não temos proteção contra assassinos e ladrões, e não podemos cavalgar por tamanha distância sozinhos. Sem ajuda, não podemos sequer levar suprimentos conosco! Você e eu podemos passar bastante bem sem umas poucas refeições, mas Rodrigo não pode. Viajaríamos durante semanas! Que é que é que vamos fazer quando o nosso filho ficar com fome? São tantos problemas!

— Escute, já pensei sobre isto — respondi em tom firme. — Não precisamos ir para Nápoles. Os Aragon governam também a Espanha, de modo que poderíamos nos refugiar na corte espanhola.

— Na Espanha?

Veneno nas Veias

— Sim, e quanto a uma ajuda imediata, poderíamos apelar para a Casa de Colonna. Eles podem ser inimigos da minha família, mas são fortes aliados da sua. Tenho certeza de que nos dariam uma escolta armada para viajarmos. Podemos combinar tudo isto mais tarde, porém é essencial escaparmos enquanto ainda podemos. Não discuta comigo sobre isto, Afonso. Preciso do seu apoio.

Ele me encarou, surpreendido pelo meu tom. Sem responder, ele deu-me as costas e se pôs a andar de um lado para o outro diante da lareira fria, chutando um aglomerado de cinzas do lado de fora da grade da lareira. Tinha o rosto pálido e os lábios secos e ásperos. Durante alguns minutos não falamos.

Enquanto o observava, preocupava-me com o fato de que ele talvez não estivesse preparado para os obstáculos à frente. Mesmo naquele momento o amor dele por Roma, e o ódio a Nápoles, ainda o faziam negar o perigo que ele corria com César.

Uma brisa leve penetrou por debaixo da porta, balançou o cortinado da cama e vagou por entre as estatuetas sobre o aparador da lareira. Olhei de relance para um crucifixo de cristal e sonhei que o rosto de César me encarava na cruz. Era tudo culpa dele. Papai era velho e fraco demais para se opor a ele. Não era a família inteira que devia ser acusada de responsável pela nossa difícil situação, apenas meu irmão.

Aproximei-me de Afonso e olhei dentro dos olhos castanhos dele.

— Sei que isto é difícil para você, mas já não há lugar para meias medidas. Temos que sair de Roma ao nascer do sol, sim?

Afonso suspirou pesadamente e passou os dedos delicados na minha face. Antes que ele pudesse responder, ouviu-se um barulho vindo do corredor do lado de fora do nosso quarto de dormir — um sapato arrastando no mármore. Fui até a porta em um salto e abri-a de repente.

Um porteiro do *palazzo* estava parado junto à soleira. Ele deu um pulo, assustado pelo meu abrupto aparecimento.

— Estava escutando atrás da porta? — perguntei.

— Não, eu juro, *madonna* — ele respondeu em tom humilde. — Juro pela minha vida!

— Que é que você quer aqui?

— A senhora não pediu para saber qualquer notícia da criada Panthasilea?

— Sim.

— Então, perdoe-me, *madonna*, mas seria mais sábio a senhora se sentar.

Franzi a testa impacientemente.

— Que é que você sabe, *signore*?

— Chegou notícia da *Basilica di San Bartolomeu* na Ilha do Tibre. De vez em quando eles retiram cadáveres do rio. Dizem que acabaram de retirar o corpo de uma mulher velha, bem vestida, como uma dama de companhia do *palazzo*.

Olhei para ele sem vê-lo, olhando através dele, sem mais enxergar seu rosto. Em vez disso lembrei-me da última visão de Panthasilea no porão, o rosto marcado pelo medo, o corpo frágil engolido pela escuridão quando fechei a porta do alçapão.

— Não é ela, eu tenho certeza — respondi com hesitação.

— Claro que não, *madonna*.

Minha voz falhou.

— Ainda assim... Eu deveria ir até a ilha para confirmar...

— Vou informar-lhes prontamente, *madonna*.

Mandei o porteiro embora e voltei para dentro do quarto. Afonso me observava, temeroso de que eu fosse desmaiar. Sentamo-nos juntos na cama.

— Vou ficar bem — declarei. — Ela me disse que nos veríamos em breve. É provável que não seja ela no Tibre. Ela não sabia de coisa alguma. Eles não precisavam... Eu deixei-a na ignorância de tudo, para protegê-la...

Ele me enlaçou com o braço.

— Tenho certeza de que será um falso alarme, mas isto significa que não podemos fugir rapidamente agora, se você tiver que ir ver o cadáver.

Veneno nas Veias

Ele tinha razão, eu precisava realmente de algum tempo para ver o cadáver. Panthasilea era minha responsabilidade e eu gostava dela. Se o corpo não fosse dela, então eu tinha que descobrir onde ela estava sendo mantida prisioneira. Além disso, pareceria estranho se eu não fosse, e isso alertaria César sobre o nosso propósito. No entanto, a minha primeira obrigação era manter Afonso e Rodrigo longe de qualquer mal. Minha única opção era reunir os dois objetivos: fugiríamos de Roma naquele dia, diretamente depois de vermos o cadáver. A visita nos permitiria sair do *palazzo* sem despertar suspeitas, e a Ilha do Tibre ficava perto de uma pequena porta da cidade, possibilitando-nos sair discretamente de Roma.

Infelizmente havia um enorme problema com a nossa fuga — o próprio Afonso. Tínhamos que sair do *palazzo*, atravessar Roma e passar por um portão sem provocar alarme. Afonso era simplesmente aflito demais, com os nervos sensíveis demais, o rosto demasiado transparente, e as nossas intenções seriam facilmente detectadas pelos guardas. A fuga só daria certo se eu o mantivesse na ignorância de tudo. Para o próprio bem dele eu precisaria enganá-lo.

— Não podemos mais conversar aqui. César provavelmente tem uma dúzia de espiões entre a nossa criadagem — declarei. — Já que preciso ir à Ilha do Tibre para ver o cadáver, podemos discutir lá os nossos preparativos, bem distante de qualquer criado inquiridor. Isso nos dará a oportunidade de fazer planos antes de tentarmos fugir. Vamos adiar a fuga... mas só por um ou dois dias...

Ele fechou os olhos.

— Obrigado, Lucrécia, isto é tudo o que eu desejava ouvir.

Antes de sairmos, sugeri em tom casual que colocássemos roupas limpas, sabendo que aquela poderia ser a nossa última oportunidade por um longo tempo. No passado, eu raramente viajava para fora de Roma sem um longo cortejo de carruagens, uma latrina portátil, bacias para lavatório, além de comida e bebidas.

A recordação de peregrinos de aparência esgotada me avisava que a viagem seria árdua tanto para o corpo quanto para o espírito. Ainda assim, era mais fácil suportar uma estrada cheia de desconfortos do que ficar na cidade por mais um momento.

Afonso e eu logo fomos ao quarto da ama de leite. Sugeri que déssemos um passseio com o nosso filho enquanto tirava Rodrigo do berço, pegava uma garrafa de leite de peito e reunia uma muda de cobertas. Aquilo não duraria dois dias.

Lá fora no estábulo, uma luz azul nevoenta pairava sobre o ar matinal. O cheiro da palha irritou meu nariz e meus olhos. Uma vez tendo os cavalariços selado os nossos cavalos, trotamos na direção do portão principal que levava para a *Piazza San Pietro*. À nossa frente, dois homens da guarda pessoal de César postavam-se junto ao portão. Eles cruzaram suas alabardas, bloqueando o nosso caminho. Desmontei do cavalo, passei Rodrigo para Afonso e marchei na direção deles.

— Cavalheiros, vocês devem estar confusos — falei, as mãos nos quadris. — Isto aqui não é o Vaticano. Vocês não têm permissão para ficar de sentinela neste portão.

O alabardeiro mais alto abriu a boca, expondo uma fileira de dentes tortos e amarelos.

— Lamento, *madonna*. Nós tem ordem de vigiar aqui.

— Ordem de quem?

— Foi uma ordem papal direta. Do Duque de Valentinois.

Olhei de relance para Afonso. Ele parecia rígido na sela e eu fiquei aliviada por ele não saber que estávamos tentando fugir. Cheguei mais perto do alabardeiro e falei com frieza:

— Vocês podem ter ordens para ficar aqui, mas lhes falta autoridade para me impedir se eu quiser sair. Agora saiam da frente ou vou dizer ao Papa que vocês me insultaram e ele vai mandar chicoteá-los por ordem papal direta.

Nenhum dos alabardeiros se moveu. Era óbvio que eu os assustava muito menos do que César.

Veneno nas Veias

— Não podemos fazer como a senhora deseja, *madonna*. São ordens. Ordens é ordens. Não vamos deixar a senhora ir a parte alguma sem informar ao duque.

— Ele pediu para saber de todos os meus movimentos?

— É, infelizmente sim.

Calei-me e tentei uma nova abordagem, em tom mais suave:

— Tenho certeza de que ele confiou que vocês, homens preparados, saberão usar o seu raciocínio nesta questão. *Don* Afonso e eu estamos meramente indo visitar a Ilha de Tibre, a pouco mais de um quilômetro daqui. Não vale a pena incomodar o seu senhor por um assunto tão trivial. Estaremos de volta dentro de uma hora.

— Ainda assim nós tem que dizer ao duque. Se esperar aqui mesmo, vamos mandar avisar a ele. Se ele disser que sim a senhora pode ir.

— Mas seu senhor está dormindo! Vai ficar furioso se for perturbado. Você realmente ousa acordá-lo por uma questão tão tola?

O alabardeiro parou de escutar e mandou um mensageiro ao *Appartamento*.

Enquanto esperávamos o resultado, Afonso desmontou do cavalo e postou-se ao meu lado, segurando nosso filho no colo. Eu jamais imaginara aquilo: aparentemente nossa fuga havia fracassado antes mesmo de deixarmos a nossa casa. Fiquei observando os guardas com irritação, notando as letras prateadas de "*Caesar*" tecidas nas túnicas deles. Era uma palavra imponente. Pensei em meu próprio nome, na antiga lenda da qual ele derivava: uma donzela romana que se matara para não viver com a vergonha de ter sido estuprada.

O mensageiro logo retornou com notícias inesperadas: meu irmão havia saído da cama e vinha pessoalmente falar conosco. Afonso remexeu-se, temeroso.

— Droga, Lucrécia, eu não quero vê-lo! Não posso, depois do que você me contou — disse, mal mantendo a voz em um sussurro. — Vá você sozinha para a ilha e eu vou voltar para dentro do *palazzo*. Podemos conversar sobre os nossos planos em outra hora.

— Você vai ficar aí mesmo — falei, cruzando os braços com força. — Enquanto mantiver a sua ansiedade sob controle, nada vai acontecer. Você consegue. Tem que fazer isso.

— Por quê?

Não lhe dei resposta.

Logo além do muro do pátio, centenas de ferraduras ressoaram sobre as pedras do piso e os guardas correram para abrir o portão com a maior rapidez possível. César havia chegado.

Mesmo à meia-luz do amanhecer meu irmão tinha uma aparência impressionante com sua máscara e suas roupas negras. Montado em seu cavalo, ele entrou no pátio trotando e deixou sua escolta de alabardeiros na entrada. Ergui os olhos para ele no alto do cavalo, costas eretas, ombros largos. Os músculos dos flancos escuros do animal ondulavam, e seu pelo brilhava. Enquanto ele se aproximava, tomei a decisão de não demonstrar medo algum.

Ele desmontou e suas botas ressoaram no chão. Afonso ainda não havia visto a máscara de César — meu irmão havia começado a usá-la na noite anterior — e ficou boquiaberto com o espetáculo. Eu sorri com falsidade:

— Bom dia, irmão. Quanta gentileza sua vir nos visitar aqui no nosso *palazzo*... ou melhor, na nossa prisão.

— Você não está presa, simplesmente lhe emprestei alguns guardas — ele respondeu.

— Você decidiu tomar a seu cargo a nossa proteção?

— Eu não colocaria as coisas assim.

— Não sabia que já temos a nossa própria segurança?

— Não como esses homens. Foram escolhidos a dedo por sua lealdade e competência. Pode confiar sua segurança a eles. Sabem o que farei com eles se fracassarem.

— E durante quanto tempo seremos interrogados todas as vezes que quisermos sair de casa?

— É somente uma medida temporária.

— Então vai retirá-los logo?

— Quando eu decidir.

— Talvez, então, eles devam ser chamados de guardas temporários permanentes?

Ele não respondeu. Os alabardeiros do lado de fora do portão esperavam solenemente em seus cavalos, como figuras talhadas em pedra. Apontei para eles:

— Acho surpreendente ainda precisarmos de tantas precauções. A esta altura, todos os nossos inimigos deixaram Roma de uma maneira ou de outra, não é verdade?

— De modo algum. Ainda pode haver alguns ataques, mesmo em tempos de paz — ele respondeu, evitando cuidadosamente olhar para Afonso.

— Exatamente! Daí a razão para guardas temporários permanentes: para impedir ataques pacíficos.

Os olhos dele estreitaram-se sob a máscara quando ele olhou para mim.

— Sei por que você está aborrecida, irmã. Fiquei sabendo de Panthasilea.

— Já, tão cedo! Você deve estar muito próximo das fontes de informação sobre isso, não?

— Todos já sabem. Dizem que o corpo dela encalhou na Ilha do Tibre.

Olhei para meu irmão e tentei imaginá-lo matando Juan, e o Chefe de Polícia, e Panthasilea. Não consegui.

— Talvez o corpo não seja dela — César continuou, em tom mais baixo. — Mas se for, o destino dela é um aviso. Nenhum de nós está seguro. Por isso lhe dou os melhores homens que tenho.

Fiz uma carranca.

— Escute, César, queremos atravessar os portões. Podemos fazer isto ou não? Não temos condições de ter certeza sobre Panthasilea até eu chegar à ilha.

Ele fez um aceno para seus alabardeiros. Um pequeno grupo de homens separou-se da massa e entrou no pátio cavalgando a passo.

— Leve um destacamento da minha guarda.

Meu coração apertou-se. A cada minuto as nossas chances de fuga pareciam cada vez mais desanimadoras.

— Não podemos sair do *palazzo* nem por pouco tempo, para fazer algo útil?

— Vá aonde quiser, mas leve os meus homens, eu insisto. Leve-os ou permaneça dentro dessas paredes. A escolha é sua, irmã.

— Não é uma escolha — comentei, desviando os olhos.

O bebê começou a chorar, cada vez mais inquieto no colo de Afonso. César então focalizou sua atenção neles, deixando a mão cair para perto do punho da espada que pendia do seu cinto. Afonso não conseguia ficar parado. Parecia estar tão incomodado quanto Rodrigo.

— Está levando a criança para ver um cadáver? Isto é sensato? — César perguntou. Sua voz estava novamente cortante.

Afonso ficou paralisado e não conseguiu responder. César o encarou.

— Você está nervoso com alguma coisa, *Don* Afonso? Parece nervoso.

— Eu... eu não sinto prazer... na ideia de ver um morto — Afonso desabafou.

— Então fique aqui. Lucrécia tem os meus homens para apoiá-la. Fique no *palazzo* com Rodrigo.

— Bem... não sei... Não tenho certeza... — Sua vontade sucumbiu sob o peso do olhar fixo de César. — Talvez seu irmão tenha razão, Lucrécia. Prefiro ficar e manter Rodrigo em segurança do que arriscar a saúde dele na ilha.

Eu começava a ver o problema em não ter contado para Afonso que estávamos fugindo. Todos voltaram o olhar para mim, à espera da minha resposta.

Lenta e deliberadamente respondi:

— Concordo, Afonso. É muito egoísmo da minha parte querer o seu apoio em uma época de crise. Só porque meu coração

Veneno nas Veias

ameaça partir-se de dor e sofrimento, por que você deveria ser forçado a me confortar? É melhor para o bebê que você fique. Afinal, eu ia obrigá-lo a dançar por cima do cadáver até ele pegar uma doença fatal. — Voltei-me para César com um olhar furioso. — Que foi que disse, meu irmão?

— Eu não disse coisa alguma — ele respondeu, espantado.

— Desculpe-me, pensei que você tivesse se desculpando por tornar este dia ainda mais desagradável do que precisava ser. Engano meu.

Afonso e César trocaram um olhar de mútuo desconforto e constrangimento. Afonso baixou a cabeça, dizendo:

— Desculpe-me, Lucrécia, eu não pretendia perturbá-la. É claro que vou com você.

— Sim, foi só uma sugestão — disse César.

Com ar arrependido meu irmão girou nos calcanhares, trouxe o meu cavalo e usou seus braços fortes para me ajudar a montar. Afonso logo me acompanhou em seu cavalo, com Rodrigo novamente acomodado em seus braços.

Finalmente, depois dessa batalha tão exaustiva, saímos do pátio e cavalgamos em direção a Roma. Um esquadrão de alabardeiros nos seguia a curta distância.

— Finalmente... — murmurei com alívio enquanto deixávamos o *palazzo* para trás.

Até aquele momento a nossa fuga tinha saído tão mal que isso se tornava um pequeno conforto para mim. Acreditava que as coisas não poderia ficar piores.

XIX

O Cadáver

A Ilha do Tibre fica na curva meridional do rio, a pouco mais de um quilômetro do nosso *palazzo*. Com cerca de 300 metros de comprimento, ela engordava no centro e afinava em cada ponta, parecendo um estranho formato de barco na água. Enquanto atravessávamos a ponte para a margem oposta, raios de sol queimavam a camada de nuvem matinal e o dia ficava quente. Acompanhados por dez alabardeiros, Afonso e eu atravessamos e cavalgamos direto para a *Basilica di San Bartolomeo*, uma igreja famosa por suas fontes de água medicinal. Desmontamos dos cavalos à entrada e eu ordenei que os dez alabardeiros ficassem de fora esperando. Quase todos obedeceram, apenas dois nos seguiram para ver o corpo.

Um padre nos recebeu gravemente e seguiu na frente em direção a uma área improvisada atrás da igreja. Em meio a filas de camas de campanha sob um toldo verde, alguns monges cuidavam de pessoas doentes com as águas das fontes medicinais. Estendi o olhar para o extremo oposto: vários corpos estavam cobertos com lençóis brancos.

— Mantenha Rodrigo bem embrulhado. Proteja-o o melhor que puder — instrui Afonso.

Afonso segurou o bebê com segurança e ficou distante da área. Deixei-os com os dois alabardeiros e segui o padre em direção aos corpos. À medida que me aproximava dos cadáveres sentia uma relutância em olhar para fosse quem fosse aquela pobre alma que jazia sob o lençol. Esperava que não fosse ela, rezava para que não fosse ela.

O padre inclinou-se sobre um corpo e puxou o lençol.

Era Panthasilea.

Seus cabelos grisalhos despenteados ainda pareciam úmidos do rio, o vestido estava encharcado de lama e grumos de terra manchavam-lhe o pescoço e as faces. A exposição à água fria tornara frígida a sua pele, e lábios e pálpebras tinham matizes de roxo. Marcas vermelhas cobriam os seus pulsos — assaduras da corda no lugar em que suas mãos foram amarradas.

Inclinei a cabeça e fiz uma prece silenciosa pela alma dela. Na última vez em que eu a vira, ela fora tão corajosa, tão zelosa. Eu não conseguia compreender por que ela havia feito um sacrifício tão grande por mim. Eu não merecia tamanha devoção. Nossos papéis deveriam ser trocados: eu deveria ter ficado no porão, não Panthasilea; eu deveria ser aquela que jazia sob o lençol, não ela. Sentia-me culpada por estar parada ali, simplesmente por estar viva, como se não tivesse o direito de respirar mais uma vez. Meu Deus, quanta dor ela teria suportado nos momentos finais? Dor demais, eu temia, totalmente demais. E quem seria o próximo a sofrer aquele destino horrível? Afonso, Rodrigo ou eu mesma? Não podia deixar isto acontecer.

O padre logo entrou na *Basilica* para anotar meus desejos para o enterro. Enquanto ele estava distante eu deixei os cadáveres e voltei para o lado de Afonso. Ele estava parado junto a um muro baixo ao longo da margem e abrigava Rodrigo nos braços. Próximo dali os dois alabardeiros conversavam perto da porta dos fundos da igreja, obviamente entediados. Seus olhos varriam distraidamente o rio marrom-acinzentado lá embaixo.

— Era ela, não era? –Afonso quis saber. — Sinto muito.

Assenti melancolicamente e cochichei:

— Afonso, preciso lhe dizer uma coisa. Prometa-me que vai ser discreto. Não deixe de olhar para a frente e fale com carinho, como se estivesse me consolando.

— Por quê?

— Eu não podia lhe contar antes de deixarmos o *palazzo*, para que você não deixasse perceber.

— Deixasse perceber o quê? Lucrécia, se você não quer que eu entre em pânico, ande depressa, diga logo.

— Vamos fugir.

Ele ficou imóvel.

— Quando?

— Neste instante. Não vim até aqui somente para identificar o cadáver, mas também porque a ilha fica perto da *Porta San Paolo*, o portão menos movimentado de Roma, com menos sentinelas. Se há alguma chance de deixar a cidade sem sermos percebidos, é através da *San Paolo*.

— Então você mentiu?

— Sim.

Os olhos dele se arregalaram.

— Você nunca teve a intenção de esperar, ou de fazer planos, simplesmente me enganou para fazer do jeito que queria?

— Fale baixo. Se eu lhe contasse a verdade, a sua ansiedade teria despertado suspeitas. Não poderíamos partir do *palazzo* sem problemas. Mesmo com a mentira, você quase não passou pelo meu irmão. — Respirei fundo e permaneci calma, certificando-me de que não chamávamos a atenção dos alabardeiros. — Não podemos adiar isto, Afonso. Você concordou que temos que partir. Eu simplesmente acelerei as coisas, só isto. Não há tempo para planos ou mais discussões. Você viu o que aconteceu a Panthasilea. Podemos não ter outra chance de ir.

Ele hesitou, aceitando a ideia aos poucos. Com voz contraída e rouca ele respondeu:

— Se vamos fugir, o que vai fazer com os alabardeiros?

— Vamos nos perder deles antes de chegarmos à porta. Enquanto atravessávamos a ponte percebi um pequeno bote ancorando na ponta meridional da ilha. Ele transporta pessoas doentes entre a cidade e a *Basilica*, e a viagem de volta deve ser por agora.

— Olhei de relance para os guardas. — Segure Rodrigo o mais firme possível. Quando eu der o sinal, salte por cima do muro e mantenha-se abaixado do outro lado para ficar fora de vista. Daí vamos nos esgueirar até o bote.

Ele concordou com relutância e fiquei vigiando os alabardeiros, esperando um momento mais prolongado de falta de atenção deles. Logo à frente, rio acima, um grupo de lavadeiras chegou ruidosamente à margem do rio, levando cestas entre o braço e o quadril. A mais jovem tinha curvas roliças, e quando ela se inclinou para molhar a roupa suja no rio seus seios incharam no alto do corpete. Graças a Deus um dos guardas percebeu e alertou o amigo. Os dois ficaram a admirá-la e nos deram as costas.

Cutuquei Afonso nas costelas.

— Agora!

Pulamos o murinho para o outro lado, nos agachamos e nos afastamos da *Basilica* o mais depressa que conseguíamos, e logo viramos a esquina da *Basilica*, fora de vista, em segurança.

À frente, na ponta meridional da ilha, o barqueiro se preparava para começar a remar. Gesticulei freneticamente para que ele parasse. Afonso segurava o bebê junto ao peito enquanto corríamos pelas margens lamacentas e subíamos para o barco. O barqueiro fez uma mesura preguiçosa, sem nada dizer. Ele tinha as bochechas vermelhas e seu hálito fedia a cerveja.

— *Signore* — chamei, balançando minha bolsa. — Aqui estão dez ducados se o senhor nos levar ao *rione* de Ripa em menos de dez minutos.

Veneno nas Veias

A quantia deixou-o sóbrio de imediato. Ele se afastou da margem, enfiou os remos na água e o barco deslizou velozmente, afastando-se da ilha. Logo ficamos à vista dos alabardeiros que haviam permanecido esperando na entrada da *Basilica*. Um deles tocou sua corneta e o resto se alvoroçou: alguns berravam ordens, outros gritavam conosco e outros saltaram sobre seus cavalos e atravessaram a ponte a galope.

Eu me encolhi com Afonso e o bebê, e gritei para o barqueiro:

— Reme mais depressa!

Felizmente os guardas dispararam Trastevere adentro e desapareceram entre as altas residências. Aquela era a margem do rio mais distante da *Porta San Paolo* e não havia ponte rio abaixo. Quando eles percebessem nossa intenção, seriam obrigados a retornar à ilha para atravessar para o outro lado. A essas alturas estaríamos em segurança fora da porta da cidade.

Em Ripa ancoramos em um pequeno píer de madeira e agradeci ao barqueiro, pagando-lhe os dez ducados. Afonso e eu então saímos apressados caminhando através do labirinto de residências e lojas nas encostas do Monte Aventino. Acima de nós, oliveiras coroavam o topo do morro, e moitas de tomilho, lavanda e alecrim temperavam as avenidas pelas quais passávamos correndo. Chegamos aos fundos de uma oficina de tecelões, fazendo uma breve pausa para recuperarmos o fôlego.

Afonso grunhiu e esfregou as costas com a mão.

— Cristo, por que Rodrigo é tão pesado? É como carregar por aí um bloco de mármore!

— Deixe-me carregá-lo. De qualquer maneira, está na hora de mamar.

Ele ficou observando enquanto eu dava ao bebê um pouco de leite de peito de uma mamadeira.

— Você sabe onde estamos, espero. Mesmo depois de três anos ainda não conheço esta cidade, muito menos essas regiões — disse.

Sem lhe dar resposta, prestei atenção a um som distante de pequenas batidas. O som desapareceu mas logo voltou, dessa vez forte e regular. Afonso abriu a boca para falar, mas calei-o com um gesto.

Tap... Tap... Tap...

O som moveu-se em nossa direção vindo do rio. No momento seguinte, um velho dobrou a esquina mancando; a cada passo ele enfiava a ponta do seu bastão na terra. Caminhava apoiando-se pesadamente no bastão, os ombros curvados. Usava roupas de lã grandes demais para seus membros mirrados e um chapéu de aba larga dobrava-se sobre o seu rosto, obscurecendo suas feições. Ele parecia um peregrino e segurava na mão um pequeno livro cor de terra: presumivelmente a sua Bíblia. Ele avançou coxeando e desapareceu depois da loja seguinte. Para minha surpresa, o ruído do bastão não diminuiu à medida que ele se afastava, mas parou de repente depois que ele virou a esquina, suspeitosamente perto.

— Que estranho, acho que vi este peregrino antes, quando atravessamos Trastevere para chegar à ilha — Afonso comentou.

— Tem certeza? — respondi.

— Sim, prestei atenção nele porque ele escreveu alguma coisa em seu livro quando passamos.

— Então não é uma Bíblia. — Mantive os olhos fixos na esquina em frente. — Não gosto disso. Não sei quem ele é não quero descobrir. — Acabei de alimentar o menino e devolvi-o a Afonso. — Depressa, vamos continuar para a porta.

XX

Prisioneiros da Cidade

O sol fazia das ruas uma fornalha enquanto caminhávamos apressados para o sul atravessando Ripa. Eu apertava os olhos para enxergar na claridade ofuscante e tinha os lábios rachados e doloridos. Apesar da temperatura sufocante, não era apenas o calor que me incomodava naquele momento: enquanto fazíamos esforços para nos aproximar da porta, um novo conjunto de sentimentos cresciam dentro de mim. Embora eu estivesse amedrontada demais para permanecer na presença de Alexandre e César, temia ao mesmo tempo nunca mais vê-los outra vez. Nos últimos vinte anos a minha família havia sido parte de mim, meu sangue, e dali a poucos minutos eu terminaria a nossa relação, talvez para sempre. Era necessário fugir de Roma, mas ao mesmo tempo era também doloroso abandonar meu pai e meu irmão, encerrar minhas lembranças em uma sepultura, enterrar uma parte de mim no chão que deixávamos para trás.

Pus-me a caminhar mais depressa ao lado de Afonso, decidida a ignorar as minhas emoções. Logo as Muralhas Aurelianas perto da

Porta me fitaram de relance entre as construções. Seus blocos de pedra gigantescos e agourentos sobressaíam acima dos telhados. O mundo começou a voar à minha volta como se nos movêssemos a uma velocidade incrível — o clarão do sol em uma vidraça, uma porta se fechando com força, carroças passando rangendo, o gosto da poeira em minha boca, o fedor de esterco e alecrim, o verde das oliveiras, tudo isso misturava-se em uma mancha desorientadora, no entanto eu me recusava a diminuir o passo.

Na rua seguinte a *Porta San Paolo* ergueu-se inteiramente à vista. A porta parecia uma fenda minúscula nas paredes, e torres gêmeas com ameias no topo flanqueavam a abertura. Precisávamos apenas caminhar até a rua pavimentada e segui-la através da abertura. Afonso olhava fixamente para além dela, para os campos de capins compridos estendendo-se até o horizonte. Meus olhos, no entanto, dardejavam para o posto de sentinelas ao lado da porta. Um rapaz chegou cavalgando sua mula para deixar a cidade e três guardas saíram da estação para inspecionar os documentos dele. Cada guarda segurava na mão uma alabarda, em lugar da lança de costume, e letras prateadas cintilavam em seus peitos. Essa visão me fez estremecer.

Arrastei Afonso para longe da rua, de volta à sombra de uma casa vizinha.

— Você não viu? Os alabardeiros pessoais de César! — falei, apontando para o portão. — Não há esperanças de passar se eles estiverem de plantão. Os guardas comuns podem ser subornados, mas esses, não.

— Como será que chegaram na nossa frente? — ele quis saber;

— Talvez não tenham feito isto. Talvez já estivessem aí. César deve ter posicionado seus próprios homens na *Porta San Paolo*. Não apenas ele tem sentinelas no nosso *palazzo*, precisa também controlar a segurança da cidade inteira. Seus alabardeiros estarão em todas as portas de Roma.

— Ele colocou seus homens em toda parte só para nos impedir de fugir?

Veneno nas Veias

— Não, tenho certeza de que ele tem também objetivos maiores do que isto. Desta maneira, nenhuma pessoa pode entrar ou sair da cidade sem o conhecimento dele. Controlando as portas ele controla Roma.

— Bem, ele não vai me controlar! — Afonso mudou a posição de Rodrigo em seus braços doloridos pelo peso da criança. — Que é que devemos fazer? Qual é a melhor porta para tentarmos, se não for esta?

— Não sei... Pode ser que não haja outra porta para tentarmos...

O rosto dele ficou muito vermelho.

— Então estamos encurralados!

— Eu não disse isso...

— Estamos, sim, posso ver no seu rosto! Somos prisioneiros! Foi por isso que eu queria fazer planos, para não corrermos este risco, para não sermos pegos! Agora não há solução para nós.

Balancei a cabeça.

— Não fique em pânico, Afonso, e seja racional. Dê-me algum tempo para pensar.

De repente três alabardeiros da *Basilica* galoparam pela rua calçada em direção à porta. Obviamente o grupo de dez havia se separado em unidades que agora estavam vasculhando o *rioni* e as portas da cidade. Por sorte, em sua perseguição eles não nos viram no isolamento da sombra da casa. Antes que pudessem descobrir nossa localização, demos meia-volta com a maior naturalidade possível e recuamos para dentro de Ripa.

Ofegando e gemendo no ar mormacento, subimos dois lances de escada entre duas casas e encontramos uma escadaria remota. Sob a sombra cheirando a frio de um pinheiro estacamos e ficamos tentando atentamente ouvir o som de cascos de cavalos. Rodrigo chorava e se contorcia, então sentei-me nos degraus e pus-me a brincar com ele em meus joelhos. Afonso andava de um lado para o outro com expressão agitada.

— Por que isto está acontecendo conosco? — ele bradou, jogando os braços para cima. — Não é justo que sejamos perseguidos para fora de Roma! A minha família é cheia de conspiradores, mas nunca fiz qualquer coisa que prejudicasse alguém. E eu, as minhas atitudes, não fazem diferença? Por que eu deveria ser caçado por causa do nome que carrego? Deus, eu queria que não existisse essas coisas de casa Aragon ou Bórgia!

Virei meu rosto.

— Afonso... não diga isto...

— Por que não? Depois de tudo o que aconteceu, você não sente a mesma coisa, mesmo que só um pouquinho? — Ele olhou para mim, depois deixou-se cair sentado no degrau, como se de repente estivesse esgotado. — Como ainda pode amar a sua família quando eles assassinaram Juan, Panthasilea e muitos outros? Não tem importância que sejam vão tiolentos?

— Você quis dizer tão violentos?

— Todos os dois jeitos servem.

Respirei fundo o ar quente e parei de brincar com Rodrigo.

— Sei que deveria desprezá-los pelo que fazem, mas sempre serei uma Bórgia, não importa o que acontecer. Não deixe que os crimes de César manchem todos nós. Meu irmão não representa a família inteira. E quanto ao meu pai, pode ser que ele tenha algo escuro em seu passado, algumas pessoas dizem que ele chegou ao trono papal através de subornos, no entanto isto não é pior do que outros homens poderosos. Ainda acredito na honra da minha família.

— Eu não. Só acredito em você. — Ele fez uma pausa e então enlaçou-me com o braço. — Que é que devemos fazer agora? A nossa situação é realmente tão desesperadora?

— Pelo que vejo, só temos três escolhas. Poderíamos tentar passar pela porta hoje, usando algum disfarce desesperado para enganar os alabardeiros, ou nos escondendo na carroça de um fazendeiro. No entanto, os guardas agora estão nos procurando, de modo que perdemos a vantagem da surpresa. Essa tentativa seria imprudente e provavelmente fracassaria.

Veneno nas Véias

— E a escolha seguinte?

— Continuamos escondidos na cidade, encontramos um esconderijo e tentamos entrar em contato com os seus aliados para pedir ajuda. Isto também seria difícil. Já que nós dois somos bem conhecidos aqui, haverá poucos lugares para nos escondermos sem sermos notados. E como os que apoiam você já deixaram Roma, vamos demorar para entrar em contato com os seus aliados fora da cidade. Enquanto isso, César e seus homens estarão nos caçando, revistando cada casa até encontrar nosso esconderijo.

— Esta também não parece ser uma ideia muito boa.

— A última escolha, a mais perigosa de todas: poderíamos tentar voltar para o nosso *palazzo*. Poderíamos fingir para a família que nada está errado, criar uma aparência de vida como sempre foi, e enquanto isso usar todos os recursos à nossa disposição para preparar direito a nossa fuga. Naturalmente há um problema óbvio: não sabemos quando vão tentar atacar você. Presumivelmente, meu irmão tem uma tática em mente para o ataque, algum método discreto que permitirá que a minha família se mantenha distante do crime. Esse plano poderia estar preparado para ocorrer daqui a algumas semanas ou daqui a algumas horas, mas isso é impossível adivinhar. Pelo que sabemos, você poderia estar voltando para ser massacrado.

— Talvez. No entanto, e se... E se eu decidir correr o risco? Vamos fingir por um momento que voltaremos. Como explicaríamos ter fugido dos alabardeiros esta manhã?

— Poderíamos dizer que eu queria apenas ficar sozinha um pouco, já que estava abalada pela morte de Panthasilea. Se César acreditar que ainda não sabemos da conspiração dele, e que não estamos tentando fugir, então ele não terá motivo para agir logo. Tudo o que ele pegou foi Panthasilea no porão, portanto ele pode pensar que não conhecemos os seus planos mais recentes. E mesmo se ele suspeitar disso, o nosso retorno só irá confundi-lo e convencê-lo da nossa ignorância.

— Ótimo, mas o que poderíamos fazer quando estivermos de volta?

— Com mais tempo, poderíamos encontrar alguém de confiança que esteja saindo da cidade a trabalho e empregá-lo para entregar um bilhete aos seus aliados, provavelmente os Colonna. Os Colonna poderiam então providenciar uma escolta através do país e preparar um refúgio escondido. No entanto, os alabardeiros ainda são um problema, mas talvez possamos contratar alguns malandros para criar um distúrbio em uma porta e fazer com que os guardas sejam temporariamente despedidos por motivo de incompetência. Se fizermos isto na hora certa, os guardas podem ficar envolvidos por tempo suficiente para nos deixar escapar.

Os olhos dele brilharam, e ele fechou as mãos em punhos.

— Sabe a minha escolha neste assunto, Lucrécia, era isto que eu queria fazer o tempo todo!

— Sim, e eu ainda não gosto desta escolha. Não podemos voltar se não soubermos quando ele atacará. Qualquer outra coisa pode ser um suicídio. Temos que saber quando o ataque vai acontecer. E como não consigo encontrar uma maneira óbvia de fazer isso, temo que seja preciso escolhermos uma das outras opções, por mais desagradáveis que sejam...

Ele fez uma carranca de frustração, mas não discutiu. Em silêncio ficamos sentados nos degraus, com nosso espírito desanimado e nossa força física esvaindo-se rapidamente no calor. Antes que um de nós pudesse falar de novo, um som ao pé do morro nos distraiu.

Tap... Tap... Tap...

O ruído familiar chegou mais perto, erguendo-se lentamente a partir de uma escadaria oculta entre as casas abaixo. Voltei-me para Afonso:

— O velho peregrino! Ele deve ter adivinhado que iríamos para a *Porta San Paolo*. Esteve nos observando o tempo todo. Deve ser um dos espiões de César!

— Um espião não muito bom, com todo esse barulho. Podemos ouvi-lo a quilômetros de distância!

Veneno nas Veias

— Vamos, não podemos mais conversar aqui.

Afonso mais uma vez pegou Rodrigo no colo. Saímos correndo, nos desviamos da escada e corremos por uma trilha ondulante que descia a encosta do morro. Para confundir nosso perseguidor, de repente saímos da trilha e entramos num bosque de pinheiros e moitas de sálvia, atravessamos o bosque e chegamos de volta às ruas perto do rio.

Aquela explosão de velocidade exauriu nós dois. Nem mesmo um rapaz conseguiria nos seguir sem esforço, quanto mais um peregrino velho e fraco. Escapamos da ferocidade do sol atravessando a rua e buscando abrigo sob o toldo esfarrapado de uma barraca. Ela vendia caixotes de azeitonas e nós fingimos estar interessados enquanto recuperávamos o fôlego. No momento seguinte levamos um susto.

Tap...Tap...Tap...

Rapidamente formulei um plano novo.

— Fique aqui, Afonso. Continue falando como se eu ainda estivesse com você.

Sem mais explicações tirei os chinelos para que meus passos não fizessem barulho, depois corri rua acima de pés descalços. Prendendo a respiração, fui pé ante pé até a esquina da casa e saltei para dentro do beco, ficando cara a cara com o peregrino.

Ele escrevia freneticamente em seu caderno com um lápis, copiando cada palavra que Afonso dizia na barraca. Meu aparecimento deixou-o atordoado e ele ergueu os olhos. Não era velho — a sujeira e algumas rugas pintadas disfarçavam um rosto redondo e jovem. Ele era mais jovem do que eu!

— Como ousa nos espionar? Entregue-me este caderno! — falei com severidade.

Ele entrou em pânico, mas antes que pudesse dar meia-volta e correr arranquei o caderno dos dedos dele. Ele tentou tomá-lo de volta das minhas mãos mas não deixei.

Afonso ouviu os meus gritos e surgiu na esquina, o menino em uma das mãos e uma adaga na outra. O espião recuou imediatamente e escapou pela rua, quase colidindo com uma carroça que carregava molhos de erva-doce. Uma das rodas da carroça golpeou a perna direita dele e o cocheiro desviou em meio a palavrões em voz alta. O espião seguiu em frente mancando, o mais rapidamente que o seu tornozelo ferido permitia.

— Ele não feriu você? — Afonso perguntou, ofegando pesadamente.

— Não se preocupe, estou bem — respondi.

Observamos o espião mancar dolorosamente em direção à porta da cidade, apoiando-se em seu cajado, dessa vez parecendo realmente um peregrino velho. Afonso não guardou a adaga.

— Não devíamos segurá-lo? Ele pode tentar avisar César!

— Não, ele não ousaria fazer isso. Se der valor à própria vida, ele vai fugir da cidade com a maior urgência possível. É a única coisa sensata a fazer depois de falhar com meu irmão.

O espião logo desapareceu e nós baixamos os olhos para o caderno em minhas mãos. A capa estava encardida e a lombada estalou quando o abri. Enquanto Afonso espiava por cima do meu ombro, folheei as páginas, lendo as séries de pequenas anotações. O conteúdo que encontramos deixou-nos ambos chocados.

XXI

O Caderno de um Espião

Começamos pela última anotação do caderno e fomos virando as páginas em direção às primeiras observações. A caligrafia era pequena, limpa e precisa. Parecia que o espião havia nos vigiado durante menos de 24 horas, e a maior parte do caderno estava vazia. Mesmo assim, ele havia anotado uma quantidade impressionante de informações a respeito dos nossos movimentos, inclusive os horários, os locais, as pessoas que encontramos, nossos comportamentos básicos e nossos estados de espírito visíveis.

O espião começara a nos seguir assim que deixamos o nosso *palazzo*. Ele havia nos acompanhado em nossa jornada através do Trastevere, observado nossa fuga da Ilha do Tibre e nos seguido de rua a rua em Ripa. Particularmente ele anotou nosso comportamento agitado perto da *Porta San Paolo*. Em vários momentos, apesar do ruído do seu cajado, ele havia se esgueirado até chegar suficientemente perto de nós para registrar algumas palavras, trechos de diálogos e minúsculas passagens das conversas entre Afonso e eu.

Ainda assim, embora ele tenha reunido muitas anotações a respeito das nossas atividades, a passagem mais importante do caderno tinha, na verdade, relação com meu irmão.

Para nossa grande surpresa e fascinação, na primeira página do caderno havia o relatório de uma conversa entre o espião e o Duque de Valentinois. Ela continha muitas revelações importantes sobre os planos de César para o futuro:

DATA — *20 DE ABRIL NO ANO DA GRAÇA DE 1500*
HORA — *AMANHECER (6 HORAS DA MANHÃ)*
LOCAL — *APPARTAMENTO BÓRGIA*

O Duque de Valentinois pediu uma reunião em seus aposentos para me informar sobre o próximo caso de que vou me incumbir para ele. Ele me mandou registrar depois todas as suas instruções, para que eu não esqueça o que ele me pede:

— As minhas ordens são para observar os atos e todas as falas de Donna *Lucrécia Bórgia.*

— Devo ficar especialmente atento quando ela estiver com seu marido, Don *Afonso de Aragon.*

— Devo usar disfarces e permanecer escondido.

— Não devo falar com Donna *Lucrécia nem feri-la de modo algum.*

Para ajudar-me em minha tarefa, o duque descreveu o cenário do caso. Recentemente a criada particular de Donna *Lucrécia foi pega espionando os assuntos dele. Essa criada foi dispensada do seu trabalho. Como reação,* Donna *Lucrécia e seu marido podem estar agora tentando deixar Roma. Assim, devo prestar muita atenção se eles chegarem perto de qualquer porta da cidade.*

O Duque diz também que existe um certo plano guardado para Don *Afonso. Esse plano vai ser levado a cabo daqui a quatro meses. Antes dessa ocasião, o duque pretende estar fora, nos Estados Papais. É importante que* Don *Afonso permaneça em Roma até o final de agosto. O duque então retornará de sua viagem e supervisionará os preparativos. Meu relatório irá ajudá-lo a decidir as próximas ações em relação a este assunto.*

Os termos da minha contratação são claros: se eu tiver sucesso, serei pago com a quantia de 500 ducados. Se eu fracassar, sofrerei o castigo da tortura ou execução.

O duque me adverte para não retornar a ele sem um relatório.

ENCONTRO TERMINADO — (DURAÇÃO 5 MINUTOS)

Eu estava hesitante quanto à maneira de reagir ao perturbador conteúdo das anotações. Pus-se a vagar pensativamente, indo e voltando pelo beco sombreado, tentando avaliar a importância daquela nova informação. Afonso entregou-me Rodrigo para eu carregar, depois tornou a ler a anotação, batendo na página com o dedo. Seus olhos brilhavam e sua boca estava entreaberta, quase sorrindo.

— Isto não o entristece? — eu quis saber.

— Não. O seu irmão é um tolo arrogante que pensa que pode nos vencer sem luta. Ele não é mais esperto do que nós, isto é exatamente o que precisamos! Ele revelou tudo! Temos quatro meses antes que os assassinos ajam. Pelo menos temos esta vantagem. Usamos o próprio espião dele contra ele. Por Deus, é genial!

— Você acha mesmo que o caderno de notas é confiável?

Ele ergueu os olhos da página.

— Por que não? Você não disse que o espião não vai voltar a César ou fazer com que ele adiante o cronograma?

— Depois das ameaças do meu irmão sobre fracasso, só um tolo ousaria voltar e pagar a pena por incompetência. Tenho certeza de que o espião já fugiu da cidade.

— Então por que está tão pessimista, Lucrécia? Deveríamos estar aliviados por termos encontrado isto.

Passei os dedos pelo alto da cabeça de Rodrigo, alisando os finos cachos.

— Mesmo que esta informação seja correta, não há garantia do que César fará a seguir. Ele não está preso a coisa alguma do que contou ao espião. A qualquer momento ele poderia mudar seus planos em relação a você.

— Não me importo, vamos voltar, você sabe que é realmente a única chance que temos.

— É por isto que este plano não me agrada.

O rosto dele entristeceu.

— Então está decididamente contra esta ideia?

— Não... Não tenho condições disso... Tudo agora é arriscado, e teremos que correr um risco qualquer. — Parei de andar e endireitei minha postura. — Voltar é a única maneira de impedir que César conheça as nossas intenções e aja rapidamente contra nós. Como eu disse antes, podemos usar nossos recursos para planejar uma fuga que desta vez terá sucesso.

Ele sorriu para mim e fechou o livro.

— Então está na hora de enganar seu pai e seu irmão para variar! Podemos ganhar deles jogando o próprio jogo deles, não podemos? Quatro meses é muito, a sua família não está nem perto de me fazer mal. Não sou um perigo imediato.

— Esta anotação nos dá apenas uma boa razão para voltarmos. Se César logo vai partir de Roma para lutar nos Estados Papais, isto vai nos dar a melhor oportunidade de fugir. Os alabardeiros que ele deixar para trás na cidade não serão tão disciplinados ou eficientes quando ele não estiver por perto para vigiá-los pessoalmente. Se o caderno está correto, e ele realmente partir, teremos que montar nossa fuga para coincidir com a ausência dele. Este seria o único motivo para retornar agora.

Ele apertou minha mão e assentiu.

— Você sempre sabe o que fazer, Lucrécia. Eu não poderia ter me casado com uma dama melhor.

— Você poderia ter se casado com alguém menos perigoso.

— Bobagem. Estou sempre seguro quando estou com você.

Veneno nas Veias

Sorri-lhe com tristeza, tocada por seu rosto bonito e jovem. Depois de todos os nossos apuros recentes ele ainda parecia notavelmente sem idade, como se não estivesse mais velho do que no dia em que o conheci. Em contraste, eu tinha certeza de que minha própria pele mostrava agora as suas primeiras rugas, as marcas deixadas pelas provações dos últimos dias.

Afonso mais uma vez carregava Rodrigo, e deixamos o beco para trás para nos aventurarmos ao sol brilhante e queimante. De mãos dadas, fizemos o que eu havia pensado que nunca tornaríamos a fazer: encontramos o caminho de volta para nossa casa no *Palazzo Santa Maria in Portico*.

XXII

UMA PROPOSTA INESPERADA

Voltamos para a nossa cavalariça e passamos pelos alabardeiros que guardavam a entrada. Eles nos observaram disfarçadamente enquanto guardávamos nossos cavalos, mas nenhum alarme foi enviado para chamar meu irmão.

Uma vez dentro de casa, colocamos Rodrigo em seu berço, mudamos de roupa e fizemos uma pequena refeição em nosso salão. As janelas em volta de nós brilhavam em alaranjado e dourado enquanto o sol morria por aquele dia. Não nos falamos, ambos fatigados demais para conversas casuais, nervosos demais para apreciar nossa massa com vinho. Bebi da minha taça sem sentir sabor algum, e olhei em volta do aposento, estranhamente alheia ao que me rodeava. Era difícil amar nosso lar quando não podíamos continuar ali permanentemente. Nosso *palazzo* era agora nada mais do que um lugar de confinamento, um lugar de paragem, um degrau para algum lugar mais seguro. Eu ainda admirava os pisos de lajota, as janelas com suas pequenas vidraças, as tapeçarias e a grossa mesa de carvalho, mas olhava para estas coisas como se fosse uma visitante, e já não as amava como minhas. Eu era uma visitante em minha própria casa.

Não tivemos muito tempo para nos acomodarmos em nosso *palazzo*. No final da nossa refeição chegou uma mensagem de papai convocando-me para ir sozinha ao *Appartamento*.

— Não vá, não vou deixar você ir, pode ser um novo perigo — disse Afonso.

Balancei a cabeça.

— Lembre-se, agora que conhecemos os planos deles, Afonso, estamos com a vantagem. O melhor curso a seguir é simplesmente manter relações amigáveis com a minha família até estarmos preparados para fugir. Tenho certeza de que papai quer apenas me interrogar sobre as nossas ações de hoje.

— Sobre o motivo de termos fugido dos alabardeiros?

— Sim, tenho certeza de que ele deseja uma explicação.

— E se não for isto, Lucrécia, e se for alguma outra coisa?

Levantei-me empurrando a cadeira com as costas das pernas.

— É um risco que precisamos aceitar. De agora em diante, cada mensagem e cada encontro poderia ser perigoso. Até fugirmos, nossa mente tem que ser mais afiada do que o gume de uma faca. Não há outra coisa que possamos fazer. Tenho que ir vê-lo.

Ele ficou a olhar-me com incerteza enquanto eu saía do salão.

A escuridão apagava o céu quando entrei no *Appartamento* e fui para a *Sala dei Santi*, o mais belo salão dos nossos alojamentos. Acima de mim, no teto em arco, meu retrato aparecia em um dos afrescos de Pinturicchio, a Disputa de Santa Catarina. Fui pintada no centro como a própria Santa Catarina de Alexandria, ao passo que César era mostrado como o Imperador Maximiano sentado acima de mim em um trono. Juan figurava em frente a nós, a cavalo, observando-nos de longe. Aquele era o único retrato que tínhamos dele, e papai costumava se sentar no salão apenas para ficar perto do retrato pintado dele.

Eu imaginara que encontraria Alexandre e César esperando por mim em severo silêncio, com as fisionomias inquisidoras. Em vez disso, encontrei apenas papai relaxando com seu rebanho de cortesãs. Uma jovem tocava as cordas de uma harpa, uma jovem cantava um madrigal e outra posava como uma musa grega em uma túnica de gaze. Alexandre estava escarrapachado em sua poltrona, e com a minha presença ele fez um aceno preguiçoso com o braço e as cortesãs de imediato deixaram o salão.

Inclinei-me para beijar o selo dos Bórgia em seu anel, tentando agir normalmente, sem revelar coisa alguma dos meus verdadeiros sentimentos. Tornei meu rosto e meu corpo impassíveis como madeira, inexpressivos como um fantoche, meus movimentos distantes do coração que agora os controlava. Toda a confiança e a admiração que eu já tivera por papai já não vinham naturalmente. Eu sentia a vontade de dizer-lhe que ele não estava defendendo a família quando atacava Afonso. Queria perguntar-lhe se ele ainda se preocupava com o bem da Igreja ou a saúde de Roma. Queria implorar para que ele tomasse as suas próprias decisões, em vez de aceder às exigências de César como um escravo. Em vez disso, fiquei de pé ao lado da cadeira dele em silêncio, esperando que ele se dirigisse a mim.

Para minha surpresa, ele olhou para mim sem consternação.

— Lucrécia, apesar do seu comportamento temerário desta manhã, fico feliz em saber que você voltou em segurança da cidade.

— Peço perdão, Santíssimo Padre — respondi friamente.

— Diga-me por que, em toda a Cristandade, você fugiu dos guardas destacados para a sua proteção?

— Afonso e eu queríamos ficar a sós por algum tempo.

— Não foi uma decisão muito sábia.

— A culpa foi minha, fiquei perturbada ao ver o corpo de Panthasilea.

Ele baixou a cabeça.

— Naturalmente... Eu devia ter suspeitado disso... A sua reação a um horror tão lastimável é completamente compreensível e não merece mais censuras.

— Então não está zangado conosco?

— Nem um pouquinho. — Ele relanceou o olhar pelo retrato de Juan no afresco acima de nós. — Mas espero sinceramente que você nunca mais arrisque a sua vida dessa maneira. Roma ainda não é tão segura quanto devia ser, minha filha.

— Sim, sei disso.

— Aliás, é por este motivo que o seu irmão logo começará uma nova operação militar na Romagna, particularmente nas cidades de Spoleto e Camerino. Vai livrar a região dos nossos últimos oponentes e criar um domínio estável em todos os Estados Papais. — Ele fez uma pausa para me estudar. — Sinceramente, Lucrécia, eu imaginava que você fosse ficar espantada. Já sabia que César está para viajar em breve?

Hesitei, apanhada desprevenida.

— Não, mas não me surpreende que ele queira começar uma nova guerra. Roma não tem oportunidades suficientes para saciar a sede de sangue que ele tem.

— Como assim? O seu irmão está cumprindo o seu dever para com esta família, e não saciando uma sede de sangue! Que horror!

— O horror não sou eu quem provoca — respondi em voz baixa.

Ele ignorou o meu comentário e acariciou o braço da poltrona com a mão balofa:

— Apesar da sua correta adivinhação, você pode não estar ciente de que também eu deixarei Roma para acompanhar César nesta viagem. Desejo ver por mim mesmo os triunfos dele no campo de batalha durante as próximas semanas.

— Vocês dois partirão? Por quanto tempo?

— De quatro a cinco meses, embora as guerras não sejam um assunto muito previsível.

Aquela revelação era chocante. Imediatamente tentei levar aquela situação para maior vantagem nossa.

— Mas quem vai administrar o Vaticano em sua ausência, Santíssimo Padre? Não pode permitir que Roma caia nas mãos de algum cardeal tolo. Não seria seguro para nós permanecer aqui. Talvez Afonso e eu devêssemos deixar a cidade também?

— Isto não será necessário. Aliás, suspeito de que você vai aprovar integralmente meu substituto para governar a Santa Sé.

— Quem será?

— Eu escolhi você, minha filha.

Apertei os lábios, instantaneamente cheia de suspeitas.

— Eu? Mas eu não posso. Não é possível.

— Sim, estou lhe oferecendo a administração de toda a Santa Igreja Romana e toda a Cristandade. Por algum tempo você será a mulher mais poderosa da Europa.

Aquela proposta era tentadora demais para ser real. Parecia demonstrar uma inacreditável confiança por parte de papai. No entanto eu me recusei a ficar impressionada. Disse ceticamente:

— Se eu presidir o Vaticano, estarei rompendo todos os precedentes da História. Nenhuma mulher até hoje foi oficialmente apontada como chefe da Santa Sé.

— Correto. No entanto, embora você seja apenas uma mulher, é também membro da Casa de Bórgia, e assim muito mais merecedora do que qualquer outro candidato. Não existe uma única pessoa mais adequada à esta responsabilidade do que você.

— Mas a sua proposta ignora uma coisa.

— O que é, minha filha? — ele perguntou. — Mesmo que eu aceite, os outros cardeais não vão apoiar isto.

— Os cardeais não têm escolha nesse assunto e eles não ousarão contradizer a minha vontade. Se eu ordenar, Lucrécia, é assim que vai ser.

Inclinei a cabeça de lado, finalmente pensando no assunto.

— Não sei o que dizer...

Os olhos dele, muito grandes, me observavam sem piscar sob as pálpebras inchadas.

— Pense bastante na minha proposta e veja se concorda. No entanto, preciso de uma decisão sua esta noite.

Afastei-me da poltrona dele, meu olhar percorrendo distraidamente as pinturas nas paredes.

Por que ele me concederia tamanha honra? Seria um esforço para me dar uma falsa sensação de segurança? Seria uma distração para garantir que eu estaria tão ocupada com os deveres papais que não conseguiria organizar uma fuga? Ele havia dado todas as respostas corretas às minhas perguntas, mas eu sabia também que ele era mentiroso, e ficava difícil não duvidar dos motivos dele.

No entanto, pelo menos naquela vez eu não conseguia distinguir qualquer sinal óbvio dos esquemas de César. Como chefe da Santa Sé, a minha nova autoridade iria apenas melhorar as nossas chances de escapar. Eu teria o controle supremo sobre a cidade, inclusive o poder de remover os alabardeiros de César do meu *palazzo* e das portas da cidade. Em contraste, se eu rejeitasse o oferecimento do meu pai, Afonso e eu ficaríamos sem qualquer benefício claro. Realmente, se Alexandre não pudesse deixar a Igreja em minhas mãos confiáveis, ele poderia preferir cancelar a campanha de César e permanecer na cidade, em vez de arriscar-se a dar a Santa Sé para outra pessoa. Se isso acontecesse, perderíamos a nossa melhor chance de fugir.

Papai colocou as mãos na curva do estômago e ficou esperando uma resposta, achando divertida a minha hesitação. Caminhei até a poltrona dele, ainda desconfiada.

— Quais serão as minhas responsabilidades? Não se pode esperar que eu comande a Igreja sem experiência ou treinamento prévio.

— Claro que não. A grande maioria das minhas obrigações papais serão reduzidas ou delegadas a membros do alto escalão da *Curia*. Você será simplesmente uma zeladora da Santa Sé, uma figura que representa a minha autoridade. A sua maior missão será dar audiências em consistórios regulares durante as semanas da minha ausência, escutando os cardeais e se certificando de que não surjam problemas urgentes. Sente-se capaz de fazer isto?

Veneno nas Veias

Baixei os olhos para ele, ainda hesitante quanto à decisão. Papai estava velho, acima do peso, e cego aos defeitos de César, assim como jamais enxergara as fraquezas de Juan. Mas de vez em quando ele ainda mostrava o carisma que o elevara a tais alturas de poder. No passado, diferentemente de César, eu jamais ressentira a sua generosa devoção a Juan. Depois de perder contato com minha mãe, eu dava grande valor a qualquer atenção que ele tivesse comigo. Eu o mimava em todas as oportunidades, honrava a palavra dele como se fosse a minha própria, cultuava a vontade dele como se tivesse saído do meu próprio coração. Nessa noite eu já não o admirava tanto, e ainda estava cautelosa em relação ao oferecimento, mas não conseguia enxergar qualquer motivo sinistro por trás dele. Não havia razão para recusar, e todas as razões para aceitar.

Assenti cautelosamente.

— Muito bem, Santíssimo Padre, vou tomar conta do Vaticano.

Voltei imediatamente para o nosso *palazzo* com as novidades. Como eu própria, Afonso ficou também um pouco desconfiado, mas lentamente ele se sentiu mais animado com o meu novo poder. Apenas horas antes, a perspectiva de fuga parecia impossível. Agora sabíamos que tínhamos bastante tempo antes de um ataque, e minha nova autoridade asseguraria que nossos planos dessem certo.

— Devíamos comemorar! — Afonso exclamou, e pôs-se a procurar uma garrafa de vinho no nosso quarto de dormir.

— Não tenho certeza.

— Por que não? Deus sabe que tivemos poucas ocasiões para isto recentemente. Deveríamos aproveitar ao máximo esta noite. Vou buscar para nós alguma coisa para beber, certo? Faremos um brinde a você, a mulher mais poderosa viva!

— Ainda não é oficial, até papai deixar Roma.

— Não seja tão desmancha-prazeres!

Fui arrastando os pés até a lareira fria, meus pensamentos mais negros do que os troncos chamuscados na lareira.

— Não quero ser tão pessimista. Mas é fácil falar sobre governar a Santa Sé, e bem diferente é fazer isso.

— Você estará bem, é a pessoa mais inteligente que já conheci! Você conhece os costumes de Roma, e esteve dentro da política a vida inteira! Você maneja muito bem os embaixadores e prelados que visitam a nossa corte, não é? Não será a mesma coisa com os cardeais?

— Sim, mas papai teve uma vida inteira de conhecimento adquirido com dificuldade, no entanto até ele acha desafiador manter os cardeais em ordem. Se ficar demonstrado que eu não mereço o cargo, uma legião de vozes irão imediatamente chamar o Papa de volta para casa. — Olhei para ele com expressão desanimada. — Não podemos permitir que isto aconteça. Se César e papai voltarem mais cedo para a cidade, isto irá destruir nossos preparativos para a fuga.

Ele deu de ombros.

— Eu gostaria de poder ajudar, mas não sei coisa alguma sobre a Santa Sé. Talvez fosse bom você consultar o Embaixador Maquiavel sobre isso. Pode ser que ele se mostre capaz de lhe dar uma opinião. Aliás, você provavelmente vai achar difícil fazê-lo calar-se depois que lhe pedir uma opinião...

— Não é má ideia. Podemos usá-lo para outra coisa também — falei, coçando o queixo. — Já pensei sobre os primeiros preparativos para a nossa partida.

Ele veio rapidamente em minha direção, com fisionomia séria.

— Estou escutando.

Fui verificar se havia algum criado à espreita no aposento vizinho, depois me inclinei para ficar mais perto dele e cochichei meus planos em seu ouvido...

Ondas de sol matinal inundavam os jardins do *palazzo* enquanto eu, sentada em um banco, esperava o embaixador florentino. Nos dois últimos anos eu havia dedicado muito tempo e cuidado esculpindo naquele lugar um paraíso de bom gosto. Equipes de jardineiros haviam nivelado o terreno, plantado grama, colocado assentos de pedra e entalhado nele labirintos e grutas até ele se tornar um alvoroço de beleza e vida. Ao meu redor, moitas de jasmim perfumavam as alamedas. Sobreiros, carvalhos e amendoeiras entrelaçavam seus galhos junto aos muros. Um coelho passou correndo por um vibrante canteiro de flores. Fechei os olhos e deixei que as cascatas de sol lavassem meu rosto. Apesar do meu apreço por aqueles jardins, no entanto, eu sabia que era apenas um jardim, um lar, uma cidade — poderíamos substituí-los e recomeçar em algum outro lugar. Nada poderia substituir meu marido ou meu filho.

Passos rápidos marcharam ao longo da alameda de cascalho e o *signor* Maquiavel de repente veio em minha direção. Suas vestes vermelhas e pretas se enrolavam em seus calcanhares. Nesse dia seu rosto estreito tinha uma aparência menos amarga do que o normal, como se ele estivesse quase feliz de visitar o *palazzo*. Ele fez para mim uma reverência rápida.

— Bom dia, Embaixador — falei, levantando-me para saudá-lo. — A não ser que eu me engane, hoje o senhor parece estar em um excelente estado de espírito.

Ele respondeu em tom encrespado:

— Isto deve explicar o engano, *madonna*, a senhora está errada. Não sou alguma criatura glamorosa como a senhora. Sou apenas um embaixador e um escritor. Não tenho razão para estar feliz. Não possuo grandes fortunas, apenas palavras, nada mais.

— Mas as palavras são muito mais do que nada. Afinal, a pena é mais poderosa do que a espada, não é?

— Não. Temo que as ações falem mais alto do que as palavras. O seu irmão é uma prova viva disto.

— Neste caso, acho pouco sensato julgar um livro pela capa.

— Bobagem! As roupas fazem o homem.

— No entanto, toda rosa tem seu espinho.

Esperei a resposta dele, mas ele se limitou a fazer uma carranca e cruzar os braços.

— *Madonna*, por mais que eu aprecie duelar com provérbios, há alguma razão em particular para a senhora ter me chamado aqui esta manhã?

— Sim, tenho algo a lhe oferecer. Diga-me, o seu mau estado de espírito hoje decorre de alguma nova dificuldade com o seu livro? — Deixei a pergunta no ar. Ele desviou o olhar ligeiramente. — Como eu pensava. Quando César partir de Roma daqui a alguns dias, o senhor terá perdido a chance de observar o seu tirano favorito em ação. O senhor não tem motivo para seguir para a guerra, tem?

— Realmente, não tenho como justificar juntar-me ao Papa e a *Don* César. Graças aos seus esforços, consegui um encontro com o Pontífice, e Florença ganhou neutralidade. A operação militar já não é uma preocupação para a minha cidade.

— Apenas o seu livro.

Ele assentiu. Sorri misteriosamente e indiquei que ele me seguisse até a sombra de alguns pinheiros próximos. Sentamos-nos juntos em um banco de pedra e eu baixei a voz:

— Enquanto papai estiver fora, preciso empregar um portador especial para levar e trazer mensagens entre nós. Esse portador passará muito tempo dentro do acampamento de César, esperando por lá até que uma mensagem urgente precise ser enviada. Fico pensando nas coisas intrigantes que esse portador poderá ver. Quais seriam os raros e inestimáveis vislumbres do poder que meu irmão revelaria a uma mente ordenada e perspicaz?

Ele apertou os olhos.

— Que é que preciso fazer para conseguir essa função?

— Duas coisas. A primeira é esta... — Retirei um pequeno envelope da manga do meu vestido e entreguei-o a ele. — Se eu o empregar por pouco tempo como meu portador, espero que o senhor entregue esta carta secretamente. Terá que sair ocultamente da operação militar de César por alguns dias e ir a Genazzano, o baluarte da Casa de Colonna. Coloque esta carta diretamente nas mãos de um membro dessa família. Tem que ser um Colonna, ninguém mais.

— Por quê? Os Colonna não são aliados dos Bórgia.

— Não, mas ainda são amigos de *Don* Afonso e dos Aragon.

Ele curvou os ombros.

— Isto tem a ver com a segurança do seu marido? Se tiver, não posso tomar parte. A senhora está se preparando para fugir, não está? Vai escapar enquanto o Duque de Valentinois estiver fora da cidade. Não, *madonna*, não posso me envolver nisso de ajudar a senhora a fugir.

— Mas o senhor nos avisou do perigo iminente. Já está envolvido!

— Em nome de Deus, sou apenas um embaixador, não um espião. Isto é traição. E se me pegarem?

— O senhor possui tamanho conhecimento sobre a arte de enganar que tenho certeza de que encontrará um meio de entregá-la com discrição. — Coloquei a mão nas costas dele. — Não posso prometer que esta missão não será arriscada, mas pense na recompensa.

— Prefiro prevenir do que ter que remediar.

— Muito bem, mas que escolha o senhor tem, se deseja juntar-se à operação militar? Não devia olhar os dentes de um cavalo dado.

Pelos lábios dele passou um sorriso diminuto e breve, depois o rosto voltou à concentração. Tentei esconder o desespero em minha voz:

— Preciso saber a sua resposta. O senhor vai concordar com o meu pedido? Vai se juntar à nossa causa?

Sem olhar para mim ele respondeu:

— A senhora mencionou duas coisas. Qual é a segunda?

— Simplesmente desejo a sua orientação para lidar com consistórios e a Santa Sé.

— Só isto? Nada mais? — ele perguntou com alívio.

— Só isto. Os cardeais irão bombardear-me com perguntas e eu desejo apenas saber a melhor maneira de responder-lhes.

— Quer saber como responder às perguntas deles? — Ele enterrou a cabeça nas mãos e expeliu uma longa lista de imprecações. — Não é isto que a política exige, de modo algum! Se um cardeal faz uma pergunta, ele não espera uma resposta, céus! É a última coisa que poderia acontecer. — Uma pitada de prazer passou por seu rosto. — *Donna* Lucrécia, a palavra "política" deriva-se da raiz grega de "*poli*", que significa "muitos", e do sufixo "tica", que significa uma ponta de charuto já formada, ou seja, os cardeais já têm muitas respostas já formadas quando fazem a pergunta. Se a senhora pretende sobreviver a essa difícil experiência, deve estar preparada para usar alguns talentos de um tirano.

— É exatamente por isso que preciso da sua ajuda. — Lancei-lhe um olhar ansioso. As lembranças do destino de Panthasilea passaram pelos meus pensamentos e eu rezei para que ele não sofresse a mesma tragédia. — O senhor pode contar com a minha imorredoura gratidão, Embaixador.

— Bom, está bem, se não podemos vencê-los temos que nos juntar a eles, eu acho. — Ele colocou as mãos nos joelhos e inclinou-se para a frente. — Agora, *madonna*, preste bastante atenção no que eu tenho a dizer. Existem muitos métodos de se evitar responder a uma pergunta...

Escutei atentamente enquanto ele me ensinava os caminhos da política. Pelo que aconteceu em seguida, eu desejaria tê-lo mantido sempre ao meu lado.

XXIII

Eu Governo a Santa Sé

Minha família logo partiu de Roma em desfile, com um gigantesco exército de dez mil soldados franceses e muitos voluntários romanos. Afonso e eu nos postamos na *loggia* do nosso palácio para observá-los sair marchando da *Piazza San Pietro*.

Abaixo de nós, papai cavalgava à frente, o corpo vermelho e pançudo aboletado em um cavalo robusto, os braços e pernas roliços balançando com o trote da montaria. Cavalgando ao lado dele, a figura negra de César estava empertigada na sela, as mãos em punho segurando as rédeas. Sua máscara brilhava como o rosto frio e liso de uma estátua. Ele me saudou quando passou por nossa casa e eu acenei de volta para ele. Em seguida vinha o exército papal como uma longa cauda, os soldados marchando muito juntos sob o estandarte enfunado de São Pedro. Em toda parte as batidas resolutas dos tambores de guerra ecoavam nos muros da cidade, misturando-se ao ruído dos cascos dos cavalos e o martelar surdo das botas. As lanças espetavam o ar, as espadas sacudiam-se nos quadris, e milhares de luvas grossas e couraças brilhavam à luz do sol. Comparado à última vez que meu irmão deixara a cidade, nada havia de glorioso naquele desfile — era puramente um espetáculo militar, um show de poder, uma demonstração para impressionar os nossos amigos e intimidar os nossos inimigos. Nesse dia estava à vista o lado mais feio da minha família.

No final da fila um séquito de funcionários e embaixadores acompanhava a operação militar. Avistei Maquiavel sacudindo-se em cima de uma mula com dois grandes alforjes. Ele passou por nossa casa e eu rezei intensamente pelo seu sucesso em entregar a carta aos aliados de Afonso, e também por sua volta a Roma em segurança.

Enquanto contemplava a partida da minha família, eu lutava para reprimir as lágrimas. Afonso enlaçou-me com o braço, segurando meu ombro com a mão em concha.

— Não se culpe, não é culpa sua estarmos nessa posição, nenhum de nós dois fez mal à sua família, não poderíamos ter agido de maneira diferente — disse carinhosamente.

— Eu sei, mas isto não torna as coisas menos lamentáveis — respondi. — Quando pedirmos asilo em Nápoles ou na corte espanhola, teremos nos juntado aos inimigos da minha família. Meu irmão e meu pai considerarão isto a pior espécie de traição. Se as alianças voltarem a ser com a Espanha em um futuro próximo, posso nunca mais me reconciliar com eles.

— Você não pode dizer isto, pelo menos com tanta certeza. As famílias e a política estão sempre mudando, como o céu, em um momento o tempo está horrível e no momento seguinte está lindo. Pelo que sabemos, a sua família pode muito bem abraçar a minha no futuro, e você irá vê-los outra vez.

Respirei profundamente e afastei meus cabelos do rosto.

— Não, é melhor não os vermos de novo, pelo menos tão cedo. Meus sentimentos não importam agora. Aconteça o que acontecer, tenho que assegurar que Alexandre e César não tenham motivo

Veneno nas Veias

para voltar antes de escaparmos. Se eu tornar a ver a minha família em Roma, será o nosso fim.

Ele assentiu solenemente e voltamos a prestar atenção no desfile.

Apesar da minha tristeza, não tive tempo para me demorar na autopiedade, pois o dia seguinte traria o primeiro consistório com a Santa Sé. Enquanto eu me vestia para o encontro, tentava recapitular tudo o que Maquiavel me havia ensinado a respeito de política. Aquele primeiro encontro era crucial: se ele ocorresse sem qualquer grande tropeço de minha parte, os cardeais aceitariam a minha autoridade, e todos os consistórios seguintes seriam bem mais fáceis.

Quando terminei de me arrumar em meu quarto de dormir, parei diante de um espelho e estudei cuidadosamente a minha aparência — um vestido dourado com luvas combinando, os cabelos longos e soltos nos ombros. Afonso entrou no quarto e sorriu carinhosamente.

— Lucrécia, você está gloriosa, como uma donzela de uma balada!

— Obrigada. Talvez a minha aparência faça os cardeais me tratarem com algum respeito.

— Claro que irão, tenho certeza de que em pouco tempo você vai conquistá-los.

Suspirei e olhei hesitantemente para a minha figura no espelho...

Antes que eu percebesse, encontrava-me empoleirada no trono papal na *Sala Reale*, o salão de reuniões oficial do *Palazzo Apostolico*. O trono elevava-se do piso de mármore e me erguia acima de todas as pessoas no salão. Em frente a ele, um semicírculo de cardeais esperavam ociosos em suas cadeiras. Tinham as cabeças cobertas por solidéus vermelhos, e os mantos vermelhos engoliam seus corpos e engolfavam seus assentos. Tinham seus olhares céticos fixos em mim e esperavam que eu falasse.

Para fortificar a minha coragem, lembrei-me de que papai havia nomeado os cardeais pela sua lealdade e suas ligações políticas, não pelas suas qualidades espirituais. Aliás, eles eram tão permeados por ciúme competitivo, tão sensíveis à sua graduação, que sentá-los juntos costumava ser difícil. Todos os cardeais tinham que ter a mesma cadeira — com a mesma altura, a mesma forma, o mesmo estilo — se não brados de injustiça ressoariam por todo salão. Até mesmo as almofadas precisavam ser idênticas. Se um cardeal ganhasse uma almofada com um pompom prateado, ao passo que a almofada do seu vizinho tinha um pompom dourado, certamente aconteceria um tumulto.

Sentada no trono, iniciei a sessão da maneira mais simpática possível:

— Caros membros da *Curia* Romana, sinto-me honrada de me reunir com os senhores hoje. Como filha do Papa Alexandre VI, venho até os senhores apenas como uma serva dos desejos de meu pai. No entanto, se me oferecerem sua paciente compreensão esta manhã, prometo despachar nossos negócios com rapidez e justiça ao mesmo tempo. Não vejo motivo pelo qual nossas reuniões não possam ser produtivas.

Minhas palavras soaram um pouco formais, porém os cardeais murmuraram uma concordância generalizada.

A reunião começou com notícias da cidade. Um por um, os cardeais me informaram os acontecimentos recentes na *Curia* ou em alguma catedral de suas dioceses. Em seguida, alguns dos cardeais apresentaram cada um uma questão específica que requeria uma decisão. Eles me atiravam perguntas específicas e exigiam conhecer a posição de papai sobre o assunto: um cardeal perguntou-me quando seu sobrinho poderia receber uma promoção nas cortes; outro pediu mais fundos administrativos. Evitei dar respostas definidas. O terceiro, o Cardeal Ferretti de Gênova, não se contentava facilmente. Ele se levantou de sua poltrona, gemendo com o esforço, e puxou as beiradas grisalhas de sua barba.

— *Donna* Lucrécia, permita-me oferecer-lhe a minha humilde admiração — disse devagar. Seu nariz fino e focinhudo tornava as suas palavras lamuriosas e abrasivas. — Apesar da sua inexperiência,

Veneno nas Veias

até agora a senhora administrou este consistório de maneira muito oportuna. No entanto, devemos agora fazer a transição para um tópico de enorme responsabilidade papal. A senhora pode por favor fornecer uma explicação a respeito do estado atual do Caso Ribisi?

— Sim, naturalmente — respondi, inteiramente confusa.

— E qual é a explicação? — Ele estacou diante do trono e apontou o nariz diretamente para mim. — Quais as medidas que foram postas em prática?

Eu não sabia o que era o "Caso Ribisi", mas pelas fisionomias alertas dos outros cardeais presumi que era alguma coisa importante, alguma coisa sobre a qual meu pai deveria ter me falado antes de partir. Lembrei-me do conselho de Maquiavel para fugir a uma pergunta: tentei desqualificá-la.

— O Caso Ribisi faz parte de procedimentos em curso em outra esfera — falei em voz trêmula. — Temo que não seria correto dar-lhe uma resposta neste momento.

— Em que argumentos a senhora se baseia para achar isso impróprio?

— Baseio-me na... segurança do nosso estado...

Isto não o impressionou.

— *Madonna*, podemos acreditar que a senhora não consegue compreender a seriedade da minha pergunta? — Ele voltou-se teatralmente para o semicírculo de cardeais. — Meus colegas membros da *Curia*, uma consideração objetiva deste assunto deve levar-nos à conclusão de que Sua Santidade não conseguiu apontar um substituto apropriadamente qualificado para esta assembleia. Em resumo, ela é apenas uma criança. Proponho que chamemos o Pontífice imediatamente de sua viagem para que ele nomeie um representante da Igreja mais merecedor.

Meu coração pôs-se a bater audivelmente.

— Cardeal, talvez se...

— Não, *madonna*, se a senhora não consegue nos revelar a posição atual do pontífice nessa questão, então está totalmente despreparada para ocupar uma posição de autoridade tão elevada. Vou lhe perguntar pela última vez: a senhora pode ou não pode dizer que tem conhecimento do Caso Ribisi? Sim ou não?

— Sim, na realidade eu estou a par do assunto — afirmei, mentindo escandalosamente. — Mas tudo o que tenho permissão de lhe contar é isto: o Papa recentemente selecionou um funcionário para iniciar uma investigação do caso. No entanto, os senhores só terão um relato completo do Caso Ribisi quando o relatório for terminado. Até então, espero que esta notícia os satisfaça.

Todos os cardeais se endireitaram em seus assentos, intrigados. Ferretti hesitou, claramente chocado:

— Não, isto não me satisfaz, *madonna*. Até hoje o Papa Alexandre deixou de mencionar esse funcionário que a senhora tão subitamente apresenta. Qual é o nome do funcionário?

— Não me lembro.

— Talvez, então, a senhora possa descrevê-lo um pouco, ou nos dizer a idade dele, e tentaremos adivinhar a identidade dele para a senhora — ele disse em tom sarcástico.

Pensei em outros conselhos de Maquiavel e lembrei-me da frase "Não sei disso, mas o que eu posso lhe dizer é...". Ele havia dito que isto poderia ser usado para evitar responder a uma pergunta qualquer. Decidi experimentar:

— A idade dele? — repeti em tom pensativo. — Não sei sobre isso, mas o que posso lhes dizer é que... ele não é mais velho do que qualquer outra pessoa que tenha nascido no mesmo dia e ano.

Uma leve risada de aprovação circulou pelo aposento. Ferretti franziu o rosto com irritação e apontou o dedo ossudo para mim.

— Esta jovem disfarça descaradamente a sua ignorância! É uma zombaria! Precisamos chamar o Papa imediatamente! Neste momento eu exerço o meu direito sob a Lei Canônica de desafiar a autoridade dela. Respeitosamente ofereço-me como substituto até o momento em que o Pontífice retornar a Roma.

Todos os cardeais puseram-se de pé num salto, ultrajados com aquela sugestão. Talvez não confiassem em mim, mas certamente não queriam a sua própria posição usurpada por Ferretti. Cada um dos cardeais propôs enfaticamente o seu próprio nome para tomar o poder, e ninguém mais. Estava tudo desmoronando. Fechei os olhos e imaginei papai e meu irmão cavalgando de volta a Roma naquele mesmo instante.

Embora eu já tivesse exaurido a maior parte dos conselhos de Maquiavel, resolvi fazer alguma coisa para salvar a reunião. Enquanto a acalorada discussão persistia, tomei consciência da extensão das palavras que os cardeais disparavam aos berros: quatro ou cinco sílabas em média. Talvez aquele fosse o meu erro. Antes eu havia falado com demasiada clareza e tudo o que conseguira foi mostrar falta de autoridade. Eu não estava falando verdadeiramente a linguagem deles. Imediatamente pensei nas palavras mais extraordinárias que eu conhecia.

— Cardeais! — bradei, pondo-me de pé. — Não floxinauciniilipifiquem a minha autoridade! A sugestão do cardeal Ferretti é inaceitável. Assim, a não ser que queiram enraivecer o Papa com sua desobediência, exijo que aceitem a minha autoridade sem maiores controvérsias. Em resumo: de todas as autoridades presentes, eu sou a mais honorificabilitudinitável. Quem ousará discordar?

Eles pararam de gesticular. As vozes baixaram de tom e cessaram as discussões. O salão de cardeais olhava para mim de boca aberta, do modo como a maioria das pessoas olhava para César. Embora as minhas palavras fossem propositalmente confusas, elas pareceram ter um efeito balsâmico sobre os cardeais, surpreendendo seus intelectos, tranquilizando seus estados de espírito irritados e acalmando seu orgulho ferido. Como carneirinhos eles baixaram a cabeça e voltaram a seus lugares. Até mesmo o Cardeal Ferretti reconheceu a sua perda.

— Vamos prosseguir com nossos assuntos novamente — ordenei em tom autoritário.

Ninguém fez objeção. Sentei-me por último, ajeitando cuidadosamente as minhas saias em volta de mim, reprimindo o impulso de suspirar de alívio ou assumir uma postura relaxada no trono papal. Antes de continuar a reunião, fiz uma pausa e obriguei o consistório a esperar a meu bel-prazer. Se necessário, estava preparada para bancar a tirana o dia inteiro. Eu era uma Bórgia, nada menos...

As reuniões seguintes mostraram-se pouco problemáticas e não recebi mais desafios à minha autoridade. À parte outras poucas obrigações menores, meus dias pertenciam a mim e eu os passava com Afonso, planejando a nossa fuga, aguardando desesperadamente uma resposta dos aliados dele. A carta que enviamos a Maquiavel pedia à família Colonna para nos dar abrigo em sua fortaleza em Genazzano. De lá nós seguiríamos viagem para as terras de Afonso no Reino de Nápoles.

Antes de tentar deixar as muralhas de Roma, no entanto, precisávamos saber se os Colonna consentiriam em nos acolher. Eles eram sólidos aliados dos Aragon e tínhamos certeza da ajuda deles. Se concordassem, tinham instruções para não arriscarem uma resposta por carta ou mensageiro; em vez disso, deveriam acender uma enorme fogueira ao pôr do sol em um dos morros do lado de fora de Roma. Afonso e eu então sairíamos da cidade e nos reuniríamos a uma escolta armada de soldados dos Colonna. Sob a segurança da proteção deles, finalmente viajaríamos até Genazzano.

No final das contas, a ajuda dos Colonna faria a diferença entre o fracasso e o sucesso. Agora o nosso destino dependia da reação deles.

XXIV

O Convite

Nós vigiávamos constantemente o sinal dos Colonna. Todas as tardes, quando se aproximava a hora do poente, Afonso e eu nos postávamos na arcada norte do nosso *palazzo* e fixávamos o olhar na paisagem de Roma e do campo além dos muros. Perscrutávamos constantemente o horizonte procurando um traço de fumaça negra, mas nada víamos que nos tranquilizasse. As tardes quentes logo se enevoavam umas nas outras, até que dia após dia, tornou-se uma miragem de semana após semana, o calor nunca diminuindo, as nossas esperanças sempre murchando. Teria Maquiavel falhado conosco? Teriam os Colonna nos abandonado? As instruções da carta seriam passíveis de um trágico equívoco?

Quando observávamos o pôr do sol, certa tarde, Afonso disse em tom infeliz:

— Quem sabe onde a sua família está agora, Lucrécia? Quase não temos notícias da operação militar deles, à parte o que prelados e embaixadores fofoqueiros nos contam. Por Deus, é horrível saber tão pouco!

— Não estamos inteiramente ignorantes. Sabemos que houve um cerco em Faenza, um massacre em Camerino e um ataque em Urbino — suspirei.

— Sim, mas quanto tempo falta para o seu irmão voltar? E quantos dias ainda nos restam para fugirmos? Não sabemos disso, certo?

— Tente não se preocupar. Tenho certeza de que César ainda está distante, na Romagna. Ainda temos bastante tempo até ele voltar... — falei em tom nada convincente.

Continuamos a estudar os morros ao norte todas as tardes ao poente. Com cada tarde terminando em decepção, a nossa esperança de fuga desvaneceu-se gradualmente, como as trêmulas ondas de calor no horizonte. Felizmente a nossa situação mudou em meados de julho.

Sob as colunas da nossa *loggia*, reclinei-me em uma cadeira à sombra amena do anoitecer, com Rodrigo em meu colo. Perto de mim, Afonso caminhava penosamente de um lado para o outro, em um estado de espírito silencioso e desesperado. Não conversávamos. Enquanto esperávamos por mais um poente, eu refletia no que seria a vida sem papai e meu irmão. Estranhamente, o recente comportamento deles não tornava mais fácil deixá-los — simplesmente havia tornado a tarefa mais triste. Eu queria guardar apenas boas lembranças da minha família, alguma coisa para me consolar na ausência deles, mas o assassinato de Juan, o afogamento de Panthasilea e a conspiração contra Afonso haviam envenenado para sempre as minhas recordações deles. As atitudes deles haviam transformado os dois em pessoas que eu já não conseguia compreender.

Enquanto o sol se mesclava às distantes encostas dos morros, tentei alterar minha tristeza fazendo anagramas, transformando lentamente a palavra "mau" em "uma", "saudade" em "dá adeus", "espera" em "repesar". Realmente, nesse dia eu pensei em repesar minhas decisões ...

Rodrigo em meu colo puxava meu pulso com suas mãozinhas graciosas e mordia a ponta dos meus dedos com as gengivas. Baixei

Veneno nas Veias

os olhos para seu rosto imaculado e coloquei a mão em concha por baixo da sua cabeça cálida e lisa. Fiquei com vontade de saber se a minha mãe me havia tocado da mesma maneira. Teria ela alguma vez sentido a mesma ligação com a filha como eu tinha com meu filho?

De repente Afonso apertou os olhos contemplando o horizonte e inclinou-se sobre o parapeito.

— Fumaça! — disse, alteando a voz de entusiasmo. — Bem ali! Tem que ser eles!

Ele se aproximou aos saltos da minha cadeira. Praticamente antes que eu pudesse segurar o bebê e me levantar, ele estava a me puxar para o balcão mais distante, apontando para os morros.

— É fumaça, veja você mesma, Lucrécia! Meu Deus, levou tempo demais, mas pelo menos aconteceu finalmente! Eu sabia que eles não iriam nos abandonar!

No morro mais ao norte uma trilha de fumaça cinzenta erguia-se no ar, misturando-se às nuvens que escureciam. Era distante e indistinta, mas gloriosa de se ver.

— Finalmente... — falei, minha garganta fechada pela emoção. — Pensei... que nunca ia acontecer...

Não consegui terminar. Afonso riu e me tomou nos braços, beijando meus lábios. Compartilhamos o abraço por um momento apenas, depois nos separamos e iniciamos um redemoinho de atividade.

Muitas coisas precisavam ser feitas antes que pudéssemos partir. Corremos para o nosso quarto de dormir para embalar algumas coisas de última hora. Uma vez dentro do quarto, mergulhamos em nossas arcas de roupas, remexendo em camisas, cintos, chinelos, mangas postiças, joias que já tínhamos separado para levar conosco, certificando-nos de que não havíamos esquecido coisa alguma. Estaquei e joguei no chão um punhado de combinações extras, repentinamente consciente de um novo problema.

— As portas da cidade! — exclamei.

— Que é que tem isso?

— Não vamos a parte alguma se eu não remover os guardas de César de pelo menos uma porta.

— Pensei que você já tivesse feito isto!

— Não, eu não podia fazer isto cedo demais. A notícia poderia chegar ao meu irmão. Não tenho condições de fazer qualquer coisa que provocasse a volta dele mais cedo. — Afastei-me das arcas e girei em direção à porta. — Você terá que embalar as coisas por mim, Afonso. Não tenho tempo.

— Espere. Tem certeza de que é preciso fazer isto? Afinal, você agora tem todo o poder em Roma, eles não ousarão impedi-la de passar, podemos fazer o que quisermos.

— Não. A cidade é minha, mas os alabardeiros pertencem a César. Meu irmão os mataria se nos deixassem sair. Não importa quanta autoridade eu possua, eles não vão sacrificar a vida por nós.

— Mas você é chefe da Igreja, os guardas papais irão obedecer--lhe. Poderíamos tentar usá-los para dominar os alabardeiros, não? Não podemos removê-los à força?

— Isto só serviria para provocar uma cena e alertar a cidade inteira para as nossas ações. Não quero mais sangue derramado, Afonso. Se formos inteligentes, conseguiremos escapar sem ferir pessoa alguma, e sem sermos notados. Teremos uma boa dianteira antes que alguém descubra que partimos.

— Então como vai livrar-se deles?

— Forçando o capitão deles. Se ele ordenar que os alabardeiros deixem seus postos, vão obedecer-lhe e imaginar que a ordem veio de César. Tudo o que tenho a fazer é pressionar o capitão o suficiente para obrigá-lo a dar a ordem.

— E se você não conseguir?

— Tenho que fazer isso.

Antes que ele pudesse argumentar mais, eu o instrui sobre os itens necessários no quarto da ama de leite que precisávamos levar. Momentos depois saí do aposento em disparada, minha mente fervilhando com tantas coisas a fazer.

Veneno nas Veias

Imediatamente mandei uma mensagem para o quartel dos alabardeiros pessoais de César convocando o capitão. Em seguida, entrei intempestivamente nos estábulos, ordenando os cavalariços a selar e trazer para o pátio os cavalos e mulas que escolhi. Finalmente passei em alvoroço pelas cozinhas, pedindo frascos de água, bisnagas de pão, pedaços de presunto salgado e fatias de queijo embrulhados para viagem. Alguns dos criados fizeram perguntas sobre a minha súbita agitação. Aleguei que tínhamos decidido visitar os chafarizes de Tivoli — começaríamos nossa viagem naquela noite para chegarmos lá ao amanhecer do dia seguinte. Era uma mentira horrível e eu tinha consciência de que eles não tinham acreditado.

O capitão dos alabardeiros finalmente chegou. O nome dele era Miguel "Michelotto" Corella, um homem notório em toda Roma como o principal assassino a mando de César. Aos 50 anos, Michelotto era baixo e troncudo, de cabeça calva e um longo bigode castanho caindo por cima do lábio superior. A pele das mãos era escura e parecia couro, e ele mantinha os braços ligeiramente curvados ao lado do corpo, pronto para agir. Nessa noite ele estava acompanhado por um tenente mais jovem, e eu levei os dois soldados para o salão nobre, propositalmente colocando-os perto das tapeçarias *arras* a um canto da parede. Embora estivéssemos de pé próximos um do outro, ele nem uma vez fez contato visual comigo, mas manteve-se olhando para o meu peito e a minha garganta, como se eu fosse apenas outro corpo para ser removido. Dizia-se que ele próprio havia matado mais de 20 pessoas.

— Capitão, requisitei a sua presença aqui porque recebi notícias de má conduta em referência aos seus homens no meu *palazzo*, e também no portão da *Porta San Paolo*. Os alabardeiros nesses postos foram visto comportando-se mal, agindo como bêbados ou brigando com um grupo de jovens romanos. Isto é inaceitável. De hoje em diante quero esses homens substituídos temporariamente por homens da guarda papal. Amanhã vou rever as evidências contra os alabardeiros e decidirei se é necessária uma demissão permanente. Por enquanto, ordeno simplesmente que os seus alabardeiros sejam removidos para que não causem mais problemas.

Houve um silêncio no aposento enquanto eu esperava a reação dele.

— Não — ele grunhiu.

— Como? Que foi que você disse?

— Não.

— Talvez você não tenha entendido. Tenho suprema autoridade papal nesta cidade, não estou pedindo para você remover esses homens, estou ordenando que faça isto.

— E eu recuso, *madonna*. Obedeço ao Duque de Valentinois, não à senhora.

— Então você não me deixa outra escolha. Se me desafiar, será jogado nas masmorras do *Castel Sant'Angelo* e mantido lá indefinidamente, até você repensar a sua atitude.

Fiz uma pausa, deixando que ele absorvesse aquela ameaça. Ele sabia que meus guardas papais e não os alabardeiros dele controlavam o *Castel Sant'Angelo*. O esquadrão privado de César era leal e altamente treinado, mas relativamente pequeno em número. Meu irmão empregava metade dele como guarda-costas pessoais e usava o resto como sentinelas no Vaticano, no meu *palazzo* e em todas as portas da cidade — não havia um número suficiente para colocá-los em outro lugar. Assim, se eu encarcerasse Michelotto no castelo, ele não teria simpatizantes para ajudá-lo, ninguém para libertá-lo de sua cela.

O capitão permaneceu imóvel, sem mostrar sinais de intimidação. Por baixo das suas pálpebras ele olhou para seu tenente, depois voltou a olhar para a minha garganta.

— *Madonna*, eu a aconselho a não tentar isto.

— Não estou interessada em seus conselhos — respondi.

Estalei os dedos. As tapeçarias *arras* à nossa volta movimentaram-se e seis homens da minha guarda papal subitamente irromperam

Veneno nas Veias

de trás dos tecidos. Eu os havia escondido no espaço entre a tapeçaria e a parede como uma precaução caso Michelotto me causasse algum problema. Os guardas tinham suas espadas já desembainhadas e avançaram, cercando instantaneamente os dois oficiais.

O tenente mudou nervosamente o peso do corpo de um pé para o outro, observando seu capitão, à espera de uma ordem. Michelotto baixou a cabeça e estudou os guardas papais com sua visão periférica, como se estivesse calculando suas chances de vencer a luta. Levou a mão disfarçadamente para mais perto do punho da espada, mas não desembainhou a arma.

Dei um passo para mais perto dele.

— Pela sua desobediência, você será levado para o castelo e colocado em uma cela com prisioneiros que você deteve e torturou recentemente. Quando esses prisioneiros o encontrarem acorrentado na frente deles, temo que eles possam tirar vantagem dessa situação. É natural esperar retribuição... e todos nós sabemos que às vezes homens morrem em suas celas da noite para o dia... Esta é a sua última oportunidade. Vou lhe dar a ordem pela última vez: remova os alabardeiros do meu *palazzo* e da *Porta San Paolo* ou sofra as consequências.

Ele não disse coisa alguma, mas ergueu os olhos ao nível dos meus, o rosto impassível. Minha paciência tinha acabado, porém antes que eu pudesse dar o sinal para meus guardas o levarem, ele disse abruptamente:

— Coloque isto no papel, *madonna*.

Eu o estudei atentamente, surpreendida pelo pedido estranho. Logo entendi a razão para ele desejar uma prova da minha ordem: precisava de proteção contra a cólera de César. Aparentemente, até mesmo Michelotto, o homem mais brutal da cidade, tinha medo do meu irmão!

— Você terá isto no papel. Vou registrar também que você protestou fortemente contra as minhas ordens e só obedeceu sob uma extrema coação. Isto deve contentá-lo.

Ele não respondeu, mas seus ombros relaxaram e ele retraiu a mão do punho da espada. Fiz um gesto para os guardas papais e eles embainharam suas armas, aliviados porque o combate havia sido evitado. Rapidamente despachei um criado para me trazer uma pena e um pergaminho...

Depois de concluída a reunião, verifiquei os preparativos nos estábulos e inspecionei os suprimentos de alimento e água na cozinha. Depois fui até as portas do meu *palazzo* para me assegurar de que os alabardeiros haviam sido removidos. Uma vez certa disso, mandei um cavalariço à *Porta San Paolo* para confirmar que os homens de César também já não estavam naquela saída.

Quando terminei, a escuridão envolvia o *palazzo*. Apesar do meu cansaço, não consegui esperar para contar a Afonso que a nossa partida estava agora preparada. Quando me dirigia às pressas para o nosso quarto, várias horas haviam passado e eu imaginava que ele havia terminado de encher nossas arcas. Em vez disso, ao me aproximar do aposento ouvi uma triste conferência de vozes: Afonso falando baixo com um homem cuja voz parecia ao do *signor* Maquiavel. Eu sabia que não podia ser o embaixador florentino, pois ele ainda estava em viagem. Intrigada, entrei no quarto.

Perto da lareira, Afonso estava parado ao lado de Maquiavel, envolvido na conversa. Os dois voltaram-se para mim com expressões melancólicas.

— Embaixador, não sabia que o senhor havia chegado — falei com um sorriso cauteloso. — César mandou o senhor trazer alguma mensagem? Nada de horrível aconteceu com meu pai ou meu irmão, eu espero.

— Não, eles estão ótimos — Maquiavel replicou. — *Madonna*, a senhora não vai gostar disso, mas a operação militar está terminada. *Don* César derrotou seus inimigos muito mais depressa do que qualquer pessoa poderia imaginar. Ontem ele ordenou que o exército papal marchasse de volta a Roma.

Meu estômago se contraiu.

Veneno nas Veias

— Entendo... Então foi uma sorte o senhor ter nos avisado... Quanto tempo até ele chegar? Alguns dias? Uma semana?

— Não, infelizmente ele não esperou para viajar com eles.

— Que quer dizer?

— Com seu esquadrão de alabardeiros ele partiu antes e galopou a noite inteira, desejando surpreender a cidade com seu rápido regresso. Viajei com eles e tentei mandar um aviso à senhora, mas nós ultrapassamos todos os mensageiros que enviei.

— Então... o senhor quer dizer... Ele já está no Vaticano?

— O nosso grupo chegou há menos de uma hora. Seu pai também. Sinto muito, mas sua família já está de volta à cidade.

Quando o choque da notícia me atingiu, eu cambaleei até a cama e desabei sobre o colchão. Afonso ficou de pé ao meu lado, o rosto preocupado e sem cor. Maquiavel baixou a cabeça e continuou:

— O Papa e o duque não me mandaram até a senhora com um recado. Eles me mandaram com um convite. Querem comemorar seus triunfos recentes com um jantar tardio no *Appartamento*. Pediram que a senhora e *Don* Afonso comparecessem.

Afonso me olhou nos olhos.

— Não está vendo, Lucrécia, o que eles voltaram para fazer? Não sabe o que acontece com todos os inimigos que eles convidam para uma refeição? Vão me dar peçonha para comer! Vão me envenenar esta noite!

A súbita mudança em nossos destino roubou-me a respiração. Todos nós reconhecíamos a verdade da declaração dele. Todos nós compreendíamos o perigo evidente que ele agora enfrentava. O aposento ficou em silêncio.

Afonso deixou-me e pôs-se a andar de um lado para o outro com passos desengonçados, começando a entrar em pânico. Eu continuei na cama, tentando avaliar a situação. Maquiavel ficou a estudar nós dois com preocupação.

Afonso tossiu.

— Não podemos seguir com os nossos planos? Não podemos simplesmente ignorar o convite, pegar nossos cavalos, cavalgar para fora da cidade e ir ao encontro da escolta dos Colonna?

— Acho que não — respondi em tom infeliz. — É tarde demais para isso. Se nos recusarmos a ir ao jantar, faremos César suspeitar. Ele vai ter certeza de que alguma coisa está errada, que já sabemos dos planos dele e que poderíamos fugir esta noite. Não seremos capazes de avançar um metro além dos muros da cidade sem que os homens dele venham em nosso encalço.

— Mas não posso ir ao jantar! Se eu for, para mim a única maneira de sair de Roma esta noite será em um caixão! — Ele jogou a cabeça para trás e agarrou os cabelos. — Cristo, chegamos tão longe, como tudo pode dar errado no último momento?

— Ainda não acabou — declarei, pondo-me de pé. Ainda não desisti, e você também não deveria desistir.

— Não? Então diga-me como podemos sobreviver a isto? Como?

— Pense, Afonso. Minha família não atacaria você tão depressa. Esta não é a data que César deu para o ataque, ainda faltam semanas para isso. Ele foi muito específico. Meu irmão já fez planos para o final de agosto, e não há motivo para pensar que qualquer coisa tenha mudado esta noite. Ele não poderia sequer garantir que estaria de volta à cidade a esta hora. — Olhei de relance na direção de Maquiavel. — Embaixador, por qual porta da cidade o senhor e a sua família entraram em Roma?

— Pela *Porta del Popolo*, ao norte, o portão mais movimentado. — Maquiavel informou.

— Ótimo. E ele já conversou com o capitão dos alabardeiros?

— Não que eu tenha conhecimento, *madonna*.

Olhei para Afonso com confiança.

— Minha família entrou por uma porta distante e é provável que não tenha ainda falado com qualquer guarda. Não saberão que removi os alabardeiros do nosso *palazzo* e da *Porta San Paolo*. Ainda podemos ir à ceia e fingir que nada está errado.

Veneno nas Veias

— Mas está errado! — Afonso bradou, afastando-se de mim intempestivamente. — É perigoso demais! Você sabe que não consigo esconder meus sentimentos, Lucrécia! Eles saberão que alguma coisa não está certa, vão olhar para o meu rosto e saber que descobrimos os planos deles!

Caminhei até ele e peguei sua mão.

— É só um convite *impromptu*, uma simples refeição. Eles ainda não têm motivos para supor que estamos prontos para fugir. Não lhes dê um motivo agora. Precisamos apenas comer alguns bocados, dizer algumas palavras, e então pedimos licença e voltarmos para cá. Depois, enquanto eles estiverem se acomodando em suas camas, exaustos da longa cavalgada, estaremos galopando para longe da cidade sem qualquer pessoa para nos impedir. Somente uma simples refeição está entre nós e o nosso futuro. Não estrague tudo no último momento. Por favor, Afonso, diga que vai ao jantar!

Ele não respondeu, mas escutei sua respiração célere e pesada na obscuridade do aposento. Voltei-me para Maquiavel a um canto.

— Embaixador, dê-nos um conselho. Deveríamos ir? É provável que nossa comida esteja envenenada?

Ele levantou a cabeça e se aproximou de nós, falando com sinceridade:

— *Madonna*, não posso tomar esta decisão pela senhora. Mas deixe-me contar-lhe uma coisa que vi na campanha. Em uma cidade que *Don* César conquistou, ele enfrentou uma rebelião por parte dos seus próprios *condottieri*, os capitães mercenários do seu exército. Eles conspiraram para derrubá-lo, acabar com a crueldade dele para com os moradores da cidade. O seu irmão ficou sabendo da conspiração e apresentou-se desarmado diante dos *condottieri*. Chamou-os para uma casa para discutirem pacificamente as queixas deles. Os *condottieri* conheciam os costumes enganosos dele, sabiam o que ele iria fazer. Mesmo assim, de alguma forma ele conseguiu enganá-los e convencê-los a entrar na casa. Vi pessoalmente tudo acontecer. *Don* César tinha colocado os seus alabardeiros à espera nas sombras, para estrangular os *condottieri* assim que eles entrassem. Que idiotas, tornando tão fácil a própria morte! — Ele fez uma pausa e sua voz ficou mais branda. — *Madonna*, apenas certifique-se de que a senhora não vai cometer o mesmo erro que eles cometeram.

Cocei meu queixo, lentamente formando uma nova ideia.

— Sim, não acredito que haja um ataque esta noite, mas não podemos correr qualquer risco. Precisamos encontrar um meio de nos salvaguardar de qualquer perigo em potencial. No entanto, e se ainda pudéssemos comparecer ao jantar, mas sobreviver a qualquer carne peçonhenta ou taça envenenada que possam nos servir?

Maquiavel franziu a testa em dúvida. Afonso olhou para mim, confuso e hesitante.

— O que você está dizendo soa como um asno de monteiras — Afonso disse com a voz trêmula. — Maldição, eu quis dizer um monte de asneiras! Mas são mesmo asneiras, não são? A não ser que você tenha algum antídoto mágico, como poderíamos ficar imunes a qualquer veneno?

— Nós nos envenenamos antes — respondi.

Os rostos dos dois perderam qualquer expressão. Eles olharam para mim como se eu fosse insana. Fiz um gesto indicando que se aproximassem, então baixei a voz e descrevi rapidamente o meu plano.

XXV

A Confusão no Jantar

Recém-vestidos para o jantar, deixamos nossa casa e seguimos pelas das pedras do calçamento da *Piazza San Pietro* iluminada pela lua. Afonso se demorava atrás de mim, certificando-se de que eu percebia a extensão da sua relutância. Juntos fizemos nosso caminho em direção ao *Palazzo Apostolico*, passando por peregrinos dormindo nos degraus da *Basilica*.

Finalmente chegamos às grandiosas muralhas do Vaticano e puxei Afonso para perto de mim. Do bolso do meu vestido tirei um pequeno frasco azul de elixir.

— Temos sorte de que eu ainda tenha isto — cochichei.

— Tem certeza de que a poção vai funcionar? Diga-me de novo o que é isto — ele respondeu.

— *Mercurius Vitae*, o "mercúrio da vida". Meus médicos me deram isto quando fiquei doente com cólicas no estômago. É um emético. Ele nos purga de qualquer coisa no nosso estômago, boa ou ruim. Você vai vomitar tudo.

— E isto impedirá qualquer veneno?

— Espero que sim.

— Espera? Mas você disse...

— Escute, é um remédio desesperado para uma situação desesperada. Se comermos ou bebermos qualquer veneno, isto vai impedir que eles se acomodem no nosso estômago e passe para o nosso sangue. A náusea que ele provoca nos dá também uma desculpa para sairmos cedo. — Removi a tampa do frasco e ergui-o até os lábios de Afonso. — Só umas gotinhas, ele é forte e não queremos que aja depressa demais.

Ele tomou um gole, minúsculo e hesitante, do líquido e colocou a língua para fora em desagrado. Achei que ele estava exagerando até que engoli um pouco também e me lembrei de como o gosto era horrível — tão acre que parecia queimar o esmalte dos meus dentes. Com a poção novamente guardada em segurança no meu bolso, seguimos em frente, dirigindo-nos ao salão principal da *Torre* Bórgia.

Ao nos aproximarmos do aposento, lembrei-me do destino dos *condottieri*, e olhei em volta à procura de quaisquer alabardeiros prontos para saltar sobre nós. Em vez disso, dentro do salão descobrimos uma cena de exultante comemoração: Afonso e César acomodados junto a uma mesa cheia de muitas carnes e massas; criados derramando vinho de frascos enormes; menestréis tocando suas flautas; cortesãs usando joias e túnicas, algumas seminuas dançando embriagadas. Com a minha presença, tanto papai quanto meu irmão levantaram-se para nos cumprimentar. A testa vasta de Alexandre mostrava-se rosada de prazer e ele dispensou as mulheres com evidente relutância. Em contraste, uma máscara ainda cobria o rosto de César. Enquanto eles se aproximavam de nós, meu estômago se contraiu, em parte pela ansiedade, em parte pelo emético já funcionando em minhas vísceras.

Alexandre exclamou, com sua voz cheia, professoral:

— Minha querida Lucrécia! Apesar do meu cansaço da viagem para casa, não posso expressar como meu espírito se alegra ao ver

Veneno nas Veias

você outra vez. Minha equipe me informou que como minha substituta você mostrou total lealdade. — Ele se voltou para Afonso.

— E o senhor, *Don* Afonso, é muito bem-vindo à degustação de todas as delícias que a minha mesa pode lhe oferecer hoje.

Afonso fez cara feia e não respondeu.

César encaminhou-se para mim, a cabeça ereta, os ombros para trás. Seu traje elegante, negro como um corvo, ajustava-se em volta dos músculos de seu peito e seus braços. Ele ergueu minha mão e beijou-a através do orifício em sua máscara.

— Você parece estar inquieta, irmã. Alguma coisa a perturba?

— Sim, infelizmente *Don* Afonso e eu estamos com uma pequena indisposição — respondi. — Uma doença no estômago que nos deixou nauseados durante dois dias.

O corpo dele ficou tenso com o meu comentário.

— Lamento ouvir isto. Vocês não deveriam estar aqui, podemos jantar outra noite.

Afonso assentiu sua aprovação, mas eu o ignorei. Papai logo falou, com um suspiro:

— Não concordo, meu filho, não podemos mandá-los embora depois que eles já deixaram seus leitos de doentes em honra do nosso retorno. Aliás, talvez um pouco de comida e vinho possa até mesmo ajudar a curar a doença deles e restaurar suas forças.

César olhou de soslaio para papai e uma discórdia estranha e silenciosa se passou entre eles. Alexandre engoliu em seco, levemente constrangido sob o olhar do meu irmão. Eu rompi o silêncio.

— Sua Santidade tem razão. Ficaremos um pouco, agora que já estamos aqui.

César virou-se e nos indicou a mesa com um gesto. Seguimos atrás dele e nos sentamos diante de pratos de amêndoa doces carameladas, bandejas de prata contendo *bruschettas*, terrinas fumegantes de espaguete com *guanciale*, gemas de ovo e queijos. E um pequeno mar de taças cheias de vinho tinto. Espiei aquilo tudo e me perguntei quanto daquele banquete estava empeçonhado.

Peguei algumas fatias de *bruschetta*, mas me custou trabalho criar a vontade de comer. Hesitantemente mastiguei e engoli alguns bocados, meu estômago estremecendo por causa da poção dentro de mim. Ao lado da minha cadeira Afonso estava sentado curvado para a frente, uma das mãos sobre o estômago, com uma expressão no rosto visivelmente nauseada. Ele ergueu e levou à boca várias colheres de massa. Enquanto isso, César emborcava a sua taça de vinho e papai sugava vorazmente os ossos de uma costeleta de porco. Eles depressa perceberam o nosso apetite relutante.

— Não há coisa alguma que possa aguçar o seu apetite esta noite? — Alexandre perguntou. Seus olhos me prendiam com intensidade, sem pestanejar.

Sem lhe dar resposta, rapidamente voltei minha atenção para César.

— Meu irmão, por que não nos fala da sua operação militar? Ouvimos alguma coisa sobre as suas façanhas, mas todo o nosso conhecimento disso vem de boatos e mexericos.

— Sua Santidade irá lhe contar melhor do que eu — ele respondeu sem olhar para mim.

Papai deu uma risada forçada.

— Ora, é claro, terei o maior prazer em narrar as batalhas e vitórias do meu corajoso filho.

Alexandre dispensou os músicos para que pudéssemos conversar sem perturbações. Ele então começou um longo relato de toda a campanha, detalhando cada escaramuça:

— ... e a essa altura o nosso suprimento de armamentos estavam perigosamente baixos. Felizmente o Duque de Urbino nos ofereceu o uso da sua artilharia, restaurando o exército papal à sua força original. Naturalmente o duque pode ter logo se arrependido da sua generosidade, pois poucas semanas depois seu irmão liderou um ataque surpresa a Urbino e usou a artilharia do duque para atacar a própria cidade dele...

Ele parou de falar de repente, distraído pelos ruídos grosseiros que saíam dos nossos estômagos.

A barriga de Afonso borbulhava. A minha barriga respondia com um ronco próprio. A boca do meu estômago ardia e se contraía, como se alguma coisa borbulhasse dentro dele sem parar, a espuma subindo para mais perto do meu esôfago. Os sons logo tornaram a dispersar-se e papai continuou com suas histórias.

— Vocês já devem estar sabendo que as nossas batalhas atravessaram a fronteira dos Estados Papais e vazaram para as terras de Siena. Tenho o prazer de lhes contar que isto é verdade. Seu irmão ficou insatisfeito com simplesmente segurar a Romagna em suas mãos e agora deseja expandir para novos territórios...

Burrr!

O ruído saltou veio de Afonso, e papai fez uma carranca. Eu também queria arrotar mas fechei bem a boca, o ácido queimando em minha garganta.

— Qual era o assunto do meu discurso? Temo ter esquecido — disse Alexandre. Um olhar de raiva passou como um clarão pelo rosto dele. — Ah, sim, eu estava explicando que pode ser que busquemos uma futura conquista de todos os estados italianos. O seu irmão agora está a caminho de ganhar...

Burrr! Burrr!

Afonso tinha a boca aberta, pronta para arrotar pela terceira vez. Eu tensionei os músculos do meu estômago, determinada a não ceder à dor ainda. Papai respirou profundamente, sua paciência a ponto de esgotar-se. Passou a falar um pouco mais depressa, na esperança de poder completar tudo o que tinha a dizer.

— Sim, nosso plano será unificar todos os estados da Itália em um só reinado sob o controle dos Bórgia. Seu irmão já comanda um reino igual ao Reino de Nápoles. Talvez...

Burrr! Burrrr! Buuuuuuuurrr!

Papai remexeu-se em sua cadeira, ultrajado.

— *Don* Afonso, compreendo que o senhor não se encontra completamente bem esta noite, mas ainda assim há uma certa etiqueta a ser mantida em minha presença. Esta noite o senhor a violou repetidamente com suas emissões insalubres — ele declarou, balançando o dedo indicador gorducho.

César e papai encararam Afonso, esperando pela reação dele. Ele gemeu e cruzou os braços sobre o estômago, mantendo a cabeça baixa. Eu esfreguei sua nuca para confortá-lo

No momento seguinte, ele ergueu bruscamente a cabeça, seu corpo deu uma guinada para a frente e ele vomitou em cima da mesa.

O vômito voou diretamente na direção de papai, caindo sobre as taças e as terrinas próximas à cadeira dele.

— Como ousa? — bradou papai, empurrando a cadeira para trás e pondo-se de pé com esforço, a mão sobre o coração. — Como é que o senhor ousa? Juro que o senhor lesou os meus nervos a um ponto muito além de cura! Fez isto de propósito para me irritar, não foi?

Fiquei de pé para me desculpar em nome de Afonso e explicar que havia sido apenas um acidente. Papai voltou-se para me enfrentar, já cambaleando para longe da mesa. Abri a boca para falar, a espuma e as bolhas dentro de mim subiram em um jato.

O vômito saiu em um jorro, fez um arco no ar e caiu aos pés de Alexandre.

Ele ofegou como se eu o tivesse atacado. O som e o fedor por pouco não o fizeram desabar no chão, e César o ajudou a se retirar do salão.

— Perdoe-nos — gritei atrás eles. — Vamos voltar para casa e ir para a cama imediatamente.

Papai não respondeu e desapareceu com meu irmão.

Uma vez tendo eles saído, Afonso ainda ficou sentado constrangidamente em sua cadeira, a cabeça baixa quase encostando em seu prato de macarrão. Aquilo me preocupou, pois assim que vomitei, minhas vísceras relaxaram imediatamente. Enfiei as mãos nas axilas dele e tentei erguê-lo.

— Depressa — cochichei. — Estamos livres para ir. Mais tarde teremos tempo para ficar doentes.

Veneno nas Veias

Com dificuldade, ele ergueu-se da cadeira e eu o apoiei até que ele recuperasse a força das pernas. Nos esgueiramos para fora do salão e percorremos apressados a *Torre* Bórgia.

Na metade do caminho até a saída da torre, passamos perto da porta da *Sala delle Sibille*: uma grandiosa sala de estar usada como área de recepção para convidados. A luz da lareira brilhava pela porta aberta. César e Alexandre estavam agora no centro do aposento, e a voz de papai ecoou em nossa direção.

— Lucrécia, infelizmente você não pode partir ainda.

— E por que isto? Nosso mal-estar pode aumentar a qualquer momento — falei de volta cautelosamente.

— Preciso de informações sobre os consistórios que você presidiu. *Don* Afonso não precisa ficar. Só preciso falar com você rapidamente.

— Isto não pode esperar até amanhã?

— Infelizmente não. Não haverá tempo para isso mais tarde, pois preciso me preparar para uma reunião com os cardeais de manhã bem cedo.

Suspirei, sabendo que não poderia recusar sem gerar muitas perguntas. Apesar da minha ansiedade crescente, respondi:

— Muito bem, se o senhor insiste.

Eu tinha as mãos suadas enquanto levava Afonso através do *Apartamento* até a saída. Quanto mais eu pensava no pedido de papai, mais desconfiava das suas intenções. Era pouco provável que ele e César quisessem realmente falar sobre consistórios. Devia haver mais alguma coisa. Talvez eles já soubessem que havíamos entrado em contato com os Colonna e estávamos planejando fugir. Talvez tivessem até mesmo descoberto que eu havia dispensado os alabardeiros. Fosse qual fosse o motivo, eu estava feliz porque eles queriam falar só comigo e não com Afonso. Pelo menos eu poderia afastá-lo de qualquer perigo.

Na entrada do *Appartamento* mandei um mensageiro buscar Maquiavel. Ele era a única pessoa em quem eu podia confiar para escoltar Afonso em segurança de volta ao nosso *palazzo*. Quando ele finalmente chegou, expliquei a situação com calma, mas rapidamente, sem mencionar qualquer dos meus temores.

— Não se preocupe comigo. O importante é levá-lo de volta para casa. Logo irei juntar-me a vocês dois — falei.

— Tenha cuidado, *madonna* — Maquiavel respondeu, enquanto segurava Afonso.

Os dois homens caminharam pela *piazza* com passos cautelosos e desapareceram nas sombras. Logo fui ao encontro de papai e meu irmão na *Sala delle Sibille*. Alexandre sentava-se em uma poltrona, aquecendo-se junto à lareira. César estava de pé perto dele e a luz das chamas reluzia em sua máscara. Para meu alívio, ambos pareciam relaxados, nem agressivos nem ameaçadores, e não fui objeto de qualquer interrogatório a respeito das minhas recentes atividades. Em vez disso, eles simplesmente me perguntaram sobre as minhas experiências com os cardeais, e eu relatei rapidamente um curto histórico de todos os meus consistórios. Durante todo o tempo em que falei, tudo em que conseguia pensar eram os preparativos para a nossa fuga. Estaria tudo ainda no lugar? Afonso teria forças suficientes para cavalgar essa noite? Estávamos tão perto agora... Eu ansiava por voltar para nosso *palazzo*, e terminei bem depressa tudo o que precisava dizer.

— Ótimo, minha filha, você certamente provou ser digna de toda a autoridade que lhe deleguei. Você realmente tem um instinto determinado que me recorda eu mesmo quando tinha a sua idade.

Dei um passo para o lado em direção à porta. Alexandre ficou a contemplar o fogo com expressão pensativa, depois continuou:

— Naturalmente a sua beleza vem muito menos de mim do que de Vannozza.

Estaquei à menção da minha mãe. Era incrível ouvi-lo falar o nome dela, pois esse assunto era em geral proibido. No passado, muitas vezes eu sentira vontade de lhe fazer perguntas sobre o relacionamento deles, como se conheceram, por que finalmente se

Veneno nas Veias

separaram, mas havia anos desde que ele falara sobre ela com boa vontade. Até mesmo César agora baixou os olhos para Alexandre com curiosidade. Voltei para dentro do aposento e permaneci ali durante alguns segundos:

— Sinto saudade daqueles dias em que morávamos com ela na *Piazza Pizzo di Merlo*... Minhas lembranças daquele tempo já se desvaneceram.

— As minhas também — Alexandre declarou. — No entanto, enquanto eu viver vou me lembrar sempre do modo carinhoso como você andava atrás da sua mãe, agarrada às saias dela. Era o retrato da adoração. No entanto, aquela não era uma idade que durasse, Lucrécia, pois você sempre foi uma filha precoce. Aliás, você muitas vezes dialogava com os hóspedes da casa como se fosse uma fidalga adulta no corpo de uma criança pequena!

Um barulho súbito chamou minha atenção, um homem gritando à distância. Talvez um cavalariço do estábulo brincando no pátio abaixo da torre? O som era baixo, no entanto era estranhamente perturbador, e eu preparei uma desculpa para sair. Não cheguei a ter a chance de falar.

A voz distante do homem tornou a soar, com o volume mais alto e o tom mais estridente. O grito repetiu-se várias vezes. Dessa vez várias vozes responderam. As palavras soavam ininteligíveis, mas era óbvio que alguma coisa terrível estava acontecendo. Momentos depois, um tumulto sacudiu o *palazzo*, passos ecoando cada vez mais próximos em direção ao aposento. De repente, entendi o que vinha acontecendo nos últimos minutos, o verdadeiro propósito do encontro, a verdadeira razão para papai ter falado em Vannozza.

César empunhou sua espada e saltou para a frente da porta, preparado para nos proteger de alguma ameaça desconhecida. O rosto de Alexandre contorceu-se de pânico. Apesar das reações deles, eu sabia que não era eu a pessoa que estava em perigo. A conversa havia sido um truque para me manter longe de Afonso.

Um grupo de porteiros do *palazzo* surgiu de repente na sala, bloqueando a porta. Maquiavel abriu caminho aos empurrões, o peito ofegante, a fisionomia severa. Apesar da pouca luz, eu pude ver que as suas mãos e as mangas da sua camisa estavam manchadas de sangue.

— *Madonna...* Depressa... Na *piazza...* — disse, recuperando o fôlego.

— Morto? — perguntei em resposta.

Imediatamente empurrei César para fora do meu caminho, passei pelos criados, mergulhei pela porta e voei para o corredor. Maquiavel e eu alcançamos a entrada do *palazzo* em segundos. Eu quase fiquei paralisada de terror diante da visão à minha frente.

Sob o arco de mármore da porta, o corpo imóvel no chão, Afonso jazia encharcado de seu próprio sangue.

XXVI

Eu Bloqueio a Torre

Não havia tempo para chorar. Nem tempo para respirar. Ajoelhei-me ao lado de Afonso e abracei seu corpo frágil. Fendas em sua jaqueta expunham cortes em seu ombro. O sangue saía de um corte profundo na cabeça, e suas pálpebras estremeciam. Ele agarrou a minha mão com sua mão quente, e apertou, como o bebê Rodrigo costumava fazer com meus dedos. No momento seguinte a mão dele enfraqueceu. Sua cabeça tombou para o lado em um ângulo estranho, e as pálpebras se fecharam.

— Não! Oh, Deus! — exclamei baixinho.

Maquiavel ajoelhou-se ao meu lado.

— Ainda não, *madonna*, ele ainda respira. Não feriram quaisquer órgãos vitais.

— Como...

— Cinco homens disfarçados de peregrinos. Nem sequer consegui ver as adagas deles. — Sua voz falhou por um instante. — Pensaram que ele havia morrido. Arrastei-o de volta para cá com a maior velocidade que consegui.

Ergui os olhos para as pessoas que me cercavam, inclusive os criados, e meu pai e irmão: Alexandre, imenso e disforme em suas vestes; César, uma sombra permanente.

— Vocês! — exclamei sibilando para eles. — Vocês fizeram isto!

— Como ousa fazer tal acusação? — Alexandre retrucou com o rosto sério.

César balançou a cabeça.

— Você retirou meus guardas de seus postos, irmã, não eu. Eles teriam impedido o ataque.

Sorri com amargura, nada impressionada com a hipocrisia deles. Afonso de repente contorceu-se em meus braços. Os assassinos não conseguiram matá-lo imediatamente, mas ele ainda poderia morrer a qualquer momento por causa dos ferimentos. Instantaneamente levantei-me e girei na direção do grupo de porteiros e criados papais.

— Levem *Don* Afonso para a *Salla delle Sibille*! Tragam uma cama de campanha, água limpa e curativos!

Eles se limitaram a me olhar com surpresa e não reagiram. Bati com o pé o chão:

— Que é que estão esperando? Não vou deixá-lo morrer enquanto vocês ficam parados aí olhando! Façam isto agora!

Chocados, eles entraram em ação, ergueram Afonso pelos braços e pernas e o levaram.

Olhei para César com raiva.

— Mantenha os seus homens longe desta torre. Meus próprios criados irão tomar conta de Afonso esta noite, não os seus.

— Se é o que você quer... Mas fique sabendo de uma coisa: eu não feri o duque.

— Ah, é mesmo? Então faça os seus homens provarem isto. Coloque os seus guardas em toda a *Città del Vaticano*. Anuncie a morte para qualquer pessoa que portar uma arma entre este lugar e o *Castel Sant'Angelo*. Os atacantes dele não terão permissão para um segundo golpe.

Veneno nas Veias

Sem outra palavra ele fechou as mãos em punho e saiu pelo corredor, gritando por seus alabardeiros.

— Quero médicos — falei, olhando de relance para papai. — Médicos dos Collona.

— Mas por quê, minha filha? Por que fazer esta exigência quando temos uma legião dos médicos mais hábeis aqui no *Appartamento*?

— Não confio neles. E quero também todos os criados disponíveis reunidos na *Sala delle Sibille*. Eles devem preparar a sala para Afonso ficar até se recuperar.

— Mas seu marido não deveria se recuperar em seu próprio *palazzo*?

— Não. A saúde dele está frágil demais para arriscar movê-lo para tão longe. E não quero que ele seja levado para fora do Vaticano. De agora em diante ele estará sob a proteção direta da família. — Pronunciei as palavras seguintes amargamente. — E se ele for atacado novamente, o mundo inteiro saberá de quem foi a culpa!

Alexandre ergueu as sobrancelhas.

— O seu pedido será atendido. Afonso terá toda a assistência de que precisar.

Ele virou-se e se afastou devagar, arrastando os pés, parecendo magoado e frágil...

Sem perda de tempo transformei a *Sala delle Sibille* em um quarto de dormir improvisado. Ordenei que os criados montassem uma cama de campanha perto da lareira, instruí as camareiras para me ajudarem a despir Afonso e banhar seus ferimentos com água salgada, e supervisionei os médicos de Colonna que costuraram seus cortes, cobriram-no de unguentos e envolveram seu corpo em alvas bandagens limpas. Por segurança, organizei uma vigilância de 16 homens do meu *palazzo* parados do lado de fora das portas, como sentinelas. Enquanto isso Maquiavel ajudava a fazer uma barricada no quarto travando as janelas, instruindo carpinteiros a colocar uma trave atravessada na porta e requisitando do arsenal papal um arco com flechas — um último recurso se atacantes forçassem a entrada.

Uma vez que os criados papais se retiraram, Maquiavel e eu fechamos as portas e colocamos a trave, trancando-nos dentro do quarto, distantes de intrusos. Meus olhos encheram-se de lágrimas quando fui até a lareira arrastando os pés e parei junto ao leito de Afonso. Diante de mim, fagulhas de cinza estalavam através do ar e criavam sombras âmbar em sua pele pálida. Havia pérolas de suor em suas têmporas. As pálpebras se mostravam brilhantes e cinzentas, como pedras, e as unhas estavam estranhamente azuis, como se ele tivesse mergulhado as mãos debaixo d'água. Imagens do cadáver de Panthasilea pairavam em meus pensamentos.

Logo recorri à oração, pedindo desesperadamente ao Senhor para poupar a vida de Afonso. Rezei para que eu pudesse repor suas forças eu mesma, tirar sangue das minhas próprias veias e dá-lo a ele, doar qualquer pedaço da minha carne para restaurar a sua saúde. Apenas poucas horas antes ele era tão jovem e vigoroso, que eu não conseguia acreditar que ele estivesse agora tão frágil, derrubado com a maior crueldade, sua força e sua vitalidade arrancadas. Senti-me culpada por ter me casado com ele — se não tivéssemos nos conhecido, ele não teria sido caçado ou esfaqueado essa noite, não estaria morrendo agora. Eu era quem deveria pagar pelos crimes da minha família, não Afonso. Se eu estivesse na *piazza* teria enfrentado seus assassinos sem medo, postando-me diante das adagas sem hesitação, suportar qualquer ferimento e aceitar a morte com prazer em lugar de deixá-lo sofrer qualquer mal. Enquanto o contemplava ali deitado, sabia que ele não estava vivo nem morto, mas pairando na frágil margem entre este e o outro mundo.

Meus esforços para rezar cessaram e me lembrei do caderno do espião. César queria que nós o víssemos. Presumivelmente, seu espião também fingiu agir de maneira incompetente, deixando que capturássemos o caderno e lêssemos a falsa anotação a respeito da hora do ataque a Afonso. Até mesmo o meu poder sobre a Santa Sé foi apenas uma distração enquanto a minha família estava ausente de Roma. Que maneira melhor de me transmitir a ilusão do poder,

Veneno nas Veias

de impedir-me de entrar em pânico, de impedir-me de deixar Roma, do que me dar a própria Roma? O caderno, o novo poder, a ausência da minha família, tudo isso nos envolvera em uma falsa sensação de segurança.

Permaneci ao lado da cama de Afonso grande parte da noite e tentei me convencer de que os olhos dele logo piscariam e se abririam, como se ele estivesse apenas despertando de um cochilo. Finalmente levantei-me e andei um pouco para esticar as pernas. Percebi Maquiavel sentado em silêncio a uma mesa de carvalho perto das portas, os dedos segurando uma pena e escrevendo em uma folha de pergaminho.

— Que é que está escrevendo, Embaixador? Alguma coisa para o seu livro sobre estadismo? — perguntei em tom ácido.

Ele ergueu a cabeça da página.

— Descanse um pouco, *madonna*. A senhora passou por muita coisa esta noite. Não há mais coisa alguma que possa fazer por Afonso.

— Diga-me, o senhor ainda admira César como líder?

Ele suspirou e ficou agitado. Apontei para o corpo de Afonso ao lado do fogo:

— O senhor acha que ele merece isso, não acha? Acha que tanto ele quanto eu merecemos isto por não termos enxergado o logro bem no nosso nariz?

— É a senhora quem está dizendo isto, *madonna*. Eu não disse.

— O senhor disse sim. Na biblioteca, não há muito tempo. O senhor disse que a melhor maneira de exercer o poder político é abandonar a moralidade quando ela atrapalhar. Não está correto? Os líderes fortes, os homens como César, sabem que o medo é melhor do que o amor, que a mentira é melhor do que a verdade. Esta noite demonstra muito bem a sua filosofia.

Ele jogou a pena na mesa e cruzou os braços

— *Madonna*, não preciso aprovar os acontecimentos desta noite para acreditar que as minhas ideias ainda funcionam em um nível abstrato. E não preciso gostar da realidade dos meus pensamentos para admitir que eles apesar disso são realidade. Escrevo somente sobre política! A senhora faz parecer tão pessoal!

— E é!

— Ora, não diga tamanha besteira! — Ele se levantou da cadeira com ar desafiador. — Pensei que a senhora gostasse do fato de que digo o que penso! E não seria bom se alguém ouvisse? Espero que não me culpe pelo que aconteceu a *Don* Afonso. Meu Deus, eu lhe avisei que a senhora estava em perigo! Eu lhe aconselhei a não ir ao jantar. Até mesmo seu marido implorou pela fuga. Mas a senhora quis ouvir alguém? Não. A pessoa com quem a senhora está realmente zangada é a senhora mesma, *madonna*, não eu.

Respirei rapidamente e encarei-o nos olhos. Ele me encarou de volta com raiva e não se moveu.

Sem aviso a minha raiva sumiu completamente e eu me sentei em uma cadeira.

— Não quis culpar o senhor. Perdoe-me — falei em voz baixa.

— Já perdoei — disse Maquiavel, a voz branda novamente.

— O senhor ficará conosco por algum tempo? Não há mais ninguém. O senhor ficará pelo menos até Afonso recuperar a consciência?

Os olhos dele brilharam.

— *Madonna*, vou oferecer à senhora a única coisa que posso dar e ainda assim guardar.

— Que é...?

— A minha palavra.

Eu o abracei, grata e aliviada. Embora houvesse ignorado os desejos de Afonso muitas vezes no passado, tivera a sorte de seguir o conselho dele a respeito de Maquiavel. Ainda bem que eu o mantivera como amigo. Nesse momento ele era meu único aliado verdadeiro no mundo.

Depois que eu mais uma vez agradeci ao embaixador, o quarto voltou a um relativo estado de tranquilidade. Infelizmente essa trégua de paz não durou até o início da manhã, quando meus soldados do lado de fora da sala finalmente tiveram que trocar a guarda.

Veneno nas Veias

O único problema surgiu na hora da troca: os alabardeiros de César controlavam a segurança do *Palazzo Apostolico* e eles obrigaram meus homens a fazer a troca de guarda no pátio do lado de fora e não dentro do *Appartamento*. Teimosamente insistiram que apenas alguns dos meus guardas poderiam entrar no prédio a qualquer hora. Eu já não tinha autoridade para passar por cima deles. Assim, durante o tempo necessário para os meus soldados marcharem para o térreo, sair para o pátio e fazer a troca com os novos soldados, o nosso aposento ficaria desprotegido.

Maquiavel e eu ficamos de frente para as portas em silêncio. Do lado de fora, a luz das tochas nas paredes lançavam sombras sob a porta e trazia com ela as sombras dos meus guardas. O capitão da guarda me informou que eles estavam saindo para o pátio. Com relutância permiti que fossem.

Escutamos os guardas marchando pelo corredor e se afastando. Trinta segundos se passaram.

Para minha surpresa, assim que o corredor ficou silencioso escutamos novamente o ruído de botas. Passos, próximos e rápidos, ressoaram sobre os pisos de mármore em direção ao aposento, ficando cada vez mais altos, a velocidade mais intensa.

Maquiavel girou em minha direção com alarme:

— Eles voltaram para nós muito depressa, não?

— Não, estes não podem ser os meus homens, são precisos vários minutos para chegar ao pátio — repliquei.

Voltamos a olhar para as portas. Uma sombra deslizou perto dela pelo lado de fora. Outra sombra apareceu, depois outra. Um grupo de silhuetas logo andavam de um lado para o outro em frente à porta, os passos furtivos e cautelosos. Pelo menos cinco homens estavam agora reunidos em volta do aposento.

— Tem alguma ideia? — sussurrei ansiosamente.

— Fique imóvel — ele respondeu.

À nossa volta, a sala parecia incrivelmente pequena e insuportavelmente escura, sem meios de retirada ou fuga.

Como César podia ser tão atrevido? Será que realmente ordenaria outro ataque nessa noite em meio a uma segurança tão rígida? Todos iriam considerá-lo culpado. Seria que ele já não se preocupava em esconder do mundo suas ações assassinas? Esconder de mim?

Fosse qual fosse o esquema que meu irmão estava executando naquele momento, os homens no lado de fora já tinham fracassado uma vez naquele noite e não pretendiam fracassar novamente. Haviam retornado para terminar o que havia sido iniciado na *piazza*. Tinham vindo para assassinar Afonso.

XXVII

O Cerco

Alguém apagou a luz no corredor e deixou as portas na escuridão. O assalto teria início a qualquer momento.

— Coloque a mesa nas portas! — falei, ficando de pé num salto. — A trave pode não segurar!

Maquiavel correu para a frente, juntou-se a mim perto da mesa e agarrou a beirada dela para virá-la de lado. A mesa era de carvalho sólido e ajudaria a segurar as portas. Fazendo força com os braços, as pernas tremendo com o esforço, viramos a mesa e empurramos seu topo contra a entrada.

De repente os atacantes se jogaram contra as portas.

— Fique para trás! — Maquiavel berrou.

Os homens no lado de fora esmurraram a madeira com os punhos, atacaram-na com pontapés e golpearam-na com os ombros. As portas trepidaram, as dobradiças rangeram, mas Maquiavel inclinou-se contra elas, tentando segurar a trave no lugar. Seu corpo estremecia com as vibrações de cada golpe, mas ele não se moveu.

Recuei para perto da cama de Afonso, agachei-me ao seu lado, peguei a balestra e coloquei uma flecha em posição. Apontei-a para as portas, pronta para disparar no primeiro assassino que ousasse enfiar a cabeça naquela sala.

— Onde estão os meus guardas? Por que ainda não voltaram?

Os golpes ficaram mais pesados, com os atacantes usando toda a sua força. As suas botas e os seus punhos ressoavam em meus ouvidos. Maquiavel tentou com mais força segurar a trave. Meu dedo retesou-se sobre o gatilho da arma. Tinha a certeza de que em poucos instantes os assassinos irromperiam pela porta arrombada.

Em vez disso, a porta aguentou firme, e no lado de fora soaram impropérios de frustração. Uma fraca luz alaranjada de uma tocha logo retornou ao corredor e vazou por baixo da porta. Mais gritos e maldições enchiam o ar, novas vozes berravam, e botas trovejavam em direção ao quarto.

— Os meus homens! A nova guarda! — gritei para Maquiavel.

O ataque à sala cessou instantaneamente e uma desordem caótica ecoou do lado de fora: metal ressoava e vozes berraram. O barulho diminuiu rapidamente enquanto os meus guardas perseguiam os atacantes pelo corredor e para fora da torre. Quase que com a mesma rapidez com que começara, o ataque cessara e os assassinos nos deixaram, pelo menos por enquanto.

Baixei o arco e Maquiavel empertigou-se junto às portas.

— Não vai durar. Eles logo estarão de volta — disse.

— Sim, eu sei — respondi.

Enquanto nós dois recuperávamos o fôlego, nossas pulsações ainda disparadas, percebi que o pergaminho dele estava no chão, pisoteado por nós durante a comoção. Recolhi-o do chão para ele e tentei esticar as bordas.

— Que estratégia César está usando agora? — perguntei. — Por que não remover meus homens à força e ordenar que seus alabardeiros rebentem as portas? Ele poderia fazer isso se quisesse, nada pode impedir. — Balancei a cabeça, desalentada. — Que coisa

Veneno nas Veias

patética! Será que ele pensa mesmo que está enganando alguém usando um ataque tão furtivo?

— Talvez, *madonna*, seja pelo mesmo motivo pelo qual seu irmão usa uma máscara. Creio que ele usa um disfarce não apenas para esconder sua infecção das outras pessoas, mas também de si mesmo. Poderia ser o mesmo impulso com esses ataques: *Don* César não deseja atacar a sala abertamente, pois isso tornaria a sua maldade óbvia demais. Não especialmente para o mundo, mas para a sua própria consciência. Ele precisa ver-se como um herói, um grande estadista, não um reles assassino. Precisa acreditar em suas próprias ilusões.

— Os tiranos são livres de ética, mas não da sua própria vaidade. É isto que o senhor quer dizer?

— Exatamente.

Devolvi-lhe o pergaminho. Afonso de repente soltou um curto gemido inconsciente e minha atenção voltou-se para ele.

Enquanto Maquiavel guardava seu trabalho e eu cuidava de Afonso perto da lareira, gradualmente tomei consciência de um novo problema na nossa situação. Não tínhamos comida ou bebida na sala. Os médicos haviam declarado que Afonso precisava beber pequenos goles de água e ser alimentado diariamente com bocados de pão molhados em leite. Sem esse sustento ele jamais sobreviveria e recuperaria a sua força. De todos os preparativos que eu fizera para a sala, o mais óbvio tinha passado despercebido. Que importância tinha o fato de resistirmos aos atacantes de Afonso só para deixar que ele morresse de inanição na segurança da nossa sala?

Maquiavel e eu discutimos rapidamente a questão, mas a resposta era clara: eu não poderia permitir que um criado nos trouxesse os suprimentos de que necessitávamos. A comida e a bebida de Afonso deveriam ser trazidos pelas minhas próprias mãos. Aquela era a única maneira pela qual eu poderia assegurar que ele não receberia um alimento envenenado.

— É perigoso demais. Sou eu quem deveria ir, não a senhora. É mais razoável que a senhora fique aqui, ao lado do seu marido — Maquiavel objetou.

Sorri tristemente.

— Agradeço a sua coragem, mas um de nós deve ficar para proteger Afonso de mais um ataque. O senhor é mais forte e poderá deter os atacantes muito melhor do que eu poderia. Não se preocupe, vou esperar até a primeira luz. A essa hora César deverá estar dormindo. E vou levar dois dos meus guardas de vigia aí fora.

Ele suspirou, mas apesar de suas dúvidas não fez mais protestos contra o plano.

A luz do sol matutino logo penetrou através da escuridão do aposento, iluminando a palidez da pele de Afonso. Profundas bolsas cinzentas agora pendiam sob seus olhos e os lábios pareciam descorados. Ele transpirava com a febre e sua respiração era difícil, como se ele estivesse se aproximando lentamente do ponto de crise dos seus ferimentos. Eu estava determinada a não fracassar com ele de novo.

— Volte em segurança — Maquiavel sussurrou enquanto erguia a trava e abria a porta.

Acompanhada por dois homens afastei-me apressada da sala, deixando os outros guardas guarnecendo seus postos durante a minha ausência. De canto a canto eu varria os arredores, perscrutando as alcovas escuras e as portas, procurando um sinal dos homens de César. Depois de nos esgueirarmos ao longo de corredores, descendo escadas e atravessando pátios, evitando sermos localizados pelos cavalheiros papais e pela equipe doméstica, meus guardas e eu chegamos às cozinhas sem impedimento.

De imediato o calor de duas grandes lareiras queimou minhas bochechas. Filas de cozinheiros amassavam os nós dos dedos dentro de massa de bolo à mesa, e criados mexiam panelas de sopa no fogão. Diante da minha presença a cozinha parou o trabalho imediatamente. Era raro que alguém da minha família visitasse aquela

Veneno nas Veias

parte da casa, especialmente sem ser anunciado. Sem explicar o propósito da minha visita, eu examinei os alimentos sobre as mesas próximas, pegando bisnagas de pão *pagnotto* e laranjas, e os entreguei aos meus guardas para que os carregassem. Não havia água à vista. Felizmente descobri um *posset* recém-coalhado. O leite quente acabara de ser misturado a vinho Madeira, ovos e limão. Um dos meus guardas pegou o jarro e saímos disparados pela porta mais próxima, deixando atrás de nós uma cozinha muito espantada.

Até então a minha incursão havia se saído muito bem. O problema começou realmente quando retornamos à *Torre* Bórgia: quando faltavam dois minutos para chegarmos à sala, um grupo de alabardeiros virou a esquina do corredor atrás de nós. A organização precisa do grupo indicava que meu irmão estava no meio deles. Estranhamente, apesar do adiantado da hora, ele ainda vagava pelo *palazzo* e não tinha ido para a cama. Talvez estivesse esperando por mim todo esse tempo.

Aumentamos a nossa velocidade, mas ele logo nos avistou por cima dos elmos prateados à sua frente.

— Minha irmã! Espere aí!

Gesticulei para que meus homens me seguissem e passei a correr. Com os braços cheios de *posset*, laranjas e bisnagas de pão, eles correram comigo em direção à sala.

A nossa fuga súbita deve ter incendiado o espírito dos alabardeiros. A uma ordem de César toda a matilha de guardas saiu em nossa perseguição.

Com uma pequena vantagem sobre eles, corri até as portas da sala e bati freneticamente na madeira.

— Sou eu, embaixador! Abra! É Lucrécia! — chamei.

Nada aconteceu.

Atrás de mim os alabardeiros berravam para que nós parássemos. Meus homens passaram-me a comida e a bebida e depois desembainharam suas espadas, de prontidão. Os alabardeiros chegaram mais perto, suas botas socando o chão, quase nos alcançando.

Desesperadamente bati várias vezes nas portas, rezando para que Maquiavel não ficasse amedrontado demais para abrir a sala.

— Depressa, Embaixador! Por favor, depressa! — gritei.

Finalmente, segundos antes dos alabardeiros me alcançarem a porta abriu com um estalido e me arremessei através dela para dentro da sala.

Maquiavel bateu a porta e xingou. Ele mal teve tempo de baixar novamente a trava antes que os homens de César chegassem. Suas alabardas golpearam as espadas e armaduras dos meus homens. Nós recuamos, cheios de medo.

De repente todos os ruídos cessaram.

Só podia haver uma razão para uma parada tão brusca: César havia dado a ordem. Meu irmão estava agora presente do lado de fora da sala.

Realmente, sua poderosa voz uniforme chamou através da porta.

— Lucrécia, mandei-os embora. Estava enganado ao mandar que a perseguissem. Peço desculpas se eles lhe causaram medo. Eles nunca ousariam feri-la, eu juro.

Fiquei em silêncio ao lado de Afonso. A voz dele chamou de novo, mais perto da madeira.

— Lucrécia, só quero conversar. Você não vai falar comigo?

Hesitantemente pousei a comida e a bebida que eu carregava e caminhei através da sala até a entrada.

— Os seus homens estavam enganados, certo, meu irmão? E também estavam enganados ontem à noite quando atacaram esta sala? Estava enganados quando feriram Afonso na *piazza*?

— Aquilo não foi obra dos meus alabardeiros.

— Não minta para mim. Com esses ataques, aqui neste *palazzo*, todos em Roma saberão quem tenta matar meu marido. Você já não pode esconder este fato.

— Não escondo coisa alguma, Lucrécia.

Fechei os olhos.

Veneno nas Veias

— Esconde, sim, e estou cansada de fingir que não é assim. Sei que você matou Juan, Panthasilea e que guarda venenos no porão. Vi as suas listas de execução. Vi o nome de Afonso nessas listas, é inútil continuar mentindo. Você não pode jamais me falar a verdade?

Tanto silêncio seguiu-se à minha revelação que me perguntei se ele teria ido embora. As portas estalaram quando ele apoiou seu corpo pesado contra elas. Ele respondeu em tom penitente:

— As coisas são mais emaranhadas do que você imagina, minha irmã. Você só sabe o que eu fiz, e não o motivo. Ainda há muita coisa que você não compreende sobre esta família.

— Então me conte, você tem uma plateia cativa.

— Não posso fazer isto... Poderia querer... mas não posso...

Olhei pela junta das portas, vendo de relance o tecido escuro da jaqueta dele. Apenas uma pequena área de madeira nos separava. Depois de toda a nossa amizade de infância, depois de todas as vezes que ele me protegera do perigo no passado, eu jamais imaginara que o nosso relacionamento poderia atingir tais profundezas impiedosas como aquela.

— César, por que...

— Porque não posso. Agora deixe-me entrar. Preciso ver *Don* Afonso.

— Como é que você pode me pedir isto? Ainda é meu irmão? Uma vez você disse que jamais deixaria algum mal me acontecer.

— Só desejo ver o seu marido. Nada irá lhe acontecer.

Sacudi raivosamente a trava da porta.

— Mas você me faz mal ferindo o meu marido! Por que não consegue enxergar isto? Por que não consegue compreender que nunca vou permitir que você toque nele?

— É você quem não compreende — ele respondeu com irritação.

— Afonso vai morrer de uma maneira ou de outra. Se você abrir a porta, a morte dele pode ser mais rápida e menos dolorosa. Prometo.

— Que é que você quer dizer? Ele vai morrer de uma maneira ou de outra? Que foi que você fez?

Ele não respondeu e eu lentamente adivinhei a resposta.

— Ah, meu Deus, você o envenenou, não foi? Fez isso no jantar, bem na minha frente! — Ele não respondeu e a minha raiva aumentou. — Responda-me, César! Como foi que fez isto? Como foi que envenenou a comida dele e não a minha?

Ele respondeu com relutância:

— A família fez isso... para o caso de o ataque na *piazza* fracassar... Agora entende por que precisa me deixar entrar? Afonso só vai piorar. Ele tem cantarela no sangue. Não existe antídoto.

— Não acredito em você. Se fosse verdade, por que ia querer entrar aqui?

Ele ignorou a pergunta e sua voz ficou mais impaciente.

— Lucrécia, o seu marido tem menos de dois dias de vida. Ele já estaria morto se não tivesse vomitado uma parte do veneno na mesa. Nada resta para ele senão dor. Faça isto por ele, minha irmã. Não o deixe deitado aí em agonia. Abra as portas e tudo pode terminar em um segundo. Você concorda?

— Nunca! — exclamei em tom gélido.

— Você não sabe o que está fazendo, Lucrécia... A situação perigosa em que isto a coloca...

— Não me importo! Nunca vou deixar você entrar!

A madeira ressoou e estremeceu ruidosamente quando ele a esmurrou por causa da frustração. Recuei devagar, temendo que o ataque recomeçasse. Para meu alívio, a porta não tornou a estremecer. Depois de uma pausa ele disse:

— Você vai mudar de ideia, minha irmã. Precisa apenas de algum tempo para pensar. Meus homens vão ficar afastados, de modo que você não tem mais que se preocupar. Mas não tente coisa alguma. Não há como entrar ou sair do Vaticano sem passar pelos meus guardas. Quando você ver seu marido sofrendo vai fazer a coisa certa. Vai abrir esta porta mais cedo ou mais tarde, pode acreditar.

Permaneci calada, escutando atentamente as botas dele marchando pelo corredor.

Veneno nas Veias

Depois que ele partiu, joguei-me sobre uma poltrona e lutei para recuperar o fôlego. Olhei para Afonso na cama e senti aversão ao pensamento das toxinas que contaminavam seu corpo. Cada vez que eu olhava para ele, ele parecia mais e mais à beira da morte. Como poderíamos vencer a constante barragem de ataques, a falta de suprimentos e o veneno que lhe envenenava a carne?

Maquiavel chegou perto de mim.

— É isto? A senhora vai desistir agora?

— Eu nunca desisto. Mas o senhor ouviu o meu irmão. Não existe antídoto — repliquei.

— Então por que os homens dele tentaram arrombar as portas ontem à noite?

— Porque ele é impaciente.

— Não, o motivo não é este. A resposta é óbvia, *madonna*: não existe garantia de que a cantarela funcionará. O ataque a Afonso não o matou, e talvez o veneno também não faça o seu trabalho. Apesar de todas as suas declarações, seu irmão está claramente preocupado de que aja uma pequena chance de que Afonso possa sobreviver ao veneno. Caso contrário, por que não esperar mais dois dias e deixar Afonso morrer? Até mesmo um homem impaciente poderia esperar esse tempo. Não, *Don* César deve temer que haja uma pequena possibilidade de que seu marido se cure. Especialmente se uma pessoa como a senhora se dedicar a esta tarefa.

— O senhor acha que meu irmão está com medo?

— Naturalmente! Ele acabou de mudar de tática, a senhora não percebeu? A violência escancarada lhe é desagradável, de modo que ele tentou convencê-la a abrir as postas voluntariamente. Ele arriscou-se ao lhe falar do veneno para através do choque fazê-la submeter-se, para convencê-la de que é inútil resistir. Se a senhora desistir agora, estará simplesmente fazendo o que ele quer. Nesse caso, é melhor a senhora mesmo abrir as portas e acabar com isto.

— Mas a cantarela não tem um antídoto conhecido. Isto é certo, não é?

— E os antídotos desconhecidos? Os esquecidos?

Endireitei-me, alerta.

— Existe alguma coisa que o senhor não está me contando, Embaixador?

— Talvez... — Ele pôs-se a caminhar de um lado para outro, deliciando-se com a minha ávida atenção. — Escute isto: enquanto eu pesquisava para o meu livro na biblioteca papal, encontrei um manuscrito interessante nos códices antigos. O autor era Aulus Cornelius Celsius.

— Nunca ouvi falar dele.

— Pouquíssimas pessoas ouviram, *madonna*. Ele foi um enciclopedista romano que escreveu sobre variados assuntos. De qualquer maneira, enquanto eu folheava a obra dele li uma passagem sobre o antigo rei de Ponto, Mitridates VI. Parece que o rei tinha pavor da ideia de ser envenenado por rivais que ambicionavam o seu trono. Aliás, ele era tão obcecado por este medo que tentou criar um antídoto universal, uma cura para todos os venenos. Ele chegou a testar inúmeros venenos e antídotos em prisioneiros que seriam executados. Lentamente, ano a ano, ele reuniu todos os antídotos que havia descoberto e uma única fórmula invencível.

— E existe uma fórmula para esse milagre?

— Celsus dá a fórmula em sua obra. Eles a chamam de "mitridato".

O silêncio caiu sobre o aposento e ele ficou a me observar atentamente para ver a minha reação.

Remexi-me na cadeira, sem saber o que fazer. Tinha consciência de que a fórmula era antiga, porém não necessariamente verdadeira, e provavelmente não funcionaria. No entanto, quanto mais eu pensava nisso, mas tinha esperanças de que o mitridato pudesse curar Afonso. Eu tinha a vida dele em minhas mãos, como a chama de uma vela, abrigando-a das pessoas que prestamente a apagariam com um sopro. No entanto, por mais que eu o protegesse, sabia que a sua chama logo se apagaria por si mesma. Eu não podia deixar que isso acontecesse. Não podia ficar sentada ali olhando enquanto ele sofria a lenta destruição de seu corpo. Tinha que fazer alguma coisa, mesmo que isso significasse correr o risco de confiar em uma lenda antiga.

Maquiavel sorriu.

— Devo instruir um dos seus guardas a ir ocultamente à Biblioteca e trazer o manuscrito?

— Eu ficaria grata — respondi.

Depois que a ordem foi dada, esperamos um longo tempo pela volta do meu guarda. Enquanto isso eu rasgava nacos do pão *pagnotta*, mergulhava-os no leite *posset* e tentava enfiá-los entre os lábios de Afonso. A respiração dele havia ficado um pouco mais rápida, um pouco mais leve. De vez em quando, saíam de sua garganta sons borbulhantes, como o nosso filho fazia ocasionalmente.

Fiz uma pausa e me perguntei como estaria Rodrigo naquele momento. Nós o havíamos deixado no nosso *palazzo*, seguramente escondido com sua ama de leite, e eu esperava que ela o estivesse mantendo bem alimentado. Ele ainda estaria com saúde? Quanto teria crescido desde que eu o vira pela última vez? Parecia que havia muito tempo desde que eu o contemplava na banheira perto da lareira, alimentava-o em minha cadeira ou ninava-o para ele dormir. Eu ansiava por estar novamente com ele e pensavam em quanto poderia vê-lo de novo. Dali a dois dias Rodrigo ainda teria um pai?

Do lado de fora bateram na porta.

Maquiavel abriu a porta cautelosamente e um códice preto empoeirado foi passado para dentro do aposento. Sem delongas, lemos o manuscrito juntos perto da lareira. Ele folheou as páginas e encontrou a seção correta, escrita em latim:

CELSUS, "DE MEDICINA" (V.23.3)

"No entanto, o antídoto mais famoso é o mitridato, que o rei do mesmo nome, que segundo se diz tomava diariamente e por isso seu corpo ficou à salvo do perigo de qualquer veneno.

Ele contém hortelã silvestre, 1,66 gramas... cálamo, 20 gramas... hipérico, goma, resina de férula, resina de acácia, íris da Ilíria, cardamomo, 8 gramas cada... anis, 12 gramas... nardo gaulês, raiz de genciana e pétalas de rosa secas, 16 gramas de cada... sementes de papoula e salsa, 17 gramas de cada... cássia, quebra-pedra, joio, pimenta comprida, 20,66 gramas de cada... benjoim, 21 gramas... rícino, olíbano, suco de hipocístides, mirra e mirra doce, 24 gramas de cada... flor de junco redondo, resina de terebintina, gálbano, sementes de cenoura cretense, 24,66 gramas de cada... nardo e balsâmina, 25 gramas de cada... capsela, 25 gramas... raiz de rui- barbo, 28 gramas... açafrão, gengibre, canela, 29 gramas de cada.

Estas coisas são trituradas e misturadas ao mel. Contra o envenenamento, um pedaço do tamanho de uma amêndoa é administrado no vinho. Em outros males uma quantidade cor- respondente em tamanho a uma ervilha egípcia é suficiente."

Estudei a fórmula e fiquei preocupada.

— Embaixador, há aqui 36 ingredientes diferentes, e a maioria é rara demais para ser encontrada em nossas cozinhas.

— Elas podem ser compradas em Roma. Alguém terá que sair escondido para ir buscá-las na cidade — ele respondeu. Olhou para mim e balançou a cabeça com ar fatigado. — Imagino que a senhora vai insistir em fazer isto.

— Não há outro jeito.

— Mas a senhora já esteve na cidade sozinha, *madonna*? E se se perder? E se seu irmão a pegar? E se a senhora não conseguir voltar a tempo para *Don* Afonso?

— E se, Embaixador? E se? A vida é dura, ela nos mata no final, mas que outra coisa posso fazer? Se houver uma chance de sucesso, por menor que seja, então tenho que ir em frente. Não posso ficar aqui sem fazer alguma coisa, posso?

Ele suspirou para mim, incapaz de argumentar. Em silêncio voltamos o olhar para a fórmula.

Veneno nas Veias

Maquiavel estava certo em me advertir, pois eu sabia que haveria um batalhão de problemas à frente. O desafio de escapar do *palazzo* sem ser vista, encontrar o caminho sozinha através de Roma e reunir os ingredientes raros de um antídoto duvidoso, essa era uma tarefa que não me enchia de alegria. Mas eu precisava tentar alguma coisa, pelo bem de Afonso. Essa era, naquele momento, a sua única esperança.

XXVIII

Uma Corrida Para Encontrar Os Ingredientes

Antes de sair da *Sala delle Sibille,* eu precisava de um disfarce para conseguir passar através de Roma sem atrair atenção. Felizmente o meu antigo quarto de dormir ficava ali perto e ainda continha algumas roupas que eu não havia levado para o nosso *palazzo* novo. Sem delongas ordenei a um dos meus guardas que fosse buscar a fantasia de criada que eu havia usado no carnaval romano três anos antes. Vesti a saia verde rodada, o corpete marrom e o manto avermelhado, cobrindo a cabeça com o capuz para esconder meu rosto e o meus cabelos dourados.

Antes de partir arranquei a página do manuscrito de Celsus para poder levar a fórmula comigo. Por segurança, caso eu a perdesse em minhas andanças, decorei a lista de 36 ingredientes. Como eu já falava várias línguas, minha memória era bem treinada e eu logo decorei a fórmula de mitridato inteira. Agora estava pronta para ir.

Gotas de chuva de verão tamborilavam nas telhas do telhado do *palazzo* quando eu saí do quarto dos fundos e me esgueirei ao longo dos corredores do *Appartamento*. Como havia prometido, César havia retirado os seus homens do perímetro da torre, mas eu sabia que eles continuavam vigiando todas as saídas do *palazzo*. Para sair do Vaticano sem ser vista, sem alarmar os alabardeiros, eu precisaria ser extremamente cuidadosa.

Enrolando meu manto em volta do corpo, dirigi-me a um canto remoto do *palazzo*, raramente frequentado por qualquer pessoa. Uma tapeçaria empoeirada cobria uma parede comprida e eu a afastei, expondo uma minúscula escada escondida atrás dela. Passei para trás da tapeçaria, ajeitei-a na posição anterior, depois subi a escada estreita e espiralada até o topo. Estaquei diante de uma porta cinzenta com um cadeado de ferro. Não havia alabardeiro algum à vista. Aparentemente César havia se esquecido daquela área retirada.

Com uma chave que apenas a minha família possuía, abri a porta e perscrutei à frente, o *Passeto* — uma passagem comprida e escura que levava à fortaleza do *Castel Sant'Angelo*. A passagem era uma rota secreta de fuga para pontífices com problemas. Papai a havia utilizado quando o exército francês havia invadido e entrado marchando em Roma no ataque mais recente. Das ruas do *Borgo* abaixo, a muralha de pedra aparecia como sólida, erguendo-se a três andares de altura e encimada por ameias. Poucas pessoas sabiam que existia dentro do seu centro um corredor diminuto. Como ele levava à fortaleza, era agora ideal para a minha fuga: César não tinha alabardeiros em número suficiente para colocar no *Castel Sant'Angelo*, e apenas os guardas costumeiros estavam postados em seu portão. Com um pequeno suborno eu poderia sair dos muros da fortaleza sem que um alarme chegasse ao meu irmão.

Dentro da passagem estreita encontrei-me afogada em sombras. O caminho recortado seguia direções irregulares e eu coloquei a ponta dos meus dedos enluvados nas paredes de pedra para guiar meus passos. Depois de muitos metros caminhando apertada e arrastando os pés, finalmente cheguei à porta do *castel*, destranquei-a e esgueirei-me para dentro da fortaleza.

Veneno nas Veias

Quase que de imediato esbarrei em um zelador que patrulhava as masmorras. O hálito acervejado da sua respiração misturava-se ao fedor de lixo de suas botas. Rapidamente lembrei-me de que os romanos com frequência compravam com subornos o direito de entrar ali para visitar seus parentes aprisionados.

— Bom dia, *signore* — cumprimentei simpaticamente. — É uma sorte tê-lo encontrado! Acabo de visitar meu marido em sua cela, mas me perdi novamente. O senhor pode fazer a gentileza de me mostrar o caminho de volta aos portões?

Ele me encarou com olhos vazios, sem se impressionar com a minha história.

— É claro que haverá uma generosa recompensa pela ajuda que o senhor puder me oferecer — apressei-me a acrescentar. Enfiei a mão na bolsa e entreguei-lhe alguns ducados.

O estado de espírito dele mudou de repente e ele me guiou através do prédio, conversando e rindo como se fôssemos dois amigos que se reencontraram depois de muito tempo. Nos gigantescos portões da cidade o zelador contou minha história às sentinelas e eles depressa me deixaram sair. Coloquei prata nas mãos dos guardas e instrui-os a manter silêncio sobre a minha visita.

O estágio seguinte da minha jornada não foi tão bem sucedido. Embora a chuva tivesse feito uma pausa, as horas de chuvarada torrencial haviam ultrapassado as margens do Tibre e inundado os *rioni* adjacentes. Os balseiros deliciavam-se com aquilo, pois pegavam passageiros para todas as direções, seus barcos deslizando ao longo das ruas submersas, transportando pessoas para lojas e residências através de Roma. Fiz sinal para um barco a remo e pedi ao balseiro para remar para o sul até o *Campo de' Fiori*. Tinha a esperança de que as fartas barraquinhas na *piazza* poderiam fornecer os ingredientes necessários para o mitridato.

O problema surgiu quando tentei desembarcar. Normalmente teríamos atracado em um dos embarcadouros, mas como eles estavam todos debaixo d'água o balseiro remou pelas ruas inundadas em direção ao mercado. Finalmente a água ficou rasa e ele foi obrigado a parar o barco.

— Tome cuidado por onde anda, *signorina* — disse, estendendo a mão para me ajudar a sair do barco.

Desequilibrada e agachada, coloquei uma perna na água até os joelhos e pisei na lama de lodo no chão.

Desequilibrei-me, caí por sobre a lateral do barco e afundei na água.

Levantei-me imediatamente, mas já estava encharcada até a pele, os cabelos molhados grudando-se ao meu rosto e meu pescoço. Água gelada descia pelas minhas costas. Minhas saias empapadas grudavam-se às minhas coxas e aos meus tornozelos. Os gatos de rua tinham mais dignidade!

— Ah, não! — exclamei, tirando do bolso o pedaço de pergaminho. A tinta havia descorado do papel, deixando apenas manchas.

Felizmente eu havia memorizado todos os ingredientes. Para mantê-los frescos na mente, relembrei rapidamente a lista inteira, entoando-a em voz alta. Com os dentes batendo, os músculos tremendo, torci minhas saias e meus cabelos empapados para tirar a água. Depois marchei para o *Campo de' Fiori*, já exausta, mas minhas tarefas estavam longe de ter terminado.

Chegando à *piazza* percebi imediatamente as três estalagens pertencentes à minha mãe. Aquela não era a hora de espiar pelas janelas escurecidas. No enquanto, quando chapinhei em direção às barraquinhas no centro da praça do mercado, tive uma decepção. A maioria dos vendedores já havia partido por causa da chuva, e os poucos que ainda permaneciam ali estavam começando a retirar seus toldos e guardar suas mercadorias nas carroças. Às pressas procurei entre eles, rodeando cambistas às suas mesas, peixeiros com cestas de enguias, vendedores de aves domésticas com gaiolas de galinhas e um tecelão vendendo resmas de linho.

Finalmente descobri a barraca de um boticário com um vasto mostruário de ervas, especiarias e drogas exóticas. Um oriental trajando sedas roxas sorriu para mim de trás do balcão.

Veneno nas Veias

— *Botard* — saudou-me em uma voz musical, animada. — *Cisa gumacois? Quéqui cequé?*

— Senhor, sou ajudante de cozinha e preciso comprar alguns ingredientes para o meu patrão.

Seguiu-se um diálogo no qual ele dizia coisas ininteligíveis e eu respondia ao que pensava ser o que ele estava dizendo. Finalmente, sem esperança de conseguir comunicar-me com ele, olhei de relance para trás, para ver se havia por perto alguma outra barraca medicinal. Ele franziu a testa e apontou para um jarro de cerâmica com o rótulo enrolado nele: grãos de mel.

Suspirei aliviada, constatando que poderíamos nos entender.

— Não quero grãos de mel, obrigada. Mas gostaria de comprar hortelã silvestre, cálamo e hipérico. O senhor tem algumas dessas coisas?

— Peraí... — Ele pôs-se a estudar as fileiras de potes e jarros, separando os ingredientes.

— Ótimo! Isto vai me ajudar muito, *signore!*

Enquanto ele preparava as balanças para pesar os ingredientes, peguei minha bolsa de ducados.

— Espere... Vou lhe pagar bem se o senhor poder me fornecer também um pouco de goma, resina de férula, resina de acácia, íris da Ilíria, cardamomo...

Ele escutava atônito enquanto eu continuava a citar os ingredientes do mitridato. Embora ele conseguisse me fornecer a maior parte do meu pedido, contei os ingredientes da lista e descobri que ainda me faltavam dez. Enquanto ele conferia o peso de cada pó, grão, líquido e flor, calculando o custo em seu ábaco, perguntei onde poderia encontrar o restante dos itens.

Ele me deu uma resposta ininteligível, que eu consegui decifrar:

— Loja do boticário... Fórum... perto do Arco de ... Septimius Severus?

— É!

Depois de pagar pelos itens, agradeci-lhe a ajuda e segui meu caminho. Para carregar os ingredientes comprei uma cesta de vime de uma barraca de artesanato, depois caminhei penosamente através da cidade em direção ao norte. Enquanto eu caminhava, as nuvens escureceram o céu, prometendo outra chuvarada. Meus cabelos ainda estavam grudados às minhas costas, meu corpete estava frio e úmido de encontro às minhas costelas e os dedos dos meus pés nadavam em poças d'águas. De vez em quando eu estremecia e sentia um calor ardido na pele. Ficar doente era a última coisa de que eu precisava naquele momento, e tentei não pensar sobre isso.

Logo focalizei minha atenção nas ruas pobres pelas quais eu perambulava. Trapos cinzentos fechavam as vidraças quebradas nas janelas de residências e vitrines de lojas. Lama e valas abertas margeavam as ruas, e o cheiro de urina flutuava no ar, vindo dos becos. Normalmente, quando eu passava por uma região como aquela, todos os moradores juntavam-se na beira da rua para me observar boquiabertos; nesse dia o meu disfarce me fazia invisível e a vida continuava como de costume. Eu era apenas outra costureira ou esposa voltando do mercado.

Um pouco à frente um bando de cães sarnentos corriam à solta nas sarjetas, latindo para as crianças de caras sujas que os perseguiam pela rua. Uma velha desdentada sentava-se à soleira da sua porta, tagarelando consigo mesma enquanto cerzia uma meia. O som de uma cantoria de bêbados veio flutuando de uma janela aberta em uma taberna. Do outro lado da rua um mercador passava pela frente de um bordel e ignorava as mulheres pintadas que tentavam atraí-lo para dentro. Tudo ali era rude e cru, sempre em mudança. Se ao menos eu tivesse visto esse lado de Roma com mais frequência no passado! Era estimulante vivenciar a miséria da rua, mesmo que apenas para me lembrar de que existia mais coisas no mundo do que aquilo que acontecia dentro de um *palazzo*.

Embora aquele bairro fosse pobre, não se comparava com a miséria do *Forum Romanum*. Entre as colunas partidas e as paredes desse antigo centro da cidade, pequenas cabanas e barracos de madeira brotavam como ervas. Montes de terra e faixas de grama engoliam a maior parte das ruínas, o ar rescendia a palha e tantas vacas pastavam ali que o local tinha um apelido antigo: "*Campo Vaccino*" — o pasto das vacas. Com passos fatigados, marchei em direção ao Arco de Septimus Severus, uma estrutura gigantesca com uma franja de hera no topo. A botica que eu procurava ficava exatamente sob ele: uma cabana de madeira enfiada sob o abrigo do arco principal.

Entrei no barraco, falei com o casal proprietário da loja e consegui adquirir todos os ingredientes restantes, exceto um.

— Tem certeza de que não tem raiz de genciana? — perguntei, e tive um acesso de tosse. Apesar dos meus arrepios, sentia-me cada vez mais quente sob minhas roupas úmidas.

— Espere aqui, minha bela *signorina*, vou perguntar à dona Encrenca — disse o marido, acariciando a moita de barba com os dedos.

Ele chamou a esposa, que estava parada à única janela da cabana, mexendo na tranca. Ela veio até nós com a testa franzida.

— Federico, por que a janela está quebrada de novo? — perguntou em tom irritado. Virou-se para mim com a boca contorcida. — Sinto muito, que foi que a senhorita pediu? Raiz de genciana?

Assenti, com medo de falar para não tossir. Ela prosseguiu:

— Acho que não se vende muita genciana hoje em dia. Pode ser que no Coliseu haja alguma crescendo, se você tiver sorte. Todo tipo de coisa cresce lá sem trato. Tente o Coliseu, *signorina*. A genciana parece uma estrela azul, vai reconhecer quando ver.

Agradeci-lhe, paguei a quantia devida, depois coloquei todas as substâncias dentro da minha cesta e me preparei para sair. A essa altura eu estava tão letárgica que quase deixei minha bolsa no balcão. O marido alcançou-me na porta e entregou-me a bolsa.

— Perdoe-me, mas a senhorita não parece bem — disse com expressão sincera.

A esposa se aproximou em um andar pomposo.

— Federico, seu verme! Ela não quer que você lhe diga que ela não parece bem! — Ela olhou para mim de relance e deu uns tapinhas em minha mão. — Vá até o Coliseu, não é longe. E não se preocupe com o que ele disse, *signorina*, vai dar tudo certo.

Agradeci-lhes mais uma vez e caminhei até o outro lado da Via Sacra, a rua principal da antiga Roma. Não foi difícil achar o Coliseu, pois o anfiteatro circular elevava-se bem acima de tudo na área. Contra as nuvens de tempestades, o anel de arcos e a curvatura da pedra criavam uma ameaçadora sombra branca.

Dentro das paredes do Coliseu procurei em volta a flor azul em formato de estrela. Maltratados pelo tempo, os corredores antigos desmoronados abriam-se para o céu, e gostas de chuva agora cuspiam nos meus ombros. Cipós, capim alto e flores silvestres cresciam a cada canto, mas não havia estrelas azuis à vista. Lutei com a vegetação baixa para chegar ao *podium*, o terraço onde os imperadores costumavam assistir às lutas no fosso abaixo. Finalmente, na borda mais distante, encontrei algumas flores tubulares que se abriam em uma estrela de pétalas cor de safira. Aquela visão me encheu de júbilo — eu tinha encontrado o ingrediente final!

Colhi duas flores do chão, tratando as raízes delicadamente, e coloquei-as na minha cesta. As chances de Afonso sobreviver já não pareciam tão remotas. Tudo o que eu tinha a fazer era retornar para o meu *palazzo*, preparar o antídoto e esgueirar-me de volta à *Torre* Bórgia antes que o tempo de Afonso diminuísse. Aquela tarefa era bastante fácil, foi o que pensei.

No meu trajeto de volta as nuvens se abriram com uma intensidade implacável. Meus pés chapinhavam nas poças, e carroças passavam céleres, espirrando sujeira em meus braços e minhas pernas. Sentia-me tonta e a cada minuto eu tossia mais forte. Em meu estado febril deixei gradualmente de reconhecer meu caminho através da cidade. De alguma forma eu havia perdido o rumo! Em vez de me arrastar através de Roma para a *Città del Vaticano* a noroeste, eu havia virado para o sul e chegado de volta ao *Campo de' Fiori*.

Veneno nas Veias

A chuva caía impiedosamente. Eu não conseguiria chegar até o *palazzo* naquele estado.

Tossindo, o nariz pingando, quase cega, atravessei a *piazza* cambaleando até a estalagem "O Leão", empurrei a porta e me arrastei até o pequeno saguão. Com olhos injetados olhei em volta em busca de ajuda, avistei peregrinos parados diante do balcão de recepção e reconheci a mulher que os atendia atrás do balcão. Ela tinha cabelos louros extraordinariamente longos.

XXIX

A Estalagem "O Leão"

Passei horas inconscientes sofrendo os suores e os estupores da febre, indefesa e tonta, nunca mais do que semiconsciente do mundo à minha volta: um aposento escuro iluminado por uma lareira... um travesseiro macio sob a minha cabeça... lençóis de linho limpos contra a minha pele nua... uma sombra ao meu lado... o amargor de uma poção em meus lábios... um lenço enxugando a minha testa... Minha lembrança mais forte era a de uma voz, uma voz de mulher, murmurando delicadamente durante os espasmos da minha doença, as palavras sussurradas ininteligíveis, mas a música das sílabas constante e calmante, envolvendo-me e protegendo-me. Reconheci a voz de minha mãe.

Quando despertei completamente da febre estava a sós, deitada em um quarto. A luz do sol enchia as cortinas vermelhas sobre a janela e iluminavam os cantos do aconchegante aposento em formato de caixa. O ar tinha o tempero de cerveja, ovos e sopa de carne vindo das cozinhas da estalagem, abaixo de mim. Sentei-me e percebi que me haviam despido todas as roupas úmidas e eu estava nua sob as cobertas. Fiquei intrigada ao pensar nos cuidados que minha mãe tivera comigo depois que tivéramos tão pouco contato durante anos. Estávamos tão perto neste quarto, no entanto eu nunca percebera isso inteiramente. Mesmo nesse momento, embora eu estivesse deitada na estalagem dela e houvesse dormido em sua cama, nós não estivéramos verdadeiramente unidas.

Fiquei ali sentada organizando os meus pensamentos e esperando Vannozza voltar. Presumivelmente ela saíra para fazer alguma tarefa rápida e logo estaria de volta. Eu tinha muita coisa a lhe dizer e treinei a melhor maneira de me dirigir a ela no nosso reencontro. Enquanto eu pensava na perspectiva de vê-la de novo, estava espantada, porque depois de termos passado doze anos separadas, ela ainda se importava comigo. Embora nós duas tivéssemos nos transformado em duas pessoas diferentes, nosso relacionamento parecia fundamentalmente imutável. Ela ainda era a minha mãe, e eu ainda era a sua filha. Pela primeira vez tive consciência de como podia ser poderosa a ligação entre pais e filhos: a variação do tempo era simplesmente um disfarce, a maturidade dos anos não era mais do que uma máscara; o amor verdadeiro entre uma mãe e sua filha nunca se alterava, apenas se escondia, sempre à espera de ser revelado. Penteei os cabelos com os dedos e me fiz apresentável para a volta dela.

Uma nova ideia veio de repente manchar a minha felicidade: durante quanto tempo eu estivera dormindo? Parecia que eu havia estado naquela cama por algumas poucas horas apenas, mas e se tivesse sido por muito mais tempo? Não horas apenas, porém dias? Uma pessoa poderia perder uma semana inteira no sono pesado causado por uma febre. Quanto tempo Afonso havia ficado sem um antídoto?

Reuni as cobertas em volta do corpo e me levantei. Embora sentisse os músculos rígidos, os piores sintomas da febre haviam diminuído. Descobri algumas peças de roupa dobradas sobre uma cadeira: uma combinação, um corpete e um vestido de tafetá

Veneno nas Veias

verde-folha com fendas nas mangas postiças. Não eram minhas, mas obviamente estavam ali para que eu usasse. As mangas estavam largas nos cotovelos e o corpete me apertava sob o busto. No entanto, de maneira geral tudo me servia muito bem. Um par de chinelas estava sob a cadeira e enfiei meus pés nele. Fui arrastando os pés até a porta. Estaquei antes de sair do quarto, com a sensação de que estava esquecendo alguma coisa.

Os ingredientes!

Revistei os cantos do quarto freneticamente e procurei debaixo da cama. A cesta havia sumido! Todas as flores e sementes, todos os compostos que eu tivera tanto trabalho para reunir haviam desaparecido!

Imediatamente suspeitei de roubo e imaginei um criminoso qualquer remexendo na cesta à procura de ingredientes raros e valiosos. Teria minha mãe cometido esse roubo? Afinal, a essa altura o que eu sabia realmente sobre ela? Esse pensamento era terrível, mas acalmei-me e tentei não tirar conclusões por enquanto. Talvez Vannozza tivesse simplesmente guardado bem guardada a cesta.

Deixei o quarto e desci uma escada estreita para o andar térreo. As tranças douradas de Vannozza faziam com que ela fosse fácil de achar. Olhei pelo saguão, depois me aventurei através de uma porta para a área da taberna, atraída para lá pelo clamor de vozes e o ruído de pratos e canecas. Dentro do aposento de teto baixo, mesas coletivas estavam repletas de mercadores e lojistas. Em toda parte homens bebiam de jarras de cerveja espumante, comendo como porcos travessas de macarrão com sobras de carne. Perscrutei o aposento em vão procurando minha mãe, depois encaminhei-me devagar para o balcão. O homem que servia a bebida estava encostado em um barril de cerveja. Tinha o rosto escuro e marcado, como madeira velha, mas parecia suficientemente amigável.

— Com licença, o senhor podia dizer à proprietária, *signora* dei Cattanei, que eu gostaria de falar com ela? — pedi.

— Por parte de quem? — ele replicou.

— Da filha dela.

Ele sobressaltou-se, reconhecendo-me de repente.

— Ó, Senhor, é a senhorita! Desculpe-me, *madonna*. Ela não me contou que a senhorita já estava de pé.

— Por quanto tempo estive dormindo?

— Não mais do que um dia ou dois, eu diria.

Meu rosto sombreou-se. Se aquilo era verdade, então já devia ser tarde demais para salvar Afonso.

— Eu poderia ver mamãe imediatamente, *signore*?

— Infelizmente ela saiu. Está fora desde de manhã e ainda não voltou.

— Tem alguma ideia de onde eu poderia encontrá-la?

Ele coçou a barriga redonda.

— Eu a vi com uma cesta. A senhorita poderia tentar o mercado.

Sem esperar mais um minuto sequer, agradeci-lhe e marchei para fora da taberna, atravessei o saguão e irrompi na *piazza*.

O mercado à tarde estava quente e apinhado de gente. Dei voltas por entre as barraquinhas, meus olhos reparando em qualquer pessoa que se parecesse com Vannozza. Por que ela levaria os ingredientes? Por que me salvar da doença e me abrigar em seus alojamentos só para roubar meus pertences enquanto eu dormia? Teria ela considerado isso uma recompensa? Um pagamento pelos serviços prestados? Balancei a cabeça e constatei que teria pouca esperança de alcançá-la. Ela havia partido horas antes, tivera tempo mais do que suficiente para revender tudo o que havia dentro da cesta. Desanimada, procurei nas outras estalagens que ela possuía, perguntando por ela no saguão, preparada para enfrentá-la se ela aparecesse. Ninguém sabia aonde ela havia ido ou quando poderia estar de volta.

Com a perda de todos os meus ingredientes e sem bolsa para comprar novos, eu não tinha outra escolha senão de voltar depressa para casa. Mais do que nunca, Afonso parecia condenado. Lembrei-me da última vez em que eu olhara para seu rosto cinzento. Ele poderia estar morto no dia seguinte... se já não estivesse...

Veneno nas Veias

Enquanto eu caminhava com dificuldade até o fim da *piazza*, ouvi um grito atrás de mim e estaquei.

— Lucrécia! — uma voz feminina chamou de longe. — Lucrécia! Espere um momento!

Girei sem sair do lugar. Uma mulher usando um vestido de veludo marrom vinha em minha direção através do mercado apinhado de gente. Ela segurava uma cesta na mão esquerda. Dos dois lados de sua cabeça eu via tranças enroladas sob uma touca branca. Era ela, finalmente!

Enquanto mamãe se aproximava, ela parecia surpreendentemente jovem para uma mulher de quase 60 anos. Os quadris bem feitos ondulavam sob as dobras do vestido. O pescoço esguio assomava do decote quadrado de seu corpete. Meus olhos devoraram a aparência dela como seu eu nunca a tivesse visto antes, como se eu nunca a tivesse contemplado de longe ou através de uma janela. Eu costumava pensar com frequência que nunca voltaríamos a nos falar. Agora ouvi-la chamar o meu nome, tê-la parada diante de mim, parecia uma coisa irreal, como uma alucinação deixada pela febre.

Ela me abraçou e me estendeu a cesta. Sem olhar dentro dela, julguei, pelo peso em seu braço, que estivesse vazia. Não peguei a cesta.

— Mamãe... Como é que a senhora podia... Como podia ter feito isto comigo... A senhora não sabe o mal que fez! — falei, confusa e hesitante.

— Não fiz mal algum — ela respondeu em voz áspera. — Tenho um presente para você.

Ela enfiou a mão em um canto coberto da cesta e retirou uma garrafinha com formato de lágrima. O vidro transparente mostrava no fundo um líquido espesso e estranho. Ela me entregou a garrafa.

— O que é isto? — perguntei com uma carranca.

— Não sei, você é quem tem que me dizer. No calor da febre você recitava sem parar uma fórmula, como se fosse muito importante. Imaginei que eram os ingredientes para um tônico curativo que você planejava dar ao seu marido. Todos sabem da trágica notícia do ataque que ele sofreu, e só um tolo não entenderia que o conteúdo da sua cesta correspondia exatamente à fórmula. — Seus olhos verdes brilhavam à luz do sol. — Espero que não se importe, Lucrécia, mas tomei a liberdade de mandar aviá-la para você.

— A senhora fez o quê? A poção... a senhora... já a preparou?

— Bem, levei-a para a curandeira local. Ela misturou tudo sem esforço.

Totalmente atônita, ergui a garrafinha à luz do sol, virei-a de um lado para o outro e estudei o líquido viscoso dentro do vidro. O antídoto escorria como mel, porém a cor era muito mais escura, amarela-amarronzada como ouro recém-extraído dos subterrâneos da terra.

— A senhora fez isto por mim? A senhora produziu mitridato? — perguntei sem tirar os olhos da garrafa, ainda chocada com a minha súbita boa sorte.

Sua boca bem feita abriu-se em um sorriso e ela indicou meu vestido com um gesto.

— Estou vendo que estas roupas lhe caem bem. Temos mais ou menos o mesmo corpo.

— Não sei o que dizer — respondi com os lábios trêmulos. — Há menos de dez minutos eu imaginava coisas tão horríveis sobre a senhora, e agora... agora não tenho como agradecer-lhe suficientemente. A senhora cuidou de mim no pior da minha febre e, por ter preparado este antídoto, a vida de Afonso pode ser salva também. Deve haver alguma coisa que eu possa fazer em troca. Existe alguma maneira pela qual eu possa retribuir a sua generosidade?

— Chame de amor, não de generosidade, Lucrécia. A generosidade é simplesmente uma maneira de gastar dinheiro, e acredite-me, não tenho o menor desejo de ser pobre novamente. A pobreza é a mais barata de todas as virtudes. — Ela tirou minha bolsa de um bolso em seu vestido e estendeu-a para mim. — Certifiquei-me de que ninguém roubasse isto de você. E não se preocupe em me retribuir, estou suficientemente rica só de poder

Veneno nas Veias

olhar para você de novo. — Ela relanceou o olhar na direção do Vaticano. — Sei que precisa ir, mas será que posso ir com você por uma parte do caminho? Só por um minuto?

— Sim, eu gostaria muito disso.

De braços dados, caminhando lado a lado, nós deixamos o mercado. Ela continuou em tom melancólico:

— Você pode não acreditar, mas tenho pensado muito em seus irmãos e você nos últimos anos, sobre nossa vida na *Piazza Pizzo di Merlo.* Sempre gostei de ler as suas cartas e senti muita falta delas quando você parou de me escrever.

— Mas foi a senhora quem parou de me escrever! — exclamei, um pouco magoada. — Antes de desistir eu lhe escrevi três vezes sem receber resposta.

— Então as suas cartas nunca chegaram a mim, ou as minhas respostas nunca chegaram a você? Mas eu respondi, Lucrécia. Pode acreditar em mim, eu respondi.

Fiquei em silêncio e baixei a cabeça, pensando no assunto. Aquilo tinha que ser obra de César ou de papai: obviamente eles interceptaram as cartas para cortar minhas relações com Vannozza. Eles sempre me quiseram inteiramente dentro do controle da família, influenciada apenas pelos desejos deles, leal à Casa de Bórgia e a mais ninguém. Mesmo muitos anos antes eles haviam começado a conspirar contra mim. Apertei com mais força a garrafinha com mitridato em minha mão.

Vannozza deu de ombros.

— De qualquer maneira, isto tudo é passado agora. Ninguém devia chafurdar no passado. Quando o seu pai me deixou e levou você e seus irmãos com ele, senti como se ele tivesse arrancado as fibras do meu coração. Mas recomecei. Vendi todas as minhas joias e comprei uma pequena pensão na praça. Agora possuo três das estalagens mais populares de Roma. Não é tão mau para a filha de um pintor desconhecido, é? Sou dona de mim mesma. Quantas mulheres em Roma podem dizer a mesma coisa?

— Muito poucas, imagino.

— Você também não está tão mal. Tem a sua própria família agora.

— Sim! E eu daria a minha vida para salvá-la — disse, enxugando uma lágrima do rosto. — Mas meu marido está em seu leito de morte e não vejo meu filho há dias. Amanhã eu posso estar viúva e meu filho pode estar órfão. Eu daria a minha vida para salvá-los... mas já não sei mais se isto é o suficiente...

Ela rodeou meu ombro com o braço.

— Nunca deixe de acreditar em si mesma, Lucrécia. Se há uma coisa que aprendi ao longo dos anos, é isto: antes de poder ser uma mãe para uma família, você precisa ser uma mãe para si mesma. De outra maneira a vida não funciona.

— Sim, mas a senhora não sabe os desafios que enfrento em casa.

— Talvez não saiba. Mas escute, todas as noites ouço o mesmo provérbio dos lábios dos meus fregueses: "Alexandre nunca faz o que diz; César nunca diz o que faz".

Balancei a cabeça.

— Papai é fraco e mentiroso, no entanto não é o culpado. Ele não seria assim se César não o tivesse corrompido primeiro. No dia em que meu irmão ganhou seu novo poder, deixei de reconhecê-lo, e não foi por causa daquela maldita máscara que ele usa.

— Isto acontece com todos os homens poderosos — ela disse, baixando a voz. — Quando conheci seu pai, ele era cardeal havia poucos anos. Costumava ter tanto carisma e gosto pela vida, no entanto ele mudou à medida que subia na *Curia* Romana. Entrou em tantas conspirações que ficou exaurido, seu espírito ficou enfraquecido. Logo ele já não tinha um toque de carinho para mim, e falava dos filhos como se fossem peças de xadrez. Foi quando as brigas começaram, e quando ele me deixou. É uma pena que César tenha seguido o mesmo caminho do pai.

— Eles agora são uma equipe poderosa. Com ambos contra mim, está ficando cada dia mais difícil igualar-me aos planos deles.

Ela me olhou com grande vivacidade.

Veneno nas Veias

— É este o seu problema! Não tente igualar-se a eles, Lucrécia! Você pode fazer melhor que isto, pode superá-los! As mulheres que procuram ser iguais aos homens têm uma séria carência de ambição. Se você duvidar de si mesma, só estará ajudando-os a prevalecer. Não se consegue ganhar uma batalha se não se imagina a vitória. Combata-os de volta. Deus sabe, já tive as minhas guerras no passado. Não se chega a lugar algum neste mundo sem lutar!

Sorri, embriagada pela atitude exuberante dela. Logo entramos na sombra da cúpula de uma igreja e os prédios vizinhos lançavam sombras longas sobre as pedras da rua, lembrando-me a passagem do tempo.

— Há tanta coisa para conversarmos, mas o tempo não para — falei com tristeza. — Talvez, quando meus problemas estiverem resolvidos, possamos nos reencontrar. Eu poderia trazer o seu neto para conhecê-la.

Ela baixou os olhos verdes para o chão.

— No dia em que o seu pai me deixou, prometi a mim mesma que jamais permitiria que outro Bórgia entrasse na minha casa. Talvez eu tenha quebrado esta promessa uma vez, por você, mas não farei isto duas vezes. Ninguém da Casa de Bórgia é bem-vindo em minha casa. — Ela pegou minhas mãos nas suas. — Mas se você vier a mim como si mesma, se vier apenas como Lucrécia na próxima vez, sempre encontrará a porta aberta.

Beijei-a carinhosamente no rosto.

— Adeus, mamãe.

Ela sorriu e nós compartilhamos um breve abraço, nenhuma das duas desejando separar-se da outra tão depressa. Enquanto eu me afastava, diminuí o passo e acenei de volta para a sua graciosa silhueta parada à sombra...

Quando cheguei de volta ao Vaticano, o sol poente sangrava no céu, manchando as nuvens de vermelho. Escondi a garrafinha de mitridato na manga do vestido e me encaminhei apressada para a entrada principal do *Palazzo Apostolico*. Dois alabardeiros de César flanqueavam a porta. Não havia tempo para truques e eu não podia perder outro minuto esgueirando-me através da passagem.

Para minha surpresa, quando me aproximei dos guardas, de cabeça erguida e dirigindo-lhes um olhar imperioso, eles não bloquearam a minha passagem nem tentaram deter-me. Simplesmente passei por eles como se a minha presença fora do Vaticano fosse quase natural. Talvez não tenham me reconhecido — embora isto fosse pouco provável. Mas fosse qual fosse o motivo da incompetência deles, sorrir e me apressei a tomar a direção da *Torre* Bórgia.

Em um gritante contraste a quando eu partira da sala, 50 alabardeiros agora se alinhavam a cada lado do corredor, encostados nas paredes como se estivessem esperando havia horas. Meus próprios soldados da guarda não estavam à vista. Estaquei e esperei a comoção iniciar-se, mas em vez disso os alabardeiros apenas me olharam em silêncio, boquiabertos. A reação deles me deixou confusa.

Bati nas portas da sala mas não recebi resposta. Tudo ali estava terrivelmente imóvel, estranhamente silencioso. Girei a maçaneta e vi que a porta não estava trancada — um sinal nada tranquilizador.

Lá dentro, chamas brilhantes crepitavam na lareira e penetravam na escuridão e no ar parado. Eu não sentia o seu calor e fiquei horrorizada com a cena diante de mim. Afonso jazia na cama improvisada, suando, a respiração rápida e entrecortada, o rosto quase exangue.

Ainda pior: César estava sentado em uma cadeira ao lado da cama, pernas cruzadas, as botas empoleiradas no colchão. Ele não se levantou com a minha presença. Havia uma espada sobre seus joelhos e ele usava a ponta da lâmina para limpar a sujeira debaixo das unhas.

— Boa noite, minha irmã — ele cumprimentou em tom casual.

— Que sorte, você chegou bem a tempo de dar adeus ao seu marido.

XXX

O Pacto

Ficamos em silêncio e o único som entre nós vinha das labaredas estalando na lareira. César ergueu a espada e colocou-a na garganta de Afonso. A lâmina de metal cintilava quando Afonso engolia, e fiquei feliz por ele não ter consciência do perigo que enfrentava naquele momento.

— Onde está o embaixador Maquiavel? Como foi que você entrou aqui? — eu quis saber.

— Encontrei uma cortesã para imitar a sua voz — César respondeu, gesticulando para o canto extremo da sala. — O seu cúmplice não percebeu. Ele abriu a porta.

Perscrutei a escuridão do canto da sala. Jogado no chão, braços e pernas amarrados, uma mordaça na boca, estava Maquiavel.

— Por que está fazendo isto, César? É uma coisa má!

— Não sou tão mau assim, Lucrécia. A minha lâmina tem estado na garganta de *Don* Afonso mais de uma vez nesta última hora, mas esperei por você. Decidi deixar que você o visse pela última vez.

Olhei de relance para a cama. A respiração de Afonso ficou mais rascante e um de seus braços estremeceu. Sua saúde declinava bem diante de mim. Como eu nada podia fazer para impedir César fisicamente, minha única esperança era o antídoto. Precisava usá-lo como objeto de negociação, algo para trocar pela vida de Afonso.

— Ele não precisa morrer. Há um modo pelo qual ainda posso salvá-lo do veneno.

— A cantarela não tem antídoto, eu já lhe disse isto.

— Agora tem. — Enfiei a mão na manga, tirei a garrafinha e brandi-a no ar. — Isto é mitridato, um antídoto universal, uma cura contra todos os venenos. Ele vem de um fórmula antiga descoberta pelo rei de...

— Sei o que e mitridato — ele interrompeu. — Mas a fórmula foi perdida, é pura lenda. Você me insulta com estes truques baratos, irmã.

— Não é um truque, juro. Maquiavel encontrou um manuscrito que descrevia todos os ingredientes. Por isso foi a Roma: juntei todas as substâncias raras e preparei o antídoto. Este frasco contém 36 diferentes ingredientes misturados em uma única poção. Durante séculos, tem sido o mais perto que alguém já conseguiu chegar do verdadeiro antídoto.

— Chega! Você já viu o seu marido. Nada me impede de golpeá-lo agora.

Em um único movimento ágil e poderoso, ele se pôs de pé e ergueu a espada para desferir o golpe. Seu colete de seda negra colou-se aos seus bíceps.

Prendi o ar nos pulmões e esperei. Ele ficou imóvel na mesma posição, a espada pronta acima de Afonso, como se estivesse pensando no mitridato. Ele sempre se preocupara com uma morte precoce e eu tinha esperanças de que a ideia de um antídoto tão poderoso fosse tentadora demais para ignorar.

Ele continuou na mesma posição, mas virou lentamente a cabeça em minha direção.

Veneno nas Veias

— Como você sabe que funciona?

— Não sei — respondi. — Mas só há uma maneira de descobrir. Deixe-me usá-lo em Afonso.

Ele ficou firme, mas sua voz perdeu parte da aspereza.

— Por que eu deixaria que você fizesse isto?

— Porque você precisa que ele funcione, tanto quanto eu preciso. Pode ter a seu comando os venenos mais mortais, mas de que adianta isto sem proteção contra os venenos dos seus inimigos? Eles não estão a salvo das suas peçonhas, e você não está a salvo dos venenos deles. Você pode atacar quantas fortalezas quiser, mas e se a sua próxima bebida estiver temperada com arsênico? E se a sua próxima refeição estiver polvilhada com estricnina?

Ele não respondeu, mas me encarou através dos orifícios da máscara. Continuei rapidamente:

— No entanto, se o mitridato funcionar, ele poderia tornar você invencível. Com cantarela em uma das mãos e mitridato na outra, você seguraria a chave para a vida e a morte, teria o poder supremo sobre qualquer pessoa que se levante contra você. Não teria medo de pessoa alguma, não se submeteria a pessoa alguma. Nem mesmo o próprio Júlio César teve tal imunidade.

Finalmente a mão dele relaxou levemente em volta do punho da espada. Aproximei-me lentamente da cama, adquirindo mais confiança.

— Infelizmente para você, meu irmão, existe um único problema.

— Qual é?

— O único pedaço de pergaminho com a lista de todos os ingredientes foi destruído, o que significa que a fórmula está em um único lugar, e só nesse lugar. Aqui. — Encostei o dedo no meu crânio. — Se você quiser saber como produzir mitridato, primeiro terá que fazer um pacto comigo.

— E qual poderia ser este pacto?

— Eu lhe darei a lista inteira de ingredientes se você poupar a vida de Afonso. Quando ele se recuperar, você tem que permitir que Afonso, Rodrigo, o embaixador Maquiavel e eu deixemos Roma. — Coloquei a palma da mão no gume da espada. Para minha surpresa, ele não resistiu quando empurrei a lâmina para longe. — Eu lhe darei metade da fórmula no dia em que partirmos, metade quando chegarmos em segurança a um novo destino.

Ele ficou imóvel e em silêncio enquanto eu olhava para a sua máscara. Na cama, a respiração de Afonso ficava gradualmente mais difícil e o seu corpo tornou a contorcer-se, como se estivesse prestes a entrar em convulsões.

César recuou e resmungou:

— Então faça isto.

Mergulhei sobre Afonso, arranquei a tampa da garrafa e virei em sua boca. Uma gota do líquido âmbar escorreu do gargalo e deslizou sobre seus lábios brancos como o inverno.

Reclinei-me para trás e aguardei, quase que esperando testemunhar alguma forma de milagre. Nada aconteceu. Tanto César quanto eu permanecemos atentos por infindáveis minutos, procurando um sinal qualquer de que o antídoto funcionava. Em vez disso, Afonso apenas piorou. Seus músculos tinham espasmos cada vez com mais frequência, as mãos fecharam-se em punhos e os pulmões lutavam por ar.

— Não lhe dei o suficiente. Ele deve estar precisando de uma dose maior.

Com hesitação derramei uma colher da poção na boca de Afonso, no entanto nada aconteceu. César tamborilava com os dedos impacientemente, começando a duvidar do antídoto.

— Não vai adiantar — ele declarou. — Você pode ter se lembrado dos ingredientes errados. A poção pode ter sido misturada com impurezas. Talvez seja apenas uma lenda ridícula.

Não lhe dei ouvidos; em desespero, virei a garrafa de cabeça para baixo e esvaziei-a até a última gota na boca de Afonso.

Funcionou. Graças a Deus funcionou.

Nenhum milagre espetacular nos deslumbrou com a sua glória, mas os músculos de Afonso gradualmente cessaram as contrações.

Veneno nas Veias

Minutos depois, a violência da sua respiração começou a baixar lentamente e a cada respiração seu peito enchia-se de ar em um ritmo mais calmo. O mitridato não o levou de volta à saúde com um salto — seus olhos permaneciam fechados e sua cor ainda tinha uma aparência grave — mas diminuiu os sintomas mais severos do veneno e ergueu-o de volta do abismo. Deu-me a chance de que eu precisava para curá-lo.

César elevava-se acima de Afonso como um gato observando um pássaro ferido.

— Nunca tinha visto isto antes, principalmente depois da cantarela — comentou, impressionado.

— Então você aceita que o mitridato é real? Vai manter o pacto? — repliquei.

— Se ele ficar totalmente recuperado, o pacto valerá.

— Dei um longo suspiro quando toda a tensão reprimida dentro de mim soltou-se de repente. Beijei a mão de Afonso e abracei-o com força, pousando minha cabeça em seu peito, escutando as batidas regulares do seu coração pulsando em meu ouvido. As suaves pulsações me animavam com alegria e acalmavam todas as minhas preocupações. Eu tinha a sensação de que aquele era o maior ruído que eu já ouvira.

César bufou.

— Valeu mesmo a pena, minha irmã? Ele não é mais do que um menino, Deus sabe por que você se importa tanto com ele.

— Sim. Também eu não entendo os meus sentimentos — respondi com amargura. — Por exemplo: depois de tudo isto, por que eu não consigo me obrigar a odiar você?

Ele empertigou-se e desviou o rosto.

— Ninguém pode ficar sabendo do pacto ou do mitridato. Nenhuma palavra sobre isso deixará esta sala, entendido? Se isto acontecer, Afonso não será a única pessoa em perigo...

Fiz uma carranca. Aquilo soava como uma ameaça, mas ele disse aquelas palavras em uma cadência tão rígida, uma passividade tão estranha, que eu me perguntava se ele estava incluindo ele próprio no perigo.

— Meu irmão, alguma coisa o amedronta?

— Nada. Coisa nenhuma — ele respondeu em voz mais baixa. — Saiu pisando forte em direção à porta. — Simplesmente certifique-se de manter silêncio sobre isto.

Maquiavel ainda estava amarrado a um canto. Enquanto eu ia até ele para soltá-lo, observava César sair da sala, e me sentia confusa com o comportamento estranho dele. Estava tão acostumada aos seus modos agressivos e ameaçadores que era desconcertante vê-lo comportar-se com um pouco de nervosismo para variar. Quem, ou o quê, poderia despertar o medo de um homem como o meu irmão? Ele poderia fazer a cidade inteira estremecer. O quê teria condições de ameaçá-lo?

Eu não desejava descobrir.

XXXI

O Início Do Fim

Afonso não recaiu nos sintomas do veneno e fizemos todo o possível para ajudá-lo a curar seus ferimentos. Os médicos de Colonna nos visitavam duas vezes por dia, monitorando as mudanças da sua condição, sempre prescrevendo novas drogas e loções para reequilibrar os seus humores. Não perdi uma única hora à sua cabeceira, banhando-o, substituindo seus curativos, despejando o seu urinol, preparando todas as suas comidas e bebidas. Era incrível ver seu corpo florescer mais uma vez. Ele começou como um fiapo cinzento entre os lençóis da cama, no entanto gradualmente seus cabelos recuperaram o brilho, suas unhas perderam a secura, e uma delicada cor rósea desabrochou mais uma vez em suas faces brancas.

No dia em que ele despertou pela primeira vez, observei suas pálpebras finalmente abrirem pequenas fendas, os cílios piscando para limpar toda a poeira do sono.

— Onde... eu... estou... — ele falou em voz rouca, os olhos arregalando-se de espanto.

— Você está bem agora, Afonso — respondi, beijando-lhe ternamente a face. — Graças a Deus você está salvo, foi trazido dos mortos. Ele respirou lentamente, fraco demais para continuar falando. Embora as suas palavras fossem poucas, elas fizeram toda a diferença: estávamos juntos novamente. A doença dele não havia sido longa, apenas alguns dias, mas para mim tinha parecido uma era, pois nunca estivéramos separados desde o nosso casamento. Deitei-me ao lado dele, acariciei seus cabelos e lhe dei um sorriso tranquilizador.

A princípio, apesar do pacto recente, eu partia do princípio de que César ou seus asseclas retornariam, portanto deixamos a entrada barricada. Surpreendentemente nenhum alabardeiro atacou as portas, e o próprio César jamais voltou a entrar na sala. Logo eu ordenei que as portinholas das janelas fossem abertas para o largo céu azul, dispensei as sentinelas e deixamos de trancar a porta, exceto à noite. Ao longo das semanas de agosto Afonso permaneceu totalmente acamado, permitindo que seus ferimentos se fechassem e suas forças voltassem. Para poder ficar com ele durante a noite, mandei levar uma outra cama para o quarto e um berço foi montado para Rodrigo. Entre nós três, aquela sala tornou-se todo o nosso mundo durante a recuperação dele.

Embora Maquiavel não mais precisasse ficar ao meu lado, ele tornou-se o nosso visitante mais constante, ajudando-me enquanto eu fazia planos para a nossa partida. Ele superintendeu a arrumação dos nossos pertences para a viagem, negociou com os Colonna para que nos proporcionassem segurança enquanto atravessávamos o país, e me aconselhou a ideia de comprar uma residência em Florença.

A essa altura, apenas uma assunto em relação a Afonso me preocupava: não a sua segurança, saúde, ou seu futuro, mas o próprio Afonso. Enquanto o seu corpo havia se recuperado lentamente, o seu espírito ainda se demorava muito atrás da sua carne. Havia nele agora uma maturidade, como se ele tivesse ficado, de alguma forma, mais velho e amargurado pelo sofrimento. Até mesmo as suas palavras eram mais pesadas e ele cometia menos erros do que antes. O mais preocupante de tudo era que ele de vez em quando olhava para mim com expressão estranha — uma olhada de relance quando ele pensava que eu não estava percebendo — mas detectei um brilho frio e questionador nos seus olhos. Embora nunca tivéssemos tocado naquele assunto, eu sentia que ele me culpava bastante por seus sofrimentos. De qualquer maneira, eu tinha a esperança de que seu ressentimento logo desaparecesse, à medida que os dias passavam, e sentia um grande prazer em cuidar dele e discutir o futuro do nosso filho. Queria apenas um pouco de tempo para reacender o forte relacionamento que antes compartilhávamos.

Tragicamente não tive essa oportunidade. As nossas poucas e preciosas semanas juntos não duraram. Em meados de agosto, o meu mundo desmoronou e deixou uma catástrofe muito além de qualquer possibilidade de reparo...

A manhã começou igual a todas as outras. Depois que os médicos visitaram a sala ainda cedo, fiz os curativos no peito de Afonso com bandagens limpas, alimentei Rodrigo com purê de maçã e depois passamos as horas seguintes na companhia um do outro. Afonso parecia mais rabugento nesse dia do que normalmente, como se alguma coisa especialmente sombria pesasse em seus pensamentos. Ao meio-dia sentei-me ao lado dele em sua cama e lhe mostrei uma terrina de macarrão. Ele não mostrou interesse e reclinou-se em algumas almofadas, o olhar baixando para o chão distraidamente.

— Tente, Afonso. Tem um cheiro saudável e vai ser bom para a sua saúde — pedi.

— Obrigado, não estou com fome — ele respondeu. — O que é isto que você quer que eu coma?

— É só um pouco de macarrão. — Forcei-me a sorrir para ele. — Tem carne moída nele, pode comer, não vai doer.

O rosto dele ficou vermelho de repente e ele jogou longe a colher, irritado.

— Não me fale em dor, Lucrécia, nem mesmo de brincadeira! Isto é tudo o que eu sempre tive da sua família: dor e sofrimento! E se você me perguntar, acho que já está na hora de fazermos alguma coisa sobre isto, alguma coisa forte. Está na hora de acabar com o nosso sofrimento.

— Acabar? — repeti.

— Sim, não ficaremos livres da sua família simplesmente nos mudando para longe de Roma. César vai pegar a fórmula do mitridato, depois vai trair você. Vai vir atrás de mim, você sabe disso. Temos que impedi-lo, temos que atacá-lo agora, antes que ele nos ataque!

— Que é que você está querendo dizer? — perguntei.

Pousei a tigela e percebi uma balestra sobre uma mesa do outro lado da sala. Ele sentou-se e prosseguiu ardentemente:

— Você sabe exatamente de que eu estou falando. Alguém tem que fazer isto, alguém em quem ele confie, como você. Ele não suspeitaria de você.

Eu não sabia o que dizer, nunca o vira dessa maneira antes. Sua sugestão fora tão súbita e tão horrível, tão pouco característica dele, que me deixou pasma. Era evidente que ele vinha guardando aqueles pensamentos de vingança contra César havia muito tempo. Eu não queria brigar com ele por causa disso, mas não poderia fingir que concordava.

Felizmente, antes que eu fosse obrigada a dar uma resposta o embaixador Maquiavel entrou na sala e nos interrompeu. Saltei para longe da cama e fui encontrá-lo à porta.

— Bom dia, *signore*! Chegou em excelente hora.

— Sempre procuro agradar, *madonna* — ele respondeu com os olhos brilhando. — Vim para lhe contar que os Colonna receberam as suas novas instruções de viagem. E os fabricantes de carroça também terminaram a carruagem que a senhora encomendou. Ela tem um berço especial para transportar *Don* Afonso confortavelmente.

Veneno nas Veias

— Que maravilha! Ouviu isto, Afonso?

— Ouvi, sim. Os meus atacantes não furaram os meus tímpanos — Afonso respondeu.

— Então talvez eles tenham ferido os seus bons modos, não? Você poderia pelo menos agradecer ao embaixador, não podia? Ele não tem a obrigação de nos ajudar.

Afonso suspirou.

— Perdoe-me, *signore*. Eu lhe agradeço muito, ambos lhe devemos muita coisa.

Maquiavel cochichou-me discretamente:

— Ele ainda está mal-humorado, pelo que vejo.

— O senhor faria a gentileza de me fazer um favor? — cochichei em resposta, olhando de relance para a mesa no outro extremo da sala. — Poderia remover aquela balestra da sala? Não gosto de onde a mente dele está vagando hoje, e eu me sentirei melhor sem uma arma por perto. Faça isto agora, enquanto converso com ele.

Maquiavel fez um gesto de assentimento. Eu fui até o berço do bebê, peguei Rodrigo no colo e levei-o até a cama. Os dentes de nosso filho estavam começando a aflorar e ele agora mordia um pedaço de coral liso e rosado. Sentei-me com ele no colo, mas Afonso parecia não nos ver.

— Rodrigo está com ótimo apetite, mesmo que você não esteja — falei, apontando para o coral. — Veja, os dentes novos já estão começando a aparecer nas gengivas.

O rosto de Afonso permaneceu neutro. Enquanto eu fazia gracinhas brincando com Rodrigo e balançando-o nos joelhos, Maquiavel aproximava-se da mesa com jeito casual. Quando passou de novo por ela a balestra havia desaparecido, escondida dentro dos volumosos trajes dele. Ele deslizou em direção à porta e deixou a sala.

Afonso reagiu como se o tempo todo estivesse esperando que Maquiavel saísse. Agarrou meu braço e me encarou com olhos alucinados.

— Preciso fazer-lhe uma pergunta. — Ele fez uma pausa e engoliu em seco. — Você me ajudaria se eu quisesse me livrar do seu irmão?

Aquela pergunta era perturbadora, mas eu já a esperava. Encarei-o profundamente nos olhos.

— Compreendo que você esteja com raiva, Afonso... E odeio tudo o que meu irmão fez a você... Mas você precisa parar com isto...

Ele deitou-se sobre os travesseiros e segurou as têmporas, como se combatesse uma dor de cabeça.

— Você não compreende, Lucrécia. Durante a minha vida inteira fui atormentado por pessoas como César. Em Nápoles, a corte ria de mim, ridicularizava a minha maneira de falar, as minhas roupas, tratavam-me com superioridade em todas as oportunidades. Papai era o pior. Não posso mais deixar isto acontecer, não vou deixar. E acaba com o seu irmão. Vou lhe perguntar mais uma vez, você não vai me ajudar a me livrar dele?

— Não! — respondi com firmeza. — E não quero ouvir esta pergunta outra vez na minha vida. Farei tudo o que puder para proteger você, mas também jamais deixarei alguém ferir meu irmão.

— Então você é tão ruim quanto o resto dos Bórgia!

— Não sou, não. — Levantei-me e coloquei Rodrigo de volta no berço. — Mas se alguém aqui está começando a se parecer com um Bórgia, é você, Afonso, não eu.

— Então que seja! Posso fazer isto sozinho, não preciso de ajuda! Vou matar César sozinho e rir bem na cara dele, assim como ele me humilhou. Não me pergunte como, mas vou fazer isto, por Deus, vou matar...

Ele calou-se abruptamente, como se o ar houvesse sido sugado de seus pulmões. Tinha os olhos fixos nas portas no outro lado do aposento, paralisado por alguma coisa. Atrás de mim soou uma voz que me fez estremecer de susto.

— Quem? Matar quem? — César perguntou.

Veneno nas Veias

Estávamos tão absorvidos que não ouvimos a porta abrir e meu irmão entrar na sala. Seu vulto alto e negro agora bloqueava a saída. Havia quanto tempo ele estava escutando?

— Meu irmão! Que é que o traz aqui? — falei, tentando soar displicente.

— *Don* Afonso. Vim ver como está a saúde dele.

— Não sabíamos que você tinha regressado. Encontrou-nos no meio de uma pequena brincadeira.

Ele me ignorou e caminhou a passos largos até a cama com um olhar penetrante para Afonso através da máscara.

— Quem é que você vai matar?

O rosto de Afonso ficou neutro e ele agarrou as cobertas. César elevava-se ao lado dele, esperando uma resposta com raiva crescente.

Sem fazer ruído Maquiavel voltou à sala e parou ao meu lado junto ao berço. Ambos ficamos de olhos fixos na cama, observando a cena desenrolar-se.

— Matar quem? — César repetiu, elevando a voz. — Diga-me, quem você vai matar? Não se atrapalhe. Não se intimide. Simplesmente me diga, seu tolo! Diga-me!

Afonso encolheu-se sob a coberta. Sem obter resposta, César desembainhou sua espada.

— Não! — gritei, correndo para perto da cama. — Lembre-se do nosso pacto! Você não terá o mitridato se tocar nele ou feri-lo um pouquinho que seja!

César não tirou os olhos de Afonso. Jogou a espada sobre a cama e ela rolou, indo parar junto à mão direita de Afonso.

— Pronto. Você queria me matar. Agora tem como fazer isso — ele disse em tom gélido.

Rezei para que Afonso não fosse tolo a ponto de tocar na lâmina. Ela estava a pouca distância da ponta dos seus dedos, fácil e tentadora. Felizmente ele se manteve totalmente imóvel na cama, sem fazer qualquer tentativa de respirar e muito menos de pegar a espada.

César agachou-se para ficar no mesmo nível que Afonso.

— Que é que está esperando? Você tem a espada. Agora use-a.

Afonso olhou para a espada, mas não a tocou. César deu um murro no colchão.

— Você me dá asco! Sabe disso? Disse que queria me matar. Agora pegue a espada e me mate! Faça isto! Dê um golpe com a espada e me mate! Está ouvindo? Estou mandando, me mate! Eu quero morrer!

Os berros dele ecoavam no aposento. Aquela explosão arrepiante deixou-me atônita pela sinceridade com que ele gritava as palavras. Se eu não soubesse, teria pensado que as suas intenções eram verdadeiras, que ele realmente queria que Afonso lhe desferisse um golpe mortal. Abri a boca para falar mas não consegui encontrar o que dizer.

César ficou perto de Afonso por mais um momento.

— Patético — resmungou.

Pegou a espada, ficou de pé e marchou para a porta embainhando a arma.

Agora que meu irmão lhe dera as costas, Afonso ficou mais corajoso. Amassou as cobertas entre os dedos e falou em tom de desprezo:

— Você... Você pensa que é tão magnífico, não pensa? Pensa que é um grande homem, um príncipe, certo?

— Não perca a cabeça. O último homem que me insultou perdeu a dele — César respondeu sem se voltar na nossa direção.

— Não ligo! Você não é coisa alguma sem o Papa! É ali que está o verdadeiro poder, não em você! Você não teria coisa alguma sem o seu pai, nada de nada, e é isto que você é realmente: nada!

Fiquei horrorizada ao ver que Afonso podia ser tão temerário. César estava tão perto da porta, quase fora da sala, quase partindo sem maiores problemas. Mas o insulto o fizera estacar. Ele fechou as mãos em punho.

— Sabe o que eu acho disto? — perguntou em tom gélido. Saltou na direção de uma cadeira, levantou-a com uma das mãos e jogou-a na janela.

Veneno nas Veias

A cadeira arrebentou a vidraça, despencou da torre e caiu com uma forte pancada nas pedras do calçamento do pátio. Ele mergulhou sobre a cama e iniciou um forte ataque à estrutura dela.

— Pare com isto! — gritei.

Afonso engatinhou para fora do colchão e eu o ajudei a arrastar-se e esconder-se atrás de mim em um canto. Maquiavel ficou junto ao berço para proteger o bebê.

Perdido em sua cólera, César continuou a destruir a cama — quebrou-a com os calcanhares de suas botas, chutou várias vezes em uma raiva frenética, despedaçou-a com seus murros, destruiu-a com as mãos nuas, desmantelando-a a cada golpe poderoso, rasgando os travesseiros, virando o colchão e jogando-o na parede com um grito ensurdecedor.

Finalmente, sem mais o que quebrar, ele ficou parado de frente para o estrago, fatigado pelo esforço. Ninguém ousou falar. Maquiavel, Afonso e eu nos agrupamos em um canto, atônitos com aquele espetáculo de fúria. Até o bebê ficou tão chocado que silenciou.

Enquanto César estava ali parado, ofegante, os pulmões parecendo foles poderosos, eu entendi gradualmente que não era Afonso quem tinha provocado aquela espetacular erupção de raiva. Era outra coisa. Embora a máscara tornasse difícil ler as emoções dele, César parecia frustrado, como um homem perdendo lentamente o controle de si mesmo. Ele sempre parecera tão vigoroso, como uma fortaleza, como se nada conseguisse fazer estremecerem as muralhas da sua autoconfiança. Agora, pela primeira vez, eu percebia que algum conflito terrível, inconfessado, devia estar dilacerando o seu espírito. Ele poderia ter matado Afonso tão facilmente, mas um senso de relutância o havia impedido de fazer isso. Ele não conseguiu cometer o assassinato — estava lutando em uma guerra contra o seu próprio caráter. Mas por quê?

Estaria sendo impulsionado, ou até mesmo empurrado, por alguma força invisível que eu ainda não conseguia compreender?

— Qual é o motivo de tudo isto, César? Que é que você está fazendo? — perguntei. — Ajude-me a entender, quero saber o que está acontecendo com você.

— Talvez já seja a hora — ele disse em voz baixa.

— Hora de quê?

— Encontre-me no pátio daqui a uma hora.

— Por quê?

— Venha sozinha, minha irmã, vou lhe contar tudo.

Antes que eu pudesse fazer mais perguntas ele saiu apressado da sala e nos deixou sem palavras em meio aos escombros da sua ira.

Se pelo menos a destruição daquele dia houvesse terminado ali, a minha vida teria tomado um rumo muito diferente.

XXXIII

O Assassino

Fiquei esperando a chegada de César sozinha no pátio do lado de fora da *Torre* Bórgia. A névoa do rio Tibre vinha para a terra, escondendo o sol, tomando o telhado do *palazzo*, obscurecendo as pilastras da fachada e se estendendo por sobre as pedras do calçamento em volta dos meus pés. Os vapores frios deixaram minha pele mais branca do que a pele de um ganso. Olhei para cima e tentei distinguir através da névoa cinzenta a janela quebrada da *Sala delle Sibille*. Eu deixara Maquiavel em meu lugar para tomar conta de Afonso e esperava que aquele encontro não me impedisse um retorno rápido.

Para combater o frio fiquei andando de um lado para o outro, tentando ouvir a chegada de César. Os ruídos normais da vida no *palazzo* estavam abafados pelas ondas de neblina. Que seria o que o meu irmão tinha a me dizer? Seria apenas mais um truque ou ele estava falando sério quando disse que me contaria tudo? E por que nesse dia? Qual era a coisa que havia mudado para fazer com que ele agisse de maneira tão desesperada na sala? Lembrei-me do provérbio de minha mãe: "... César nunca diz o que faz". Talvez meu irmão estivesse finalmente prestes a me revelar os segredos que ele mantivera oculto da família? Ainda assim, depois de todos os seus embustes passados, eu era obrigada a ser cética a respeito dos "segredos" que ele alegara que exporia.

O barulho de muitas botas ecoou através da neblina. Da colunata os guardas de César marcharam para dentro do pátio, suas alabardas subindo e descendo em sincronia. Eles formaram um cordão de armas ao longo da lateral de cada construção e fizeram um amplo quadrado em volta de mim. Eu estremeci no frio, esfregando os braços, até que o vulto negro de César finalmente apareceu sob a colunata. Com a espada a balançar-se em seu quadril, ele veio caminhando arrogantemente pelo pátio em minha direção.

— Ótimo, você veio sozinha — disse.

— Ao contrário de você — retorqui, indicando os alabardeiros.

— Por que demorou tanto? Esperei por quase uma hora!

— Eu estava fazendo preparativos.

— Para quê?

— Para você e o seu marido. Vocês precisam deixar a cidade imediatamente.

— Mas por que você não está mantendo o nosso pacto?

— Outra pessoa o descobriu.

— Não através de mim! — Coloquei a mão no peito. — Não falei sobre isso com pessoa alguma.

— Eu também não contei a pessoa alguma, no entanto o pacto foi descoberto.

— Então quem foi o responsável?

— Não importa quem, já foi feito. — Ele descansou a palma da mão sobre o quadril onde ficava a espada. — Simplesmente me entregue a fórmula do mitridato e eu vou assegurar que você e *Don* Afonso partam em segurança. Um contingente de soldados está em alerta. Estão prontos para escoltar vocês para qualquer lugar, depois que você tiver revelado os ingredientes.

Veneno nas Veias

— Você quer o mitridato agora? — Balancei a cabeça. — Acha mesmo que eu sou idiota? Sei o que você está fazendo. Quer que eu fique assustada e lhe revele os ingredientes, depois prenderá Afonso com os seus homens, não é verdade?

— Isto não é um truque, Lucrécia. A sua vida corre perigo.

— Minha... vida... — As palavras ficaram presas em minha garganta. — César, você quer me dizer o que significa tudo isto? Quem descobriu o pacto? Por que Afonso e eu precisamos partir tão depressa?

— Enviaram um assassino para matar você.

— Um assassino? Para mim? Mas por que alguém faria isto? Você tem certeza?

— Sim.

— Como é que pode ter certeza?

Ele me encarou diretamente nos olhos.

— Por que eu é quem foi enviado para matá-la.

Cambaleei para trás, quase paralisada pelo choque.

— Você?

De repente as muralhas impenetráveis do *palazzo* ergueram-se em minha direção através da neblina. Eu queria acreditar que ele estava brincando, como um jogo que fazíamos quando crianças, mas nada havia de remotamente engraçado no que ele dissera. Ele estava muito sério. Girei na direção dos alabardeiros, percebendo que eles bloqueavam todas as saídas do pátio.

— Por que se afasta? — César perguntou, erguendo as mãos com ar inocente. — Você não está com medo de mim, está? De todas as pessoas do mundo você é a única que nunca deveria ter medo.

Ele estendeu a mão carinhosamente, porém eu me afastei, ainda desconfiada e confusa.

— Não me toque! — exclamei. — Você matou Juan, assassinou a minha criada e tentou apunhalar e envenenar o meu marido. Por que trouxe os seus homens agora, César, responda!

— Como proteção... para você. Se me mandaram matá-la, pode haver outros também tentando isto. — Ele curvou a cabeça, consternado com a minha reação. — Escute, vou mandá-los embora se você insiste. Quer realmente isto?

Hesitei, surpreendida pela sua sinceridade. Ele ergueu a mão para dispensar os alabardeiros. Embora eu confiasse nele menos do que nunca, o meu pânico inicial diminuiu rapidamente, e comecei a reavaliar a situação. Não fazia sentido: se ele realmente pretendesse me ferir, já teria feito isto. Poderia ter me matado a qualquer momento. Por que me avisar antes? Por que fingir que oferecia ajuda?

Antes que ele dispensasse os guardas eu disse com relutância:

— Não, deixe-os ficar por enquanto.

Ele tornou a baixar a mão. Mantive meus olhos nele durante todo o tempo enquanto caminhávamos em círculos pelo pátio, conversando em voz baixa.

— Se você está realmente tentando me proteger, então me diga: quem quer me ver morta? Não fiz coisa alguma para ofender alguém.

— Você tem pelo menos um inimigo, minha irmã. A mesma pessoa que me enviou para matar Juan, Panthasilea e Afonso agora me manda matar você.

— Sim, mas quem é? Diga-me o nome deles?

— Não posso, não aqui. Só posso dizer uma coisa: o seu inimigo esteve diante de você muitas vezes, mas sempre permaneceu oculto. — Ele estacou e colocou as mãos nos meus ombros. — Pense sobre isto, Lucrécia. Quem ousaria me colocar contra a minha própria irmã?

Afastei os olhos e fiquei a contemplar pensativamente a neblina, entendendo rapidamente o que ele queria dizer.

Embora eu não confiasse nele, as suas palavras estimularam alguma verdade horrível dentro de mim, uma verdade que era intrínseca aos meus sentimentos mais profundos. Certa vez ele havia dito que eu não sabia de uma coisa importante sobre a família — mas ele

Veneno nas Veias

estava errado, eu sabia. Talvez até eu soubesse desse segredo por algum tempo, mas nunca tivera a coragem de enfrentá-lo até aquele momento. Minhas dúvidas sobre aquela pessoa haviam sido plantadas três anos antes, pouco depois da morte de Juan. Daquela época em diante minha suspeita havia crescido e se fortalecido, amadurecendo lentamente quando a investigação do assassinato havia sido cancelada, quando eu havia descoberto os venenos no porão, quando eu interrogara o Chefe de Polícia, e quando eu falara com mamãe depois de todos os anos de silêncio entre nós. Agora, pelo menos, a minha dúvida havia finalmente desabrochado, florescido para o exterior e aberto completamente à luz da consciência.

César estaria correto? Eu conhecia mesmo o meu inimigo? Reuni coragem para dizer o nome...

Antes que eu pudesse falar, César ergueu os olhos para alguma coisa e franziu a testa.

Uma flecha!

Ela desceu diretamente em direção a ele, afundou-se em seu ombro e jogou-o para trás com a sua força.

— Lucrécia! — ele gritou.

Parei, durante um segundo atordoada pela visão de uma flecha saindo do ombro dele. Tentei ajudar enquanto ele puxava a haste da flecha. Com um longo gemido ele arrancou a ponta de metal da sua carne. O sangue espirrou para todos os lados.

Olhei em volta do pátio freneticamente para procurar o culpado. Os alabardeiros demoraram a reagir, ainda mais atordoados do que eu. A flecha não viera deles. O caminho dela vinha de um ângulo bem mais alto. Forcei a vista através da neblina e me concentrei nas paredes do *palazzo*.

No alto da torre, atrás da vidraça quebrada da *Sala delle Sibille*, um movimento atraiu o meu olhar: a sombra de um homem segurando uma balestra em uma das mãos. Não consegui distinguir suas feições na névoa, mas rezei para que não fosse Afonso.

A sombra fez pontaria novamente, apertou o gatilho e disparou outra flecha através do vapor cinzento.

A flecha penetrou na coxa de César. Ele gritou de dor e caiu de joelhos.

— Não! — exclamei, saltando para a frente dele, bloqueando-o de outro ataque.

Os alabardeiros acorreram depressa e se reuniram em volta de meu irmão para formar um escudo. A sombra fez uma pausa, estudando outro disparo, depois fugiu da janela e desapareceu.

Instantaneamente virei-me para César no chão. Ele estava deitado de lado, pressionando a palma da mão no ombro ferido para estancar o fluxo de sangue. A haste da flecha ainda assomava de sua perna, a ponta profundamente afundada no músculo.

— Peguem-no! O duque! Peguem-no! — César gritou, sua voz cada vez mais fraca.

Metade dos guardas entrou em ação. Segurando com firmeza as suas alabardas, eles saíram do pátio, correram através da colunata e entraram como um estouro de boiada no *palazzo*.

Abri caminho às cotoveladas através dos homens que permaneceram e ajoelhei-me ao lado de César.

— Não, chame-os de volta! Eu lhe imploro, chame-os de volta!

Ele pousou a cabeça no chão, sucumbindo à dor.

Abarquei-os com meus braços e olhei diretamente para sua máscara.

— Meu irmão, por favor! Chame-os de volta! Não pode ter sido Afonso. Tirei a balestra dele. Não entende, ele não tem a força ou a natureza para fazer isto!

Ele murmurou alguma coisa mas o som não passou com clareza através da máscara. No instante seguinte seus olhos ficaram vidrados, suas pálpebras se fecharam e ele ficou inconsciente.

Saltei de pé imediatamente e corri para impedir o ataque.

Havia pouca coisa que eu poderia fazer naquele momento para impedir a vingança. Se as flechas não haviam matado meu

Veneno nas Veias

irmão, quase que certamente elas tirariam a vida de Afonso. Eu me recusava a aceitar isso. De alguma forma eu precisava deter o esquadrão de guardas que agora avançavam em direção ao aposento dele.

XXXIII

A Verdade

O ruído de metal e punhos nas pesadas folhas da porta ressoava por toda a *Torre* Bórgia. Maquiavel provavelmente havia trancado a entrada da sala. Aquilo deteria os alabardeiros por pouco tempo, não mais que isso. Meu coração galopava quando cheguei ao corredor no lado de fora da sala de Afonso.

Para minha surpresa, não apenas encontrei os alabardeiros atacando a porta da sala como também descobri papai assistindo calmamente ao desenrolar da cena. Sua figura colossal permanecia imóvel, as mãos descansando na vasta extensão do seu estômago. Corri até ele, ofegante por causa da correria. Se alguém podia deter os guardas naquele momento, era Alexandre.

— Santíssimo Padre! É tudo um mal-entendido! Afonso não atacou César. Não conseguiria fazer isso. Ordene que os guardas parem antes que seja tarde demais. Eles não vão me dar ouvidos, mas o senhor ainda pode detê-los! Ainda pode salvar Afonso!

Em um tom estranhamente afável, ele respondeu:

— Minha filha, estou muito disposto a ajudar o seu marido, mas infelizmente preciso pedir-lhe um pequeno favor antes de atendê-la.

— O que é? Concordo com qualquer coisa, mas primeiro detenha os guardas!

— Não. Infelizmente o meu pedido precisa ser atendido agora: desejo conhecer os ingredientes usados para produzir mitridato. Você tem a fórmula, eu acredito.

— Não estou entendendo.

Um sorriso amistoso espalhou-se por sua boca.

— Lucrécia, acho que nenhum de nós dois precisa continuar fingindo. O seu irmão já lhe informou da sua situação no Vaticano. Aliás, ele falou sobre isto no pátio há poucos instantes. Como você concordou em lhe fornecer o mitridato, pode simplesmente transferir essas obrigações para mim. Se escrever a fórmula para mim bem depressa, *Don* Afonso não sofrerá qualquer dano. — Ele saiu andando e gesticulou para que eu o seguisse. — Venha, vamos procurar um pergaminho e uma pena.

Encarei-o e me recusei a me mover. Nunca havia visto papai comportar-se tão cruelmente quanto naquele momento. Estranhamente, aquela nova faceta do caráter dele não me deixou chocada, mas apenas surpresa de que ele houvesse decidido revelá-la finalmente. Sua natureza impiedosa finalmente mostrava-se nua diante de mim, sua forma fria e pervertida exposta em toda a sua feiura à plena vista de todos. Aquela era a dúvida que eu vinha cultivando lentamente por mais de três anos, o segredo sobre o qual César me avisara, a verdade tão repelente que eu jamais possuíra a força para enfrentá-la até aquele momento. Não havia sido meu irmão quem orquestrara cada um e todos os meus infortúnios. Havia sido papai.

Meu inimigo era o meu pai.

Uma grande onda de emoções ameaçava crescer dentro de mim, mas eu não tinha tempo para me demorar naqueles sentimentos,

Veneno nas Veias

precisava me concentrar apenas em Afonso — nada mais importava exceto ele. Apesar da minha repugnância, não tinha outra escolha exceto fazer o que papai exigia.

Urgentemente segui-o, afastando-me da torre na direção do *Appartamento*. Ele se movia com surpreendente velocidade e eu me esforçava para acompanhar seus passos.

— César foi apenas um bode expiatório, não foi? — falei de longe. — Você usou-o para desviar a culpa e desconfiança de todos. Durante todo este tempo as pessoas têm tido tanto medo do homem de roupa preta, o matador mascarado, quando na realidade é o senhor que eles deviam temer. O seu próprio Papa!

Ele não me respondeu. Andamos ainda mais depressa até o *Appartamento* e eu ergui a voz:

— Todos pensavam que César o tinha na mão e o manipulava! Mas ele sempre se limitou a obedecer às suas ordens. O senhor não tem medo dele!

— Pelo contrário, a lealdade do seu irmão nunca foi uma qualidade em que eu pudesse confiar — Alexandre respondeu em voz grave.

— E quanto a Juan? — perguntei, voando de um corredor para outro. — Ah, Deus, como é que o senhor fez isso, ele era o seu filho favorito! O senhor encheu-o de títulos mas ele ficou preguiçoso, não foi? Falhou em suas obrigações. O senhor percebeu que havia construído o seu império apoiado no filho errado.

— Estou avisando, deixe este assunto em paz, minha filha.

— O senhor prometeu a César que ele receberia todo o poder de Juan. Só precisava matar o irmão primeiro.

— Silêncio! — ele berrou. — Juan desonrou os generosos títulos que lhe foram agraciados, e embora eu tenha sofrido profundamente pela morte dele, era justo removê-lo da família e proteger a Casa de Bórgia.

— Removê-lo! Como é suave a sua pregação a favor do assassinato!

Ele me ignorou enquanto atravessávamos as portas dos seus alojamentos privados.

Junto a uma escrivaninha em sua antecâmara, ele me entregou uma folha de pergaminho, um tinteiro e uma pena. Como uma figura mecânica impulsionada por engrenagens, tentei rabiscar a fórmula do mitridato. O ruído distante quebrava a minha concentração. Minha memória ficou fazia. Eu não conseguia recordar sequer um dos 36 ingredientes. Por mais que tentasse, meus esforços eram inúteis.

Ergui os olhos para Alexandre:

— Detenha o ataque! A qualquer momento eles conseguirão entrar. Deste jeito, não vou conseguir me lembrar. Impeça o ataque e eu lhe darei o antídoto depois, juro pela minha vida!

Ele ficou parado junto à janela, imóvel e silencioso, contemplando a neblina. Cada vez mais desesperada, apontei na direção do barulho:

— Por que está fazendo isto? Que mal Afonso lhe fez? A família dele pode não ser nossa aliada, mas ele próprio não é uma ameaça!

— Discordo. O seu marido representa a Casa de Aragon e nada mais. Aliás, a sua aliança com ele nos últimos meses tem sido muito desconcertante. Eu respeitaria o seu amor por *Don* Afonso, porém contava também com uma lealdade muito maior à Casa de Bórgia. Você me desapontou mais do que eu consigo exprimir — Alexandre respondeu.

Fixei os olhos em sua figura ao lado da janela cheia de neblina.

— Foi o senhor quem disparou a balestra! O senhor invadiu o quarto e atirou em César para provocar a vingança dele contra Afonso. O senhor planejou todo o ataque!

— Não tenho responsabilidade alguma pelo destino do seu irmão. Ele próprio colocou a vida em risco quando fez um pacto com você e tramou a sua fuga.

Em desespero, tornei a concentrar a minha atenção no pergaminho. Dessa vez, para meu extremo alívio, a lembrança começou a fluir. Rabisquei as diversas substâncias e os pesos do antídoto. No último ingrediente, minha mão pairou acima do papel. Eu devia ter escrito "raiz de genciana", mas em vez disso, escrevi "grãos de mel". Nunca lhe daria o antídoto verdadeiro.

— Detenha o ataque, o senhor já tem o mitridato — falei, colocando a lista na palma da mão dele.

— Um momento. — Seus olhos percorreram as palavras, examinando tediosamente casa substância. — Perdoe a minha suspeita, mas como poderei saber que os ingredientes estão corretos?

— A vida de Afonso está em jogo. Eu não faria coisa alguma para colocá-la em risco. Agora detenha os homens!

— Lucrécia... — ele disse lentamente, inclinando a cabeça na direção da *Sala delle Sibille*. — Eu teria prazer em fazer o que você deseja, mas parece que a possibilidade de salvar Afonso acaba de expirar. Escute o barulho que vem de lá... ou a falta dele...

Tentei escutar os ruídos de antes, só que naquele momento o corredor estava em silêncio. Durante os últimos minutos da nossa conversa, eu estivera tão chocada com todas as revelações, as perguntas e a luta para relembrar os ingredientes que não ouvira o final da confusão.

Aquilo só podia significar duas coisas. Ou os homens haviam desistido da sua tentativa de invadir a sala... ou alguma coisa muito pior havia acontecido...

Sem desperdiçar outro segundo saí correndo, deixei o *Appartamento* e disparei para salvar Afonso.

Quando cheguei à *Torre* Bórgia, vi de longe a porta da sala arrombada. Não havia alabardeiros à vista. Presumivelmente eles já haviam terminado o seu trabalho e partido.

Entrei correndo na sala e examinei o aposento, preparado para a pior das visões.

Apenas Maquiavel estava parado junto à cama vazia, braços cruzados, sangue escorrendo pelo rosto de um corte na têmpora. Tinha as vestes rasgadas no pescoço e nos ombros, como se tivesse oferecido uma esforçada resistência aos guardas. Com um pequeno passo ele se moveu para o lado e revelou aos meus olhos a mais sórdida das crueldades.

Afonso estava deitado de bruços no chão, o corpo largado, os membros retorcidos.

Avancei bem devagar e me ajoelhei ao seu lado. Com dedos delicados aninhei-o em meus braços. Minha palma sustentava a sua nuca. Ele parecia pálido, mas sua carne ainda era quente ao toque, como se ele estivesse apenas adormecido.

— Podemos desfazer isto — sussurrei em seu ouvido. — Posso curar você.

Maquiavel continuava perto, e não disse coisa alguma.

— Embaixador, o senhor pode buscar os médicos?

Com voz embargada ele replicou:

— Seu pai nos pegou de surpresa, e os alabardeiros... Eram muitos. Sinto muito, *madonna*, sinto muito.

— O senhor não me ouviu? Precisa trazer os médicos — falei com a voz fraca.

— Mas... — O rosto dele ficou tenso. — Eles não irão... Ninguém conseguirá trazê-lo de volta...

— Não. — Apontei para o peito de Afonso. — Veja, ele ainda está respirando um pouquinho. — Pressionei minha mão no pescoço dele. — E sinta aqui, o sangue ainda está quente.

Maquiavel olhou para o corpo, não convencido. E não se moveu. Encarei-o com desespero.

— Por favor, por favor, traga os médicos. Preciso que o senhor traga os médicos.

Ele hesitou, depois afastou-se do corpo e aproximou-se das portas em silêncio. Antes de sair da sala olhou para trás.

— Não se preocupe, *madonna*, vou encontrá-los.

Com o corpo de Afonso jazendo tranquilamente em meus braços, apertei-o mais, colocando meu peito contra o peito dele, beijando seus lábios macios, acariciando o seu rosto, sussurrando infindáveis promessas em seu ouvido. Durante alguns instantes roubados eu transformei a morte em um logro, dei vida a uma mentira e me perdi na mais necessárias das ilusões...

XXXIV

O Desafio

Lutei desesperadamente enquanto os guardas papais me arrastavam para longe do corpo de Afonso, mas foi inútil resistir enquanto eles me escoltavam através do *Appartamento* e me jogavam em meu antigo quarto de dormir. Trancaram as portas e se postaram no lado de fora como sentinelas para impedir a minha fuga.

Papai não precisava ter usado tanta repressão, pois em mim já não havia pensamentos de fuga. Sem Afonso tudo estava desfeito.

A luz diminuiu nas janelas do meu quarto enquanto o sol se retirava da neblina exterior. O ar ficou frio em volta de mim e na única lareira do quarto um monte de cinza abafava as chamas azuis e fracas do fogo que ameaçava apagar-se. Não me preocupei em reavivá-lo. Em vez disso, fiquei ali pensando no meu futuro, vendo-o estender-se diante de mim até uma distância aterrorizante, oferecendo-me nada mais do que ano após ano de solidão, vazio, um futuro despido de amor, nenhum futuro.

Chorando, descalcei minhas chinelas, deitei-me sobre o colchão da minha cama e encolhi-me em uma bola. No passado eu havia chorado profundamente a morte de Juan e havia adoecido pelo afogamento de Panthasilea, mas nada se comparava ao intenso sofrimento que eu experimentava naquele momento. Não conseguia suportar ficar acordada, pois ficava pensando no corpo jovem e sem vida de Afonso no chão; no entanto, estava perturbada demais para adormecer, e odiava a ideia de despertar e não o encontrar ao meu lado. Nos três últimos anos nós havíamos passado todos os dias na companhia um do outro. O rosto dele era a minha visão mais frequente, a sua voz, o meu som mais comum, e eu achava que seria dessa maneira para sempre. De vez em quando eu tinha a sensação de que jamais conhecera uma vida sem ele, como se os primeiros 17 anos da minha existência nunca tivessem acontecido. Ele havia mudado tudo — retirado-me das fronteiras da minha família, e dado-me uma família própria. Agora a perspectiva de um futuro sem ele era difícil de apreender. Era difícil acreditar que todos os nossos sonhos, os nossos planos compartilhados, já não eram possíveis. E eu não era a única a sofrer terrivelmente desse mal. O nosso filho teria que crescer e virar homem sem a sabedoria, os cuidados e as atenções do pai. Esse pensamento me deixava em agonia.

Embora eu soubesse que Afonso havia partido, a dor que sentia com a perda dele era tão forte e vívida que parecia palpável ao toque. Flexionei os dedos e senti a curva cálida da mão dele dentro da minha. Respirei profundamente e inalei o perfume ervoso dos seus cabelos. Meus lábios ainda pulsavam com o sabor dos seus beijos e em meus ouvidos ainda soava a música da sua risada, e eu fechei os olhos com o seu rosto branco e fantasmagórico pairando em minha mente e assombrando a minha visão. Entreguei-me ao sofrimento das minhas lembranças dele e fiquei enrodilhada na cama durante horas sem conta...

Um ruído arrastado veio da direção da porta. Aquele som arrepiou os pelos dos meus braços. Sentei-me na cama, alerta, e percorri o quarto com o olhar.

Havia uma carta no chão, passada por baixo da porta.

Veneno nas Veias

Aquela súbita presença era curiosa. Quem poderia ter mandado o bilhete? Maquiavel? César?

Incapaz de resistir e ficar mais tempo sem saber, aproximei-me das portas e peguei a carta. Junto à lareira agachei-me perto das brasas que brilhavam fracamente para desdobrar o papel. A caligrafia ornamentada era imediatamente reconhecível. Com as mãos trêmulas li as seguintes palavras escritas por meu pai:

Minha muito querida Lucrécia:

Peço sinceramente o seu perdão pelas condições horríveis sob as quais você agora sofre, mas considero de vital necessidade ter você em segurança em seu quarto por um breve período de tempo. Antes que a sua liberdade possa ser restaurada, preciso tomar conhecimento do seguinte: preciso saber se a sua fórmula do mitridato está inteiramente correta. Infelizmente, sem ter total confiança no antídoto eu seria obrigado a partir do princípio de que ele é inútil, ou talvez até mesmo tóxico, e que eu jamais poderia arriscar-me a ingeri-lo.

Portanto, criei um teste simples para me certificar da confiabilidade do antídoto. Enquanto você lê esta carta, o mitridato já está sendo preparado segundo a sua lista de ingredientes. Durante o jantar, esta noite, servirei um cálice de vinho com cantarela e pedirei a você que beba o conteúdo dessa taça. Depois que isto ocorrer, e bem antes que os efeitos do veneno possam manifestar-se dentro do seu corpo, você ficará curada do veneno através do mitridato que você mesma me forneceu.

Se o antídoto for genuíno, e eu espero que seja, tenho certeza de que você não irá recusar-se a participar dessa experiência razoável. Naturalmente, se você se recusar, não será obrigada a beber o veneno através da força.

Em vez disso, a sua negativa será tomada como prova de que o mitridato está corrompido e que você propositalmente forneceu uma lista de ingredientes incorreta. Lamentavelmente, como essa negligência terá colocado em perigo tanto a minha segurança quando o bem-estar da Igreja e do Estado, eu não teria outra escolha senão considerar isso um ato de traição. Acredito que nós dois sabemos qual é o castigo considerado apropriado para os traidores. No entanto, antes da experiência desta noite, se você confessar que o antídoto é falso e subsequentemente fornecer a fórmula verdadeira — que você também irá testar — o seu castigo será grandemente abrandado.

Agora que já cumpri o desagradável propósito desta carta, permita-me comunicar-lhe o meu grande pesar por ser obrigado a lhe escrever com tanta severidade. Apesar da magnitude das suas recentes traições, ainda acredito que no fundo você é uma filha cumpridora dos seus deveres. Assim, uma vez que você tenha feito o teste e restabelecido a sua lealdade, os seus pecados passados contra a família serão considerados absolvidos e você será recebida com alegria de volta à intimidade do meu coração.

Enquanto isto, tenho consciência de que no momento você está possuída pelo sofrimento e que os seus sentimentos ainda estão inflamados por causa do trágico destino de Don Afonso. Sem dúvida os seus sentimentos seguirão esta direção durante algum tempo. Apesar disso, deixe-me assegurar-lhe de que em alguma ocasião futura pode-se encontrar outro marido para reparar o triste vazio em seu coração.

Espero com ansiedade a sua presença no jantar esta noite às oito horas. Até então não vou mais incomodá-la e vou deixá-la em paz em seu luto.

Sinceramente,
Sua Santidade, Papa Alexandre VI

Post Scriptum:
Amada Lucrécia, por favor não tenha receios quanto à segurança do meu neto e seu filho Rodrigo. Se você se aventurar a fazer alguma perigosa tentativa de fugir, ou se for mortalmente ferida

Veneno nas Veias

nessa tentativa, pode ficar sossegada sabendo que sempre terei um interesse especial no futuro bem-estar de Rodrigo. Em sua ausência eu estaria inteiramente preparado para criá-lo dentro da Casa de Bórgia como meu próprio filho.

Espero que isto a deixe tranquila quanto a esta questão.

Assim que terminei de ler a carta, estudei cada frase duas vezes, atônita ao ver aquelas palavras vindas da mão de papai. A falsidade do caráter dele e a frieza do seu coração ficavam mais transparentes a cada minuto. Eu estava quase feliz por ele ter escrito aquelas palavras. Elas tornavam mais fácil desafiá-lo. Se ele já não se comportava como meu pai, então eu não me comportaria como sua filha. Ele estava enganado ao pensar que conseguiria me intimidar tão facilmente, me manipular como um dos seus cardeais, me derrotar como um dos reis da Romagna. Eu era mais forte do que ele pensava. Jamais deixaria que ele tocasse em Rodrigo. Jamais! Amassei o papel nas mãos fechadas, os nós dos dedos brancos, e pus-me a estudar as minhas opções.

Uma coisa estava instantaneamente clara: eu não cederia, não daria o verdadeiro mitridato a papai. Com um antídoto universal a protegê-lo de todos os venenos, nenhum inimigo conseguiria opor-se aos seus planos. Nada poderia impedi-lo de saquear a Itália inteira.

O meu verdadeiro dilema era o seguinte: se me recusasse a fazer o teste, papai mandaria me enforcar por traição. Se eu admitisse que a fórmula era falsa, ele certamente mandaria me executar mesmo assim. E se eu escapasse do *Palazzo Apostolico* e me afastasse de Roma, perderia meu filho e o abandonaria a um futuro com a minha família corrupta. A única opção era fazer o teste, beber o veneno. Mas como poderia fazer isso sem me matar? Como poderia sobreviver à cantarela sem um antídoto para me curar?

Joguei a carta na lareira e usei o atiçador de ferro para enfiá-la no meio das cinzas. As chamas mal responderam àquele fraco combustível.

Procurei em volta outras coisas para queimar.

Algumas luvas de seda em uma das minhas antigas arcas de roupas chamaram a minha atenção de repente. Joguei-as na lareira. As chamas brilharam mais fortes, com cores cada vez mais vivas, e com elas uma poderosa e nova cólera cresceu em meu peito.

Como papai podia fazer isso comigo? Como ele podia retribuir toda a minha devoção a ele com aquele empedernido compromisso com a Casa de Bórgia? Anos antes, quando ele me afastara do cuidado de Vannozza, eu jamais quis perder outro membro da minha família novamente. Alexandre, acima de tudo mais, tornara-se o mundo para mim. Eu sempre me esforçara para ser uma filha virtuosa, amorosa e leal para ele. Não merecia tal tratamento em troca.

Procurei pelo quarto, encontrei outras das minhas antigas arcas de roupa, descobri trouxas de peças que eu não havia levado para o meu *palazzo* e carreguei-as para a lareira. Uma saia... um chapéu... algumas mangas postiças... Joguei tudo isso no fogo...

As chamas ardiam mais intensamente, com vermelhos, alaranjados e amarelos dançando juntos mais depressa, queimando em pedaços os fios dos tecidos. Enquanto eu contemplava as chamas, imaginava papai como um ogro, um monstro inumano obcecado pela política, incapaz de qualquer sentimento além dos interesses da família. Mas a verdade era que ele me amava, e esse fato servia apenas para tornar pior a sua traição. Ele me amava, mas isso não tinha importância, pois ele só podia usar aquele amor para me enganar, para me lograr e me curvar à sua vontade. César havia usado o medo para manter o seu poder, mas papai era um tirano muito mais assustador. Ele usava o amor como a sua arma mais poderosa.

Joguei mais roupas no fogo. Ele se ergueu ruidosamente, mostrando-me a sua fúria.

Papai e mamãe não eram os únicos capazes de agir com esperteza e determinação. Eu tinha nas veias o mesmo sangue que eles tinham. Eu poderia desmantelar a Casa de Bórgia usando as suas próprias ferramentas, libertar-me com a mesma inteligência e força de vontade que eles haviam usado para me aprisionar. Minha vida ainda não tinha terminado, eu tinha perdido Afonso, mas não o filho dele e não o seu espírito. Ainda tinha um futuro para aproveitar.

Nas horas que restavam até o jantar fiquei perto do fogo, decidida a queimar até a última peça das minhas antigas roupas. As oito horas logo chegaram.

Uma chave fez barulho na fechadura do meu quarto de dormir e as portas se abriram. Para minha surpresa, César estava no corredor com seu esquadrão de alabardeiros. De alguma maneira ele ainda estava livre para andar pelo *palazzo*. Uma tipoia agora aninhava o braço e o ombro feridos, e bandagens brancas enrolavam-se na altura da coxa. Levantei-me, mantendo o corpo rígido. Ele entrou mancando no quarto, respirando com força dentro da máscara, como se estivesse pior do que aparentava estar.

— Está muito ferido? — eu quis saber.

— Nada me fere. Ainda sou duas vezes mais forte do que qualquer outro homem — ele respondeu, e em seguida teve um acesso de tosse e esfregou as têmporas de dor.

— Talvez você não seja tão resistente quanto pensa, César.

— E você?

— Estou tão bem quanto se pode esperar. Meu marido está morto... e meu filho é um órfão...

Ele moveu o corpo desajeitadamente, incapaz de colocar muito peso na perna esquerda.

— A fórmula que você deu é falsa?

— É, sim.

— Então você sabe o perigo que corre?

— Perigo? — Meu rosto ficou lívido. — Escute, meu irmão, se você veio me escoltar para o jantar, terá que me levar à força. Não irei até encontrar algum meio de sair disso. É o mínimo que devo a Rodrigo, se não a mim mesma.

— Ótimo, eu estava torcendo para que você se sentisse assim.

— Como é?

— Preciso repetir mais uma vez, Lucrécia? Não deixaria pessoa alguma lhe fazer mal. Nem mesmo o nosso pai. — Ele apertou a cabeça, sentindo dor. — Já comecei a providenciar um modo de libertá-la.

— Mas... Não compreendo... Você está disposto a me ajudar a fugir?

— Não estou falando em fugir. E para o que eu planejei você precisa ir jantar. Vou lhe contar o resto no caminho. — Ele indicou a porta com um gesto. — Vamos, não podemos mais adiar as coisas.

Estudei-o procurando algum sinal de desonestidade. Vi seus ferimentos e lembrei-me da visão da flecha em seu ombro — aquilo definitivamente não fora um embuste. Se papai era o verdadeiro instigador, o planejador, o arquiteto por trás do assassinato de Afonso, então talvez César jamais tivesse sido algo mais do que uma peça no tabuleiro. Apesar de toda a autoridade do meu irmão em Roma, ele nunca tivera o controle de seu próprio destino. Nosso pai havia usado nós dois como marionetes. Naturalmente a essa altura eu não poderia confiar nele sem reservas, mas se eu me mantivesse atenta a ajuda de César seria útil para que eu superasse os obstáculos em meu caminho. O que quer que meu irmão tivesse feito na vida tinha sido feito com força e perspicácia, e era melhor tê-lo como meu amigo do que como meu inimigo.

Descendo um infindável corredor após outro, César levou-me por um caminho serpenteante em direção a algum lugar desconhecido onde seria o jantar. Os alabardeiros nos seguiam e nós conversávamos em tom baixo para evitar que eles escutassem. Inclinei-me para mais perto de César:

— Diga-me, por que papai ainda confia em você o suficiente para deixá-lo andar por aí com tanta liberdade? Sabe que foi ele quem atirou em você?

— Ele pensa que ainda culpo Afonso.

— Como foi que você descobriu a verdade?

— No pátio, a ordem que eu dei foi um simples reflexo, um erro. No instante seguinte entendi que Afonso nem conseguia atirar quando tinha saúde, quanto mais doente. — Ele baixou a voz. — Mas nosso pai... ele costumava caçar todos os dias... Era, e ainda é, um excelente atirador. Ainda caído no chão tentei cancelar a ordem. Mas a dor me dominou. — Ele balançou a cabeça, envergonhado. — Não consigo acreditar que desmaiei. Já tive ferimentos muito piores no campo de batalha.

— Mesmo assim, por que papai deixaria você falar comigo agora? Ele deve saber que eu revelaria a verdade sobre quem atirou em você. Será que não tem medo da sua reação?

Ele deu de ombros.

— Quem sabe? Tenho certeza de que logo teremos a resposta.

— E quanto a Afonso? Talvez você tenha cometido um erro, mas não tente me dizer que não está feliz com o destino dele. Não acreditarei por um instante sequer.

— Por quê? Não faz diferença para mim agora, não ganho coisa alguma com a morte dele. Se eu desafiar nosso pai, perco poder, dinheiro e as terras da Igreja. Perco tudo isso protegendo você.

— Então eu devia ficar agradecida e esquecer todo o sofrimento que você causou?

Ele voltou-se para mim. Seu tom de voz mostrava ansiedade.

— Nunca me agradou magoá-la, minha irmã, nem uma vez. No início, admito que não gostava de Afonso. Poderia tê-lo matado facilmente. Mas me incomodava ver como você o adorava.

— Mas isto não o impediu, não foi?

— Eu adiei o ataque o máximo possível, mas Alexandre logo percebeu a minha manobra. Ele ameaçou planejar o ataque ele mesmo se eu não fizesse alguma coisa logo. Você sabe o que isto significaria para você.

Com expressão de incredulidade eu desviei meus olhos, incerta sobre o que pensar. Ele agarrou meu antebraço e me fez encará-lo de novo. Continuou, desesperadamente:

— Alexandre teria matado você juntamente com o seu marido. Sei disso, vi nos olhos dele. Ele acha que você é uma filha desleal por ter ficado do lado de Afonso. Não há como desfazer isso. Depois que ele considera que alguém é um traidor, não há perdão.

— O que é que você quer que eu acredite, César? Que toda vez que você atacou Afonso estava fazendo isto para me proteger?

— Sim.

Desvencilhei meu braço da mão dele.

— Não! Os pintores podem ter pintado você como Jesus, mas você não é um mártir pelo que fez. Você é um assassino de sangue frio! Você acaba com as pessoas que atravessam o seu caminho, pessoas como Juan, como Panthasilea, como inúmeras outras. Por Deus, quantos homens e quantas mulheres ainda estariam vivos se você não tivesse nascido?

— Nunca aleguei ser um bom homem, minha irmã. Só procurei ser um grande homem.

— E certamente papai usou isto contra você, não usou? Não finja que você queria a morte de Afonso por minha causa somente. Papai deve ter ameaçado remover o seu poder se você não obedecesse, certo? Você não agiu só por amor, César. Você sempre quis a glória. "*Caesar* ou nada" é o lema que você segue. Não conseguiria suportar voltar ao nada, depois das alturas do poder que você escalou. Diga-me, a cada passo dos seus planos, qual preocupação vinha primeiro: era realmente eu, ou era a sua posição que tinha mais importância para você?

Ele virou a cabeça para o outro lado e não respondeu. Continuamos caminhando em silêncio, nossos corpos lado a lado, nossos espíritos separados por muitos quilômetros.

Finalmente chegamos à grandiosa arcada da *Sala Reale*, o salão nobre onde eu costumava promover os consistórios com a Santa Sé. As portas estavam fechadas e por baixo delas vazava a luz de velas. Do outro lado das portas vinha música, juntamente com estranhos murmúrios — gemidos e risinhos das mulheres. César estacou e me puxou para um lado. Seus ombros estavam tensos.

Veneno nas Veias

— Seja o que for que eu tenha feito a você, não posso reparar — disse em tom seco. — Mas depois de hoje à noite os seus problemas estarão acabados, eu prometo.

— Qual é o plano? Como posso sobreviver a isto? Como posso deixar de beber a taça envenenada?

— Não pode.

— Que é que você está querendo dizer? — Olhei para ele com um medo crescente. — É outra mentira?

Ele balançou a cabeça, depois inclinou-se e cochichou os detalhes do seu plano em meu ouvido. Escutei cada palavra com espanto, certificando-me de que estava entendendo corretamente. O plano era inesperado e perigoso, especialmente para mim, mas tinha também a ousadia e a inteligência típicas de meu irmão. Levado a cabo corretamente ele poderia funcionar.

Hesitando, estudei os contornos da máscara dele.

— Você está me pedindo muito, César. Muito mesmo.

— Sim, eu sei.

— Se eu concordar com isto, você promete que ninguém mais sofrer?

— Eu juro. Vai aceitar, minha irmã?

Ainda em dúvida com relação ao meu destino iminente, reuni minha coragem:

— Sim... Aceito...

César reagiu rapidamente e ordenou que seus homens ficassem por perto no lado de fora, no corredor. Juntos empurramos as gigantescas folhas da porta e mergulhamos na *Sala Reale.*

XXXV

O DESAFIO DAS CASTANHAS

Ao entrarmos, deparamos com uma cena espantosa: enquanto os menestréis tocavam um ritmo impetuoso em seus instrumentos, mais de 50 cortesãs estavam nuas, deitadas no chão, os corpos a contorcer-se em meio a um mar de castanhas espalhadas pelas lajotas de mármore. Candelabros enormes estavam dispersos pelo salão e suas chamas criavam poças de luz sobre a carne das mulheres que se moviam de gatinhas, brigando umas com as outras de brincadeira para conseguir pegar as castanhas, os lábios acariciando as castanhas roliças, as bocas sugando, os dedos esfregando as cascas duras nos seios, nos estômagos, ao longo das coxas e entre as pernas.

Atrás de todos os gemidos sensuais e as risadas havia uma mesa de banquete preparada no fundo do salão, perto do trono papal. Sobre a toalha de renda da mesa havia terrinas enormes, cheias de castanhas, aninhadas entre esguios decantadores de vinho. Alexandre descansava em uma cadeira de encosto alto e mordia gulosamente as castanhas. Seus olhos inspecionavam o salão e a farra erótica das cortesãs, e sua boca formava um sorriso de contentamento sob o nariz em gancho.

César e eu paramos logo à entrada. Esperamos meu pai dispensar as mulheres, mas tudo o que ele fez foi enfiar a mão em uma terrina de prata com castanhas e jogar algumas para o alto. As cortesãs soltaram gritinhos de deleite e puseram-se a lutar umas com as outras para pegar as castanhas nas palmas das mãos. Depressa compreendi por que papai permitia que aquela demonstração explícita continuasse: ele queria que eu ficasse chocada e desorientada, prejudicando qualquer resistência que eu pudesse ter ao teste. Com ar indiferente avancei casualmente pelo salão, meus calcanhares amassando cascas de castanha pelo caminho. César seguiu-me enquanto eu me aproximava da mesa.

— Meus queridos filhos, permitam-me dar-lhes as boas-vindas a vocês nesse agradável banquete — Alexandre falou em seu costumeiro timbre rico e melodioso.

— Apenas vim aqui como me foi ordenado — repeti. — O senhor é o único que acha esta noite agradável, eu não acho.

— Naturalmente, e eu peço desculpas por não ter interrompido a minha diversão antes, no entanto confesso que perco toda noção do tempo com essas exuberantes damas. Você não está ofendida por este modesto entretenimento, espero.

— De modo algum. Estou acostumada a ver as suas prostitutas.

Rugas de surpresa surgiram em sua testa. Ele se ergueu e fez um gesto relaxado com a mão. A música parou de chofre. As cortesãs tinham expressão triste enquanto se levantaram e reuniam suas roupas chamativas espalhadas por todos os cantos do salão. Ficamos juntos assistindo até que a última pessoa saiu da sala. Depois que as portas se fecharam Alexandre declarou:

— Embora você não tenha feito objeções ao experimento desta noite, eu ainda assim gostaria de renovar a sua oportunidade de recusar, e até mesmo de admitir que a fórmula do mitridato é falsa... Se o caso for realmente esse...

Veneno nas Veias

— Não. Vou fazer o teste. Mas ainda afirmo que os ingredientes estão corretos e o antídoto é verdadeiro — afirmei. Puxei uma cadeira e me sentei. — Onde está a taça?

Ele suspirou. Parecia quase que relutante em continuar.

Com passos fortes e deliberados ele foi até um decantador e serviu uma dose de vinho tinto em um cálice dourado. Em seguida, pegou um pequeno pote de estanho, ergueu a tampa e enfiou uma colher no pó contido em seu interior. Manobrou habilmente a colher sobre o cálice e colocou um bocado de cantarela no vinho. Depois voltou ao pote para outra colherada... e outra... e outra...

Enquanto ele mexia o vinho com a colher, misturando os dois elementos, o pânico crescia em meu corpo e me deixava tonta de medo. Olhei de relance para César procurando criar confiança. Ele estava de pé ao meu lado, com as duas mãos apoiadas na mesa, sofrendo muita dor pelos ferimentos. Rezei para que ele não desmaiasse.

Alexandre pousou o cálice sobre a mesa à minha frente.

— Nesta taça há veneno suficiente para matar vários homens com extrema rapidez — afirmou. Enfiou a mão no bolso e retirou um frasco cuja cor verde obscurecia o conteúdo. — E aqui está o mitridato produzido segundo a lista de ingredientes que você forneceu. Quaisquer efeitos curativos que ele oferece estarão esperando por você no momento em que você esvaziar a taça. Estamos combinados?

— Muito bem — respondi. Meu queixo tremia de leve.

— Então considere-se livre para beber quando se sentir pronta, minha filha.

Baixei o olhar para ao cálice, hipnotizada pelo líquido escuro. Pequenas bolhas boiavam ao longo da borda e se juntavam no centro, estourando uma a uma. Lembrei-me do plano que César havia sussurrado para mim no lado de fora do salão. Era contra todos os meus instintos beber daquela taça, mas precisava fazer isso, ou o plano jamais funcionaria. Não havia necessidade de adiar as coisas. Juntando toda a minha coragem peguei o cálice com as duas mãos, levantei-o da mesa e encostei a borda nos meus lábios.

— Pare! — César exclamou.

Afastei o cálice da minha boca com um solavanco. O rosto de Alexandre avermelhou-se de indignação. César olhou para ele com raiva.

— Peça a algum criado para fazer o teste, pelo amor de Deus! Force-o goela abaixo de algum criminoso nas masmorras. Teste em quem você quiser, mas eu juro que o senhor não vai obrigá-la a fazer isto. — Ele esmurrou a mesa, sacudindo as terrinas. — Eu mesmo o beberei, se for preciso.

— É mesmo? — disse Alexandre.

Eu engasguei.

— Não, César, não vou deixar você fazer isto. E não vou deixar você fazer mal a qualquer pessoa por minha causa. — Tornei a levar o cálice à boca. — Valeu a pena tentar, mas não podemos impedir isto. É inútil resistir.

— Que é que você está dizendo? — César empertigou-se, alarmado. — Lucrécia, largue esta taça.

— Prometa-me uma coisa, meu irmão. Prometa-me que se eu morrer você vai levar o meu filho para longe daqui.

— Largue! — ele gritou e mergulhou para a frente, tentando pegar o cálice. — Largue, estou dizendo!

A dor de seus ferimentos moderou a sua velocidade. Saltei da cadeira e recuei, ficando fora do seu alcance e derramando vinho em minhas mãos. Antes que ele pudesse saltar sobre mim novamente, virei-me para ficar de frente para Alexandre e forçá-lo a assistir enquanto eu erguia o cálice, enchia a boca de vinho, engolia e bebia o resto todo em três grandes goles.

— Pronto, está feito — declarei, virando o cálice para mostrar que nem uma gota havia sobrado.

César me observava com incredulidade. Sua respiração saía mais convulsa dentro da máscara. Fiquei pregada no lugar encarando Alexandre com olhar desafiador. Por um momento ninguém se moveu e nada aconteceu. Então de repente minha mão

Veneno nas Veias

que segurava o cálice perdeu a força. Ele escorregou pelos meus dedos e caiu no piso de mármore. No instante seguinte, eu o segui, caindo no chão também.

Minhas pernas se dobraram e meu estômago entrou em convulsão. Gemi e caí de joelhos, rangendo os dentes, segurando o estômago.

César reagiu com horror e saiu mancando em direção a Alexandre. E gritou:

— Que é que você está esperando, seu abutre? Ela bebeu o vinho! Dê-lhe o antídoto!

— Concordo que a sua irmã demonstrou sua fé no mitridato. E agora aceitarei a fórmula como genuína — Alexandre respondeu e sua mão se fechou em torno do frasco. — No entanto, apesar do nosso acordo, preciso pensar também no bem maior da família. Infelizmente não posso fugir à conclusão de que a Casa de Bórgia ganha muito pouco com a continuação de um relacionamento com uma filha desleal. Depois de todas as suas traições passadas, seria um desperdício de recursos permitir-lhe o uso de uma substância tão valiosa.

Tornei a gemer quando meu estômago se contraiu, e rolei de lado, meus membros mais fracos a cada instante que passava.

— Quer mesmo vê-la morta? — César perguntou, batendo o pé com força no chão.

Alexandre assentiu com expressão de tristeza.

— Não me faz feliz tomar esta decisão... mas mesmo assim preciso tomá-la.

— Então o senhor acaba de confirmar uma coisa para mim.

— De que se trata, meu filho?

— O senhor merece morrer.

Alexandre aparentou indiferença, como se sempre tivesse imaginado ouvir aquela afirmação. Seus olhos grandes e desprovidos de pálpebras afastaram-se de César e passaram por mim ali caída no chão. Ergui o tronco apoiando-me no cotovelo, tremendo e ofegando. Quando o olhar de Alexandre voltou para a mesa, César parecia desequilibrado em cima das pernas e pressionava as têmporas, obviamente lutando para suportar a agonia dentro da cabeça.

— Sem querer parecer demasiado confiante, no momento nenhum de vocês dois está em posição de fazer ameaças reais.

— Correto. Não posso matá-lo agora, então fiz isto mais cedo.

— Como assim?

— As castanhas!

Alexandre coçou o enorme papo sob o queixo.

— É claro... as castanhas... Agora compreendo você perfeitamente. Aliás, eu tinha até ficado curioso, suspeitando da doçura do sabor delas. E quantas dessas deleitáveis esferas você temperou com o veneno da família, César?

— O suficiente.

— E quanto à multidão de convidados que recebi esta noite? Estão todos condenados também?

— Só as castanhas na sua terrina estavam envenenadas.

Quando terminou a frase, César oscilou, prestes a cair. Ele estendeu a mão para agarrar-se à mesa como apoio, mas estava tão tonto que não conseguiu e caiu no chão. Quase que de imediato ele se ergueu, apoiando-se em um joelho.

— Bravo! — fez Alexandre, batendo palmas. — Aplaudo as suas táticas, meu filho, mas parece que você esqueceu um fator que pode frustrar os seus planos. — Ele sacudiu o frasco entre os dedos roliços. — Ainda possuo o mitridato. Além disso, não fiquei inteiramente passivo em relação a venenos. Diga-me, como se sente neste momento? Os seus ferimentos parecem estar extraordinariamente dolorosos. Talvez alguma outra coisa esteja fazendo com que as suas forças diminuam.

César fechou as mãos em punhos.

— Quando? — quis saber.

— As duas flechas que furaram a sua carne hoje mais cedo tinham cantarela na ponta. As doses foram deliberadamente pequenas, é

Veneno nas Veias

claro, porque eu não queria desestabilizar você cedo demais, quando você ainda podia prestar alguns serviços úteis à família. A julgar pelo rápido declínio da sua saúde, porém, acho que agora esses serviços chegaram ao final.

César murmurou alguma coisa sob a máscara. Cambaleou para a frente, tentando pegar a espada em seu quadril. Antes que conseguisse desembainhá-la, tornou a cair sobre um joelho, ofegante com o esforço. Com dificuldade ele retirou a espada, colocou-a com a ponta no chão e tentou descansar seu peso nela, como uma muleta. Não funcionou.

A espada deslizou sob ele e foi cair a uma certa distância.

Apesar dos meus sintomas, observei com horror meu irmão cair sobre o mármore. Dessa vez ele estava tão fraco que já não conseguia levantar-se. O veneno em suas veias havia conseguido aquilo que nenhum outro oponente em toda a Cristandade conseguiria: havia acabado com ele permanentemente. O soldado mais temido da Europa jazia agora impotente no chão.

Alexandre estava acima de nós com sua figura imensa e baixou o olhar para César.

— Meu filho, quer que eu lhe diga por que sempre preferi Juan a você? Eu o preferia por causa da fraqueza dele, não da força. Sempre foi óbvio que você nunca seria verdadeiramente submisso; que o seu físico poderoso iria tentá-lo na direção do vício da ambição pessoal. Durante todo este tempo você tentou em vão elevar-se acima do bem desta família, e fico feliz em poder dizer que falhou totalmente. — Ele voltou a curva da sua barriga em minha direção. — No entanto, apesar da perda dos meus filhos diretos, o Senhor nos abençoou com uma nova chegada, cortesia de você, Lucrécia. Como indiquei em minha carta, quando você estiver descansando pacificamente nesta terra eu criarei o bebê Rodrigo sob minha cuidadosa supervisão e orientação, assegurando que ele se torne um homem de sucesso. Será o seu filho quem herdará o futuro desta linhagem. Pois a questão é...

Ele engasgou, como se de repente tivesse sido dominado pela dor. Continuou, com menos ímpeto:

— Pois a questão é se... se a família avançará... para o amanhã...

O rosto dele escureceu, e ele fez uma pausa. Através das minhas crescentes convulsões, escutei seu estômago borbulhar com violência. Com as mãos trêmulas ele ergueu o frasco e destampou-o.

— Parece que a cantarela finalmente voltou-se contra o seu senhor e me atacou de repente — disse, sem fôlego. — Assim, despeço-me de vocês dois e proponho um brinde: às crianças Bórgia, passadas e futuras.

Ele virou o frasco de modo que o conteúdo viscoso caísse dentro da sua boca.

Aquela era a visão que eu estava esperando contemplar.

Minhas convulsões cessaram instantaneamente e meus gemidos também. Diminuí a respiração até normalizá-la outra vez, olhei em volta com clareza novamente e parei de fingir os sintomas de envenenamento. Com uma das mãos, depois com a outra, fiz o que César já não conseguia fazer: fiquei de pé. Como se me erguesse dos mortos, postei-me, empertigada e desafiadora, diante de meu pai, com meus membros mais fortes, meu coração mais ardente, minha vontade nunca tão indestrutível quanto naquele momento.

Alexandre pestanejou.

— Não... Esta poção deve estar causando alucinações... Não é possível...

— Ah, não sou uma alucinação. Veja, não estou sonhando — falei, beliscando de leve o meu braço.

— Mas você não poderia ter sobrevivido ao cálice envenenado!

Dirigi-me à mesa e tirei uma pitada do pó branco no potinho. Lambi-o dos meus dedos.

— Não sinto gosto de veneno aqui. Parece mais açúcar e farinha, com um pouquinho de sal.

Alexandre encolheu-se atrás de sua cadeira. Eu o contemplava com desprezo.

Veneno nas Veias

— Durante o seu jantar, César trocou a cantarela, substituindo-a por uma mistura inofensiva. Aparentemente o senhor estava tão entretido com as suas prostitutas que um criado achou muito fácil trocar um potinho pelo outro sem que o senhor percebesse.

O rosto dele demonstrou aturdimento.

— Então você me enganou?

— Nós o distraímos enquanto as toxinas das castanhas agiam. Não podíamos deixar que o senhor descobrisse a verdade cedo demais, para que não tivesse tempo de fazer mal a Rodrigo ou a mim.

Ele olhou com suspeita para o frasco em sua mão.

— O mitridato é falso? Estou vulnerável novamente? — Seu rosto encheu-se de terror. — Minha filha, você ainda pode me salvar. Eu lhe imploro, prepare o verdadeiro antídoto para mim agora mesmo.

— Não! O veneno começou com o senhor e terminará com o senhor.

Ele gemeu e balançou-se em agonia, os olhos percorrendo o salão enlouquecidamente. Avistou a espada de César no chão e tentou pegá-la. Com a respiração ofegante ele disse:

— Parece que você já me considera morto, minha filha... mas eu não estou... E enquanto tiver forças protegerei a família, mesmo se for obrigado a destruí-la. — Ele brandiu a espada no ar e ergueu a voz em um rugido: — Como Sansão derrubarei o templo em cima de mim!

E avançou desequilibradamente, com passos irregulares. Afastei-me dele, rodeei velozmente a mesa e atravessei o salão correndo.

Alguém havia trancado a porta. Sacudia-a freneticamente mas ela não abriu.

Sem perder o ânimo, meu pai chegou mais perto, brandindo a espada, apontando-a para o meu peito. Recuei até o canto da sala. Ele se aproximou lentamente, respirando com dificuldade, piscando constantemente, quase cego pelos efeitos do veneno.

Um passo em minha direção... outro passo... A lâmina da espada cintilava para mim à luz das velas.

Ele chegou perto o suficiente para me golpear e ergueu a espada.

A apenas um passo do meu corpo suas forças faltaram e ele cambaleou e caiu. Como uma torre muito antiga e poderosa desmoronando depois de séculos de existência, seu peso imenso desabou no chão. Sua cabeça caiu junto aos meus pés, a espada soltou-se da sua mão e ele ficou ali imóvel, sem respirar, sem se contorcer.

Contemplei o seu corpo sem vida, quase que temendo que aquilo fosse algum tipo de truque para me pegar desprevenida. Apesar dos meus temores, ele não se ergueu novamente para me atacar. Esperei melancolicamente, depois curvei a cabeça, mal conseguindo apreender que a luta tinha afinal chegado ao fim.

Finalmente eu havia escapado.

As lágrimas deslizaram dos meus olhos e traçaram um caminho salgado pelas minhas faces. A morte dele não me deu grande alegria, mas tampouco me encheu de sofrimento. Decidir fazer daquelas lágrimas as últimas que derramaria por ele.

No outro extremo do salão César gemeu fracamente. Ainda estava caído no chão, impotente, cada vez mais fraco por causa das toxinas dentro dele. Corri para o seu lado.

A essa altura ele já não conseguia sequer erguer a cabeça, e a sua respiração era aguda e irregular. Estava deitado de costas e eu me ajoelhei ao lado dele, acariciando seus cabelos . Ele resmungou alguma coisa ininteligível e eu aproximei meu ouvido para escutar.

— A máscara. Tire-a — ele sussurrou.

— Tem certeza?

— Tire-a.

Com as mãos trêmulas tateei em sua nuca e peguei o cordão que mantinha a máscara presa ao seu rosto. Com cuidado ergui o disfarce da sua pele. Pela primeira vez em muitos meses eu contemplei o seu rosto: várias pústulas e vários vergões roxos agora desfiguravam sua pele pálida.

Ele tentou sorrir.

— Feio, não é?

Veneno nas Veias

— Nem um pouco — respondi, aninhando o seu rosto na palma da minha mão.

— Está mentindo... Mas faz isso muito bem, minha irmã... Obrigado por isso...

Peguei a mão dele, e os dedos frios pressionaram minha pele com uma força surpreendente.

Ele tossiu.

— Sempre pensei que ia morrer jovem, e vou mesmo.

— César...

— Não, deixe-me falar. — Seus dedos apertaram minha mão com mais força. — Quero dizer... que não valeu a pena...

— O quê?

— Magoar você... Tentar ter a minha própria vida... ao custo da sua...

Apertei sua mão com a mesma força.

— Agora não tem importância, eu o perdoo. Está entendendo? Eu o perdoo agora.

— É só que... Eu não queria ser um ninguém...

— Você nunca foi um ninguém, César. Não para mim.

Baixei a cabeça e beijei seu rosto. A pressão da sua mão desapareceu de repente nos meus dedos. Olhei dentro dos seus olhos, buscando desesperadamente uma última conexão, mas seu olhar já estava vidrado e vazio. Fechei delicadamente as suas pálpebras e tentei sentir-me alegre por ele não estar mais sofrendo por causa do veneno.

Sentada ali ao lado do cadáver dele, gradualmente uma minúscula sensação de paz tomou conta do meu peito e aliviou o meu sofrimento. Soltei devagar a mão dele. Depois de todas as batalhas e as brigas, depois de todas as traições e mentiras, durante aqueles instantes curtos e passageiros eu havia mais uma vez enxergado o meu irmão.

XXXVI

Adeus

Quinze dias depois dos acontecimentos daquele jantar visitei as sepulturas de meu pai, meu irmão e meu marido. Todos os três homens estavam enterrados dentro da *capella* da *Santa Maria della Febbre*, uma rotunda antiga ligada à *Basilica di San Pietro*. Trajes de luto agora cobriam o meu corpo de tafetá negro, e um véu de tule balançava-se de leve na frente do meu rosto. Eu levava o bebê Rodrigo nos braços, segurando-o com mãos carinhosas.

Atrás de mim os ruídos da multidão distante ecoavam através do imensurável vazio da *Basilica* e ressoavam dentro da *capella*. O conclave papal havia começado naquela manhã, e milhares de romanos estavam reunidos na *Piazza San Pietro* para esperar a eleição de um novo pontífice. O barulho diminuiu gradualmente à medida que eu adentrava a *capella* e chegava à sepultura que pertencia ao meu pai.

Com a morte de Alexandre, não uma, mas três pessoas morreram: um pontífice, um pai e um homem comum. Muitas vezes eu tivera vontade de manter separados esses aspectos da personalidade dele, de conhecer um pai e não um papa, de amar um pai e não uma figura de autoridade, mas ele sempre misturara essas coisas, tornando indistinta a fronteira entre as paixões e a política, o amor e a lealdade, a missão espiritual e o desejo sensual. Uma parte de mim ainda desejava que ele estivesse vivo — eu queria ter uma oportunidade de conversar com ele, de desembaraçar as motivações emaranhadas e complexas da sua alma, de ganhar alguma compreensão do motivo pelo qual ele havia se voltado contra mim. Sem ele, eu sabia que o meu futuro seria sempre marcado pela tristeza e pelo arrependimento, pois apesar de todos os atos terríveis dele, eu jamais conseguiria esquecer os momentos de ternura que havíamos compartilhado. De qualquer maneira, a morte dele marcava também uma grande mudança na minha vida: eu já não era a filha do papa, já não era o centro do mundo, e o nome Bórgia logo cairia no esquecimento da História. Com essa mudança vinha uma estimulante oportunidade de começar do zero, fazer da catástrofe criação. Finalmente eu tinha a oportunidade de definir o meu próprio futuro. O que quer que fizesse, aonde quer que eu fosse, quem quer que eu me tornasse, seria o resultado das minhas próprias escolhas, não as do meu pai.

Evidentemente a morte de Alexandre não teve consequências apenas para mim, mas também para o resto de Roma e para toda a Cristandade. Realmente, tanta coisa aconteceu nos dias que se seguiram à sua morte que eu mal tivera tempo para pensar e me situar.

Embora o corpo dele tivesse sido encontrado frio e caído no chão da *Sala Reale*, a morte de papai ainda estava sendo comprovada ritualmente pela *Curia Romana*. O corpo fora cercado por funcionários enquanto um cardeal carmelengo inclinava-se sobre o corpo, batia na cabeça do morto com um martelo de prata e chamava por três vezes o nome de batismo de papai em latim. Como o cadáver não mostrou qualquer reação, o carmelengo finalmente anunciou a morte, cobriu o corpo com um lençol branco e destruiu

Veneno nas Veias

o anel Pescatorio do pontífice e o selo de Bórgia. O cadáver de papai foi então lavado e vestido com trajes novos, e deixado durante a noite na *Sala del Pappagallo*, um dos salões papais. Ele se tornara tão impopular durante a vida que não se conseguiu encontrar alguém que pudesse fazer uma vigília ou recitar o Ofício dos Mortos. Aliás, quando a criadagem papal descobriu o cadáver, ninguém chorou ou lamentou o seu falecimento — o que aconteceu foi que os criados iniciaram uma farra de pilhagem. Como era costume sempre que um pontífice falecia, eles saquearam os seus alojamentos privativos pegando qualquer coisa de valor: roupas, joias, prataria, móveis, pinturas e esculturas foram roubados antes do amanhecer.

Os funcionários logo transferiram o cadáver de Alexandre para a *Basilica*, onde ele foi colocado solenemente perto do altar-mor. Ao contrário de muitas outras pessoas, decidi não visitar o corpo de papai. Eu já achara difícil pensar positivamente sobre a vida dele e não queria lembrar-me dele como um cadáver. Depois do sepultamento fui também perturbada por uma história sobre o enterro de papai que circulou por toda Roma. Aparentemente o corpo dele havia ficado tão inchado pelo veneno em sua carne que já não caberia com facilidade dentro do caixão. Dizia-se que seu rosto havia ficado preto e a sua língua havia duplicado de tamanho, saindo grotescamente para fora da boca. Assim, antes que conseguissem forçar a tampa para fechar o caixão, seis criados tiveram que enrolar o corpo em um tapete velho e socá-lo dentro do ataúde com porretes. Para meu desgosto, as notícias desse incidente se espalharam rapidamente através das praças bisbilhoteiras de Roma, fornecendo um fecho desairoso e ignóbil para a sua vida. Embora fosse fácil para as pessoas explicá-lo como uma coisa anormal, uma criatura diabólica diferente delas, eu sabia que papai era também um produto de uma era política depravada, uma igreja corrupta e uma cidade sedenta de sangue.

Ali perto, a sepultura de César ficava um pouco à frente. Fui até lá arrastando os pés e me agachei para mostrar a Rodrigo o epitáfio na lateral. A inscrição dizia:

Aqui neste apertado espaço de terra
Jaz aquele a quem todo o planeta já temeu,
Aquele que em sua mão já carregou
O destino de paz ou de guerra da humanidade
Ó vós que procurais coisas dignas de elogio,
Se desejais elogiar o mais digno
Encerre aqui mesmo a sua jornada.

Li bem devagar o epitáfio, comprovando que era desse modo que meu irmão desejara que a História registrasse a sua vida curta e dramática. No entanto, eu sabia que um relato mais correto das suas ações não teria sido tão lisonjeiro. Ele era um homem de muitos extremos: tinha feito de si mesmo um criminoso e um príncipe; tinha desobedecido à lei e se tornado a lei; tinha ganhado e perdido um império, e quase que o pagara com a sua alma. Porém no final, ao contrário de papai, César não estivera disposto a sacrificar o nosso relacionamento no altar da ambição. Ele me amava mais do que a qualquer outra coisa no mundo, e aquele amor havia sido ao mesmo tempo a sua perdição e a sua salvação. Não importava o que as lendas e as baladas poderiam dizer sobre a sua vida, eu seria grata para sempre por ele ter morrido para que eu pudesse viver acima da Casa de Bórgia.

Embora aquele tributo a ele estivesse entalhado na pedra, parecia que o verdadeiro legado de César estava escrito na água. Sem a sua presença teatral para infundir terror em seus súditos, a concórdia que ela havia levado a Roma e à Romagna já estava diminuindo.

Depois da morte dele, a família Orsini havia recapturado seu *castello* em Bracciano e desfechado ataques aleatórios nos *rioni* de

Veneno nas Veias

Roma, saqueando lojas, incendiando casas e matando os poucos aliados do meu irmão que ainda não haviam fugido da cidade. Ainda pior, menos de uma semana depois do seu falecimento, as cidades da Romagna já estavam mais uma vez dominadas pelos exércitos dos pequenos chefes guerreiros previamente depostos e banidos. Sem a sua hábil liderança, por mais impiedosa e imoral que ela fosse, o destino dos Estados Papais recaíram no miserável caos do passado. Eu sabia que não haveria novamente uma paz substancial na Romagna durante a minha vida.

A última sepultura onde parei pertencia a Afonso. O sol matinal manchava a lousa de mármore com pontinhos de luz acinzentada que não conseguiam aquecer os ângulos frios, as linhas rígidas e os entalhes intrincados. Perto daquela sepultura foi onde permaneci por menos tempo, não porque eu não estimasse as lembranças do meu falecido marido, mas porque eu não precisava de uma lousa de pedra para me lembrar do seu espírito. Ele estava sempre comigo, sempre nos meus pensamentos. Afonso havia sido tão jovial, alegre e apaixonado que para mim a melhor maneira de honrá-lo seria criar o nosso filho com os mesmos valores do pai. Eu ansiava pelo dia em que Rodrigo seria suficientemente crescido para que eu pudesse lhe falar de Afonso e compartilhar minhas lembranças dos nossos dias juntos. Realmente, a cada dia que se passava o rosto dele assumia mais traços das feições delicadas de Afonso, inclusive os grandes olhos castanhos. Mudei-o de lado em meus braços, passei os dedos pelos cabelos dele e dei-lhe um beijo na bochecha.

Na saída parei para olhar para trás, para as sepulturas. Experimentava uma leve sensação de contentamento ao ver os três homens agora descansando juntos em um só lugar — vê-los alcançar na morte uma harmonia que eles haviam sido tão desesperadamente incapazes de encontrar durante a vida.

Lá fora uma grande multidão agora se apinhava na *Piazza San Pietro*. Bandeiras balançavam ao vento, crianças berravam, eruditos gesticulavam em debate, donas de casa mexericavam, comerciantes faziam apostas sobre o resultado da eleição, e a balbúrdia de tudo aquilo elevava-se para o céu quente.

A maior parte da multidão estava de frente para o local do conclave, a *Cappella Sistina* — todos os trinta cardeais do Sacro Colégio estavam agora trancados lá dentro para fazer suas deliberações. Nesse ano, o cardeal mais popular era Giuliano della Rovere. Tanto a *Curia* quando as pessoas de Roma torciam por ele por causa das suas promessas de fechar o *Appartamento* Bórgia, apagar da Igreja a lembrança das maldades de Alexandre e restaurar Roma à sua passada grandeza. Depois de toda a corrupção do reinado de papai, essa perspectiva de mudança enchia a cidade de esperança por um futuro melhor.

Enquanto eu estava parada observando a multidão, uma voz familiar rompeu a minha concentração:

— *Madonna*!

Forcei a vista através do sol cegante. O embaixador Maquiavel abria caminho através da multidão. Seus trajes vermelhos e pretos contrastavam com a esguia brancura do seu rosto ao sol. Logo abaixo dos cabelos cortados curtos via-se uma cicatriz onde ele fora golpeado pelos alabardeiros.

— Como vai o senhor, Embaixador? — perguntei, erguendo o meu véu. — É um grande prazer vê-lo de novo.

— Duvido disso, *madonna* — ele respondeu, os olhos penetrantes brilhando para mim.

— Ah, mas o senhor duvida de tudo, não? Gosta de desafiar as pessoas e deixá-las furiosas, como uma mosquinha importuna da política moderna.

— Ou talvez um porco-espinho. Uma vez a senhora não disse que era com essa criatura que eu me parecia?

— Sim, acredito que eu disse isto.

Um sorriso passou pelo rosto dele, depois ele suspirou profundamente.

— Eu imagino que vou sentir saudade dessas conversas, por mais estranhas que fossem...

Veneno nas Veias

— Sentir saudade? Por quê? Aonde o senhor vai? — perguntei, um pouco nervosa.

— Os vilões de Florença me chamaram de volta, deram o meu posto para outra pessoa. Tenho que retornar imediatamente.

— Hoje?

— Infelizmente sim.

Eu não soube como reagir. A multidão turbulenta parecia ficar mais ruidosa aos meus ouvidos. Fiquei em silêncio pensando em como a companhia dele havia sido preciosa para mim nos últimos meses. Ele havia sido o meu único amigo de verdade, a única pessoa em quem eu podia confiar, e agora ele estava de partida.

— Lamento. A senhora já teve problemas suficientes nos últimos tempos. Não deixe que eu os aumente — ele disse, lendo as emoções no meu rosto.

Sorri com tristeza.

— Fale-me do seu livro. Deve estar quase terminado, não? Espero que me mande uma cópia de Florença quando terminar.

— Já está terminado! Por Deus, estou quase pronto para jogar aquela coisa no fogo!

— Por quê?

— Depois de tudo o que aconteceu, como posso escrever um livro defendendo a política da crueldade e do embuste? Não posso, *madonna*. Ele precisa ser reescrito desde o início. — Ele coçou os pelos curtos no queixo. — Quem sabe, talvez eu até o escreva como uma sátira? Talvez ainda possa expor o comportamento impiedoso dos tiranos, mas fazer isso com comentários tão francos e verdadeiros que os leitores ficariam apenas horrorizados pela moral do estadismo moderno.

— Mas os fidalgos não o enforcariam por escrever um livro assim?

— Não se ele fosse disfarçado como um tratado sério sobre o poder. Os líderes não saberiam se eu estava zombando deles ou não. Eu poderia até dedicá-lo a um governante e pedir que ele fosse meu patrono!

— O senhor enganaria um tirano com a verdade?

— Exatamente.

Assenti pensativamente.

— Muito interessante, Embaixador... Muito interessante mesmo...

— Eu lhe revelei meus planos, *madonna*, mas e quanto aos seus? Que é que a senhora vai fazer? Já decidiu algum futuro para a senhora e o seu filho?

— Vou levar Rodrigo para longe de Roma, mas além deste objetivo não tenho ideias formadas. Qualquer coisa pode acontecer agora. Verei o que o destino trará para nós dois.

De repente um som glorioso interrompeu a nossa conversa. Uma cacofonia de sinos saía da *Basilica*, anunciando a notícia para toda a cidade: o novo papa havia sido eleito!

Logo havia funcionários no topo da escadaria da *Basilica*. Minutos depois o cardeal protodiácono apareceu diante da multidão. Todos avançaram com expectativa, falando em voz baixa. Em latim o protodiácono fez o seguinte anúncio de *Habemus Papam*:

— Anuncio a todos com grande alegria: temos um Papa! Sua eminência e reverendíssimo senhor, *signore* Giuliano, Cardeal da Santa Igreja Romana della Rovere, que toma para si o nome de Julius II.

Milhares de pessoas gritaram sua aprovação àquela decisão! Os homens apertavam as mãos uns dos outros, as mulheres molhavam o rosto de lágrimas e as crianças pareciam confusas com toda aquela súbita comemoração.

Embora eu me mantivesse distante do aperto, protegendo Rodrigo, a rumorosa aprovação ressoava em meu próprio peito. Maquiavel tinha uma expressão de desânimo.

— O herói de hoje, mas tirano de amanhã — disse em tom contrariado.

— Mesmo assim é bom saber que o mundo pode se renovar, não é? — repliquei.

— A vida é curta demais para tal milagre, infelizmente.

Veneno nas Veias

— É mesmo, Embaixador? E diga-me, o que o senhor fez que fosse mais longo?

Ele sorriu com relutância e seu olhar demorou-se sobre Rodrigo e eu. Durante alguns segundos ninguém falou. Ele estendeu a mão:

— Só resta uma coisa entre nós...

Ignorei o gesto formal e abracei-o como convinha. Para minha surpresa ele retribuiu o abraço sem reservas.

— Não quero dizer adeus — falei baixinho.

— Então não diga. Que Deus fique com a senhora e o seu filho, *madonna*.

Esperei enquanto ele se afastava através da multidão até que seus trajes se confundiram com o emaranhado de braços e cabeças, e desapareceram da minha vista.

Com Rodrigo junto ao meu peito, vaguei pelo ajuntamento de pessoas, não mais interessada em voltar ao meu *palazzo*. Enquanto cada vez mais romanos surgiam na *piazza* eu me afastava da *Città del Vaticano* e atravesseva a quente onda de corpos em êxtase, a maré de mãos que comemoravam e o mar de rostos boiando. Embora parecesse que todas as pessoas de Roma agora se dirigiam à *Basilica*, tentando ver de relance o novo Papa, eu conhecia pelo menos uma pessoa que estaria ausente da multidão nesse dia. Abri caminho contra o fluxo de pessoas, tomei o rumo do *Campo de' Fiori* e fui visitar minha mãe.

Enquanto caminhava, não tornei a baixar o meu véu, disfarçar o meu rosto ou me esconder. Para minha surpresa, ninguém disse o meu nome. Ninguém tentou me deter.

Dei um sorriso de paz e contentamento. Eu me tornara anônima para o mundo. Finalmente ninguém me reconhecia como uma Bórgia.

Fim

LEIA TAMBÉM

UM ROMANCE ELETRIZANTE QUE DESVENDA FINALMENTE A ESTRANHA MORTE DE MOZART

"Bianca apertou o lenço contra a boca, e respirou profundamente o seu perfume, forçando-se a recuperar o controle e enfrentar o que estava à sua frente.

Ali no chão, atrás do guarda-roupa, jazia o corpo de Emanuel, ou o que restava dele. Mechas de seu bonito cabelo grisalho anelado estavam emplastradas na sua testa por manchas negras de sangue coagulado, mas seu rosto estava virtualmente irreconhecível. Seu queixo e nariz estavam claramente quebrados, sua pele tinha cor cinza-esverdeada pálida, e ele estava com marcas violentas de um espancamento selvagem. Moscas passeavam por todo o seu corpo, que parecia um brinquedo de madeira jogado fora por uma criança descuidada. Suas pernas estavam dobradas em ângulos desajeitados, e os pés estavam descalços. Bianca reconheceu as roupas que ela tinha lhe dado para vestir em Schrankgasse, mas agora elas estavam sujas e rasgadas, trapos e tiras que envolviam seu corpo.

Enquanto ela lutava para reprimir o desejo de vomitar, ondas de pânico subiam por sua pele e ela procurou às cegas Stadler, que permanecia hesitante ao seu lado."